Gillis Gerleman · Ruth · Das Hohelied

Biblischer Kommentar
Altes Testament

Begründet von
Martin Noth

Herausgegeben von
Siegfried Herrmann und Hans Walter Wolff

Band XVIII
Gillis Gerleman
Ruth
Das Hohelied

Neukirchener Verlag

Gillis Gerleman

Ruth
Das Hohelied

2. Auflage
1981

Neukirchener Verlag

© 1965/1981
2. Auflage
Neukirchener Verlag des Erziehungsvereins GmbH
Neukirchen-Vluyn
Alle Rechte vorbehalten
Umschlag- und Einbandgestaltung: Kurt Wolff, Düsseldorf
Gesamtherstellung: Breklumer Druckerei Manfred Siegel
Printed in Germany – ISBN 3-7887-0026-2

CIP-Kurztitelaufnahme der Deutschen Bibliothek

Biblischer Kommentar: Altes Testament / begr.
von Martin Noth. Hrsg. von Siegfried Herrmann u.
Hans Walter Wolff. – Neukirchen-Vluyn:
Neukirchener Verlag.
NE: Noth, Martin [Begr.]; Herrmann, Siegfried
[Hrsg.]
Bd. XVIII. Gerleman, Gillis: Ruth
Gerleman, Gillis:
Ruth. Das Hohelied / Gillis Gerleman. – 2. Aufl.
– Neukirchen-Vluyn: Neukirchener Verlag, 1981.
  (Biblischer Kommentar; Bd. XVIII)
  ISBN 3-7887-0026-2
NE: Gerleman, Gillis: [Sammlung]

Die Lieferungen dieses Bandes erschienen:
1960 Lfg. XVIII/1   (S.   1– 40)
1963 Lfg. XVIII/2   (S. 41–120)
1965 Lfg. XVIII/3   (S. 1–VIII; 121–236)

INHALTSÜBERSICHT
RUTH

DAS HOHELIED

RUTH

EINLEITUNG

§ 1. STELLUNG IM KANON UND KULTUS

Im hebräischen Kanon ist Ruth dem dritten Teil, den „Schriften",
eingegliedert worden und steht dort unter den fünf Megillot. In der
Synagoge ist das Buch als Festrolle für das Wochen-, also das Weizen-
erntefest gelesen worden.

In der Septuaginta und anderen Übersetzungen dagegen hat das
Büchlein seinen Platz hinter dem Richterbuch bekommen. Es ist sehr
wahrscheinlich, daß damit eine alte jüdische Tradition fortgesetzt wird,
die die Rutherzählung in engen Zusammenhang mit der alttestament-
lichen Geschichte stellt. Allem Anschein nach hat Ruth im jüdischen
Kanon erst spät den Rang eines selbständigen Buches bekommen. Die
Zahl der Bücher des Kanons beträgt nach jüdischer Tradition 22 oder 24.
Die verschiedenen Zahlen gehen auf verschiedene Zählweisen zurück.
Die 22-Zählung, die Josephus und viele Kirchenväter voraussetzen und
die wahrscheinlich als die ältere zu betrachten ist, ist dadurch zustande
gekommen, daß Richter + Ruth und Jeremia + Klagelieder als je ein
Buch gerechnet wurden. Die Lektüre des Buches Ruth am Wochenfest
ist ein ganz später liturgischer Brauch, der erst in nachtalmudischer Zeit
entstanden ist.

§ 2. SPRACHE UND STIL

Sprachlich und stilistisch gehört Ruth zur klassischen hebräischen Er-
zählungtradition, wie sie uns z.B. in den jahwistischen Vätersagen oder
der Geschichte von der Thronfolge Davids begegnet. Im Wortschatz
findet man einige Ausdrücke, die sonst erst ziemlich spät belegt sind:
נשׂא אשׁה (1 4) statt לקח אשׁה (s. aber z. St.); קים pi. (4 7) statt hiph. In
להן (1 13) hat man mit Unrecht einen Aramaismus (= „deshalb") sehen
wollen; s. z. St.

Die Erzählung wird, wie es in den Geschichten der Genesis und der
Samuelbücher üblich ist, in eine Anzahl einander ablösender Szenen zerlegt. Die Szenerie wird nur flüchtig angedeutet und der Gang des Geschehens durch Gespräche ausgeführt. Die Aufmerksamkeit des Erzählers ist nicht so sehr auf die Dinge als auf die agierenden Personen gerichtet. Jedoch im Mittelpunkt seines Interesses stehen eigentlich auch
nicht die Menschen, sondern das Geschehen, an dem sie mitbeteiligt sind
und das auch ohne oder gegen ihr Zutun zu seinem Ziel führt.

Die literarische und stilistische Eigenart der Rutherzählung tritt klar
hervor, wenn wir sie mit einer anderen alttestamentlichen Erzählung vergleichen, nämlich Esther. Was dem Estherbuch sein Gepräge gibt, ist

1

nicht zum mindesten das erstaunliche Zurücktreten des Empfindend-Menschlichen. Den Sinn für das Humanum und das Interesse am Psychologischen, wie sie für die Rutherzählung charakteristisch sind, sucht man im Estherbuch vergebens. Während der Rutherzählung eine sublim geistige Aufklärungsatmosphäre eigen ist, wird die Erzählungskunst im Estherbuch von einer düsteren Neigung zum ausmalend Sinnlichen, zu dem starr Bild- und Gestenhaften beherrscht. Das Gastmahl des Ahasverus ist mit grellen Farben und einer Fülle des äußeren Details ausgemalt. Den Saal und seine Einrichtung, die Gäste, die Trinkgefäße – alles soll der Leser vor sich sehen. Die Menschen aber, die handelnden Personen, lernt er nie kennen. Ihre Reaktionen und Konflikte bleiben nach wie vor unenthüllt und rätselvoll. Wie im Schlaf entschließt sich Ahasverus, die Königin Vasthi von sich zu entfernen. Kein Konflikt, kein Kampf zweier Mächte in der Seele, der seine Handlungen hätte begreiflich und glaubwürdig machen können! Mit Esther verglichen, ist Ruth arm an detaillierten Szenen, man vermißt sogar jedes Interesse am ausmalend Sinnlichen. Nicht Bildhaftigkeit, sondern Mitfühlen ist das Signum der Erzählungskunst des Buches Ruth. Das Leben dieses kleinbäuerlichen Alltags spielt sich in einer Atmosphäre der Offenheit und rational geklärten Menschlichkeit ab, die überall in der Rutherzählung, aber besonders in den Gesprächen zu spüren ist, in der liebevollen Kontroverse zwischen Schwiegermutter und Schwiegertöchtern, in dem vertrauensvollen Verhältnis zwischen der ein wenig verschlagenen, aber wohlwollenden Noomi und der zart demütigen Ruth, im Tun und Treiben des treuherzigen Boas auf dem Felde als des Hausherrn, unter seinen Dienern oder im Tor, in eine wichtige Rechtshandlung verwickelt.

§ 3. DIE SEPTUAGINTA

Die griechische Übersetzung des Buches Ruth schließt sich sehr eng an den masoretischen Text an. Sklavisch sollte man sie aber nicht nennen. Der Übersetzer ist bestrebt, eine gut verständliche Version zu geben, und bei allem Verzicht auf griechischen Stil gibt er oft Raum für kleinere, stilistisch bedingte Modifizierungen des Wortlauts. Als Beispiele könnte man etwa nennen die Hinzufügung eines δή (1 8. 13), ἔτι (1 18), ὅτι (3 10), πῶς (2 11). Bei Subjektswechsel erfolgt, abweichend von 𝔐, ausdrückliche Nennung des neuen Subjekts (1 18 2 18 3 16). Etwas kühner ist die interpretatorische Hinzufügung in 4 5, wo Cod. B dem 𝔐 folgt, aber durch Zusatz der Worte καὶ αὐτήν dem Satz einen neuen Sinn gibt καὶ αὐτὴν κτήσασθαί σε δεῖ (vgl. VT 3, 1953, 244). Bemerkenswert sind die zwei Doppelübersetzungen in 2 16 und 3 13. Die auffallendste Abweichung zwischen dem hebräischen und dem griechischen Text findet man in 2 7b, wo die Vorlage des Übersetzers offenbar eine andere gewesen sein muß als 𝔐.

2

Der hexaplarische Cod. A steht dem 𝕸 näher als Cod. B (nicht- oder vorhexaplarisch); vgl. VT 3 (1953) 246ff.

§ 4. DIE PESCHITTA

Die syrische Übersetzung des Buches Ruth ist viel freier als die griechische. Das Verhältnis zwischen den beiden Versionen ist nicht leicht auf eine einfache Formel zu bringen. Neben einer Fülle auffallender Abweichungen findet man nicht wenige Stellen, an denen die Peschitta mit der Septuaginta gegen 𝕸 übereinstimmt. Bisweilen sind diese antimasoretischen Übereinstimmungen aus verschiedenen Gründen so naheliegend, daß man zur Erklärung keine Abhängigkeit anzunehmen braucht: In 1 5 גם fehlt in beiden Übersetzungen, ebd. Nennung des Mannes vor den Söhnen; 1 14 Hinzufügung der aus dem Zusammenhang selbstverständlichen Worte „und sie ging weg" (𝕾), „und sie kehrte zu ihrem Volk zurück" (𝕾); 1 15 Hinzufügung der Worte „du auch"; 1 18 Nennung des Subjekts (Noomi); 3 8 das schwierige Wort וילפת ist in beiden Übersetzungen als Synonym zum vorhergehenden ויחרד aufgefaßt. Etwas auffallender ist das Zusammengehen in 1 12, wo in beiden Versionen das Wort הלילה „heute Nacht" fehlt (als unschicklich betrachtet?). In 1 21 haben beide Übersetzungen ענה als pi. gedeutet, was allerdings nicht sehr fernliegend ist. In 2 13 fehlt die Negation in beiden Versionen, ohne daß der Sinn wesentlich verändert wird. In 2 21 steht „zu ihrer Schwiegermutter" statt „die Moabiterin".

Es gibt aber Stellen, für die jede andere Erklärung als die Annahme direkten Einflusses ungenügend scheint. Schwer wiegt 4 15, wo die Versionen zwar nicht übereinstimmen, wo aber die syrische Übersetzung am besten auf die Fehllesung eines griechischen Wortes zurückgeführt wird: das syrische קריא, „Stadt", für das hebräische שיבה bleibt unbegreiflich, wird aber als Wiedergabe eines griechischen πόλιν (Fehllesung oder Korruptel des πολιάν der Septuaginta) gut verständlich.

Eine ähnliche Erklärung empfiehlt sich auch in 3 11 und 4 10, wo 𝕾 und 𝕾 für das hebräische שער die Übersetzung „Sippe", „Stamm" haben. Für 𝕾 liegt es nahe, eine innergriechische Korrektur anzunehmen (φυλή statt πύλη), während 𝕾 unabhängig von 𝕾 schwer zu erklären bleibt.

Angesichts der zahlreichen Abweichungen zwischen den beiden Übersetzungen ist es klar, daß für 𝕾 eine stetige Bezugnahme auf 𝕾 nicht in Frage kommt. Es ist unwahrscheinlich, daß schon der syrische Übersetzer der Ruth die 𝕾 benutzt habe. Wie die vereinzelten Übereinstimmungen zu erklären sind, bleibt unsicher. Die Annahme einer späteren Revision von 𝕾 unter Berücksichtigung von 𝕾 empfiehlt sich in 1 13, wo die syrische Version für die Worte כי־מר־לי מאד מכם zwei Übersetzungen zur Wahl stellt, eine mit $\mathfrak{S}$ sklavisch übereinstimmende und eine von ihr abweichende. Die letztere ist ohne Zweifel die ältere und echte syrische Übersetzung: „ich bin viel schlimmer daran als ihr", während die erste: „denn es ist mir bitter leid um euretwillen" als Ergebnis einer Revision nach $\mathfrak{S}$ zu verstehen ist.

Es gibt in $\mathfrak{S}$ offenbar verkehrte Übersetzungen, die aus mangelnder Kenntnis des Hebräischen herrühren, z.B. 4 1 פלני אלמני „er sagte: warum", oder weil der Übersetzer den Zusammenhang nicht verstanden hat, z.B. 2 8 „hast du nicht im Sprichwort gehört?"

An einigen Stellen hat $\mathfrak{S}$ ein Minus in Vergleich zu $\mathfrak{M}$. Bisweilen handelt es sich nur um Wiederholungen (2 6) oder andere inhaltlich unbedeutende Worte (1 6. 7. 12 2 7). In anderen Fällen aber haben die fehlenden Worte einen sachlichen Inhalt, der uns nicht erlaubt, den Wegfall aus stilistischen Gründen zu erklären: 2 1 גבור חיל, 2 12 מעם יהוה אלהי ישראל, 2 16 (der ganze Vers fehlt), 4 3 השבה משדה מואב, 4 9 (Nicht-Nennung des Elimelech), 4 16 ותשתהו בחיקה. Bisweilen sind Ausdrücke unübersetzt geblieben, weil sie dem Übersetzer unschicklich schienen, z.B. 1 11 במעי, 1 12 הלילה (= $\mathfrak{S}$ s.o.).

Ziemlich oft ist $\mathfrak{S}$ wortreicher als $\mathfrak{M}$: 1 8 „in euren Ort und in euer Elternhaus"; ebd. „mir und meinen beiden Söhnen, die gestorben sind"; 1 10 „deinem Lande und Volke"; 1 14 „und sie kehrte zurück und ging ihres Weges" (vgl. $\mathfrak{S}$ s.o.); 1 17 „auch ich"; 1 18 „sie solle zurückkehren" (am Ende des Verses); 3 16 „und sie sprach zu ihr: ich bin Ruth".

Bisweilen tritt eine Neigung hervor, dem Text einen frommeren oder weniger anstößigen Wortlaut zu geben, kurzum eine Interpretierung in meliorem partem vorzunehmen: 1 15 (Orpa ist umgekehrt), „zu ihrem Elternhaus" (statt $\mathfrak{M}$ „zu ihrem Volk und ihrem Gott"); 1 16 „es sei fern von mir" (statt $\mathfrak{M}$ „dringe nicht an mich"); 1 19 (die ganze Stadt) „freute sich" (statt $\mathfrak{M}$ „geriet in Aufruhr"); 1 22 „die mit ihr aus ganzem Herzen zurückkehren wollte" (statt $\mathfrak{M}$ „die aus dem Gefilde Moabs zurückgekehrt war"); 3 14 in $\mathfrak{S}$ ist es nicht Boas, sondern Ruth, die besorgt ist, jemand könne von ihrem Besuch auf der Tenne erfahren.

In einer Stelle könnte man geneigt sein, christlichen Einfluß zu vermuten: 4 5 der nächste Verwandte verzichtet auf die Lösung „aus Mangel an Glauben" (vgl. Rm 4 20).

§ 5. INHALT

Kap. 1. Zur Zeit der Richter verläßt der Bethlehemit Elimelech samt seinem Weibe Noomi und seinen beiden Söhnen wegen einer Hungersnot sein Land, um auf einige Zeit in Moab als Schutzbürger zu wohnen. Im fremden Lande sterben erst Elimelech und später seine Söhne, die inzwischen moabitische Frauen geheiratet haben, Ruth und

Orpa. Noomi entschließt sich, nach ihrer Heimat zurückzukehren. Ihre Schwiegertöchter wollen mit ihr gehen, aber nur Ruth begleitet sie schließlich nach Bethlehem, wo die beiden Frauen zur Zeit der Gerstenernte eintreffen.

Kap. 2. Um ihr und der Schwiegermutter Leben zu fristen, nimmt Ruth das Armenrecht in Anspruch; sie begibt sich aufs Feld, wo die Ernte gerade im Gange ist, und liest dort liegengebliebene Ähren. Scheinbar zufällig kommt sie auf das Feld des Boas, eines Verwandten Elimelechs, und wird mit ihm bekannt.

Kap. 3. Auf den Wunsch ihrer Schwiegermutter besucht Ruth in einer Nacht den Boas auf der Tenne, um ihn an seine Leviratspflicht zu erinnern, die kinderlose Witwe seines verstorbenen Verwandten zur Ehe zu nehmen. Boas erklärt sich bereit, Ruth zu heiraten, allerdings unter der Voraussetzung, daß ein anderer Verwandter, der ihr noch näher steht, auf seine Pflicht verzichtet.

Kap. 4. Nachdem der nächste „Löser" zurückgetreten ist, was unter Beachtung aller juridischen Formalitäten geschildert wird, nimmt Boas Ruth zur Ehe, und aus dieser Verbindung geht König David als Urenkel hervor.

§ 6. SINN UND ZWECK DES BUCHES

Die Auslegung hat begreiflicherweise dieser schlichten, lieblichen Erzählung meistens jeden tieferen Sinn oder praktischen Zweck abgesprochen. Sehr oft wird das Buch fast nur unter ästhetischen Gesichtspunkten betrachtet und auf eine sehr schmale religiös-theologische Basis gestellt; es wird im Sinne einer idyllischen Episode verstanden, merkwürdig abseits vom Strom des alttestamentlichen Geschehens. Für HGunkel, dessen Auffassung weitgehende Zustimmung gefunden hat, gilt es vor allem, die schlichte Schönheit des liebenswürdigen Büchleins in hellem Licht erstrahlen zu lassen (Reden und Aufsätze, 1913, 65). Er sieht in Ruth hauptsächlich eine Darstellung der Witwentreue. Der eigentliche Inhalt der Erzählung soll der Heroismus der Treue einer jungen Frau und dann deren göttlicher Lohn sein. Das Buch ist, meint Gunkel, von einem ziemlich allgemeinen Vorsehungsglauben geprägt: „Das ist eine Geschichte, wie sie das Volk gerne hört: nach Regen Sonnenschein!" (ebd. 83). In ähnlicher Weise betrachtet PHumbert Ruth als eine Geschichte von der göttlichen Vorsehung: so belohnt Gott die treuen und frommen Menschen. Der Schlüssel der ganzen Erzählung sei das Wort *pietas* (RThPh 26, 1938, 261). Auch WWCannon spricht der Rutherzählung jede religiöse oder politische Tendenz ab (Theology 16, 1928, 310 f.). Das Ziel des Erzählers sei, nachzuweisen, wie gerecht und klug die Vorfahren Davids in ihrem praktischen Handeln gewesen sind. AJepsen sieht in der Rutherzählung ein Buch des Trostes, gegen Ende des Exils geschrieben (ThStKr NF 3, 1937/38, 428). In der Geschichte von Noomi und Ruth soll die verzagte Gemeinde der Exilszeit ihr eigenes Schicksal wiedererkennen und die unerwartete Erlösung der beiden Frauen auf sich selbst beziehen.

Es sind aber auch verschiedene Versuche gemacht worden, Tendenzen viel speziellerer Art zu finden. Eine alte und oft wiederholte These betrachtet das Buch als einen Protest gegen die von Nehemia und Esra getroffenen rigorosen Maßnahmen wider Ehen mit Ausländerinnen (Esr 10 Neh 13 23–27). Oder man hat das Buch als eine soziale Reformschrift betrachtet, die für eine Wiederbelebung der alten, in der Exilszeit außer Brauch geratenen Löserpflicht propagiert (HABrongers, Ned ThT 2, 1947/48, 1ff.). Diese Pflicht sei zweifach gewesen: Schwagerehe und Kauf des sonst der Familie verlorengehenden Ackers.

Die Ereignisse des Buches werden in die Richterzeit verlegt. Diese Zeitangabe ist aber für die Geschichte völlig belanglos. Die Menschen, die hier geschildert werden, gehören keiner bestimmten, klar umrissenen Phase der Geschichte Israels an. Ihre Erlebnisse beziehen sich keineswegs auf derartige Größen wie Volk, Nation, Staat. Alles, was mit *res publica* zusammenhängt, liegt außerhalb des Gesichtskreises des Erzählers. Die Welt dieser Erzählung ist die Familie, und die beteiligten Personen treten durchweg als Familienmitglieder auf. Es wird von Vater und Söhnen, Schwiegermutter und Schwiegertöchtern, Ehemann und Ehefrau erzählt.

Die Familie stellt also den Rahmen dar, in dem sich die Ereignisse abspielen. Es wäre jedoch verkehrt, die Erzählung eine Familiengeschichte zu nennen. Das eigentliche Interesse des Erzählers gilt nicht einem Familienschicksal, sondern einem bestimmten Ereignis. Ihren Schwerpunkt hat diese Geschichte in einem Vorgang, der zwar mit dem Familienleben zusammenhängt und sich darin abspielt, der aber eigentlich von einer moabitischen Frau und ihrem Schicksal handelt. Nicht daß dem verstorbenen Elimelech Nachkommen zuteil werden, sondern daß Ruth in eine judäische Familie einverleibt wird, ist das Hauptthema.

Diese Bezugnahme auf ein bestimmtes, konkretes Ereignis macht den Ausdruck Novelle durchaus berechtigt, der seit Gunkel immer wieder in der Forschung als Bezeichnung des Buches Ruth wiederkehrt. AJolles hat die Novelle in folgender Weise charakterisiert: sie ist eine literarische Form, die „bestrebt ist, eine Begebenheit oder ein Ereignis von eindringlicher Bedeutung zu erzählen in einer Weise, daß sie uns den Eindruck eines tatsächlichen Geschehens gibt, und zwar so, daß uns das Ereignis selbst wichtiger erscheint als die Personen, die es erleben" (Einfache Formen: Sächsische Forschungsinstitute in Leipzig, Neugermanistische Abtlg., 1930, 192).

Diese Definition trifft fast paradigmatisch auf die Rutherzählung zu. Das konkrete Ereignis, das hier erzählt wird, ist die Judaisierung der Moabiterin Ruth. Erst bei dieser Begebenheit erweitert sich die Erzählung, wird ausführlich und umständlich.

Diese Feststellung der literarischen Eigenart ist für die Frage nach dem Sinn und Zweck des Buches sehr wichtig. Das Hauptproblem ist dies, ob der Hinweis auf David ursprünglich ist oder nicht, ob also die Erzählung als ein Stück davidischer Familiengeschichte anzusehen ist oder nicht. Die meisten Ausleger sind darin einig, daß das Buch von Haus aus mit David nichts zu tun gehabt habe, sondern erst durch einen sekundären Zusatz zu einer Erzählung von dem Vorfahren Davids gemacht worden sei. Nicht nur der abschließende Stammbaum in 4 18–22, sondern auch der Schluß von 4 17 „das ist der Vater Isais, des Vaters Davids" gelten ziemlich allgemein als sekundäre Zutaten, d.h., Ruth und Boas seien erst nachträglich durch den Zusatz einiger inhaltlich belangloser Schlußworte zu Urgroßeltern Davids gemacht worden.

Zwar wäre ein solcher Vorgang nicht einzigartig, daß eine novellistische Erzählung nachträglich auf eine historische Persönlichkeit bezogen wird. In diesem Fall aber stehen einer derartigen Erklärung ganz bestimmte Schwierigkeiten im Wege. Die angeblichen Zusätze würden dem König David nicht nur einen Stammbaum geben, sondern auch und vor allem eine moabitische Urgroßmutter. Welchen vernünftigen Zweck hat es, ihm eine Herkunft aus dem verhaßten Moab anzudichten? Und in der verhältnismäßig späten Zeit, in die man die behauptete Hinzufügung meistens verlegt, wäre ein derartiger Eingriff erst recht unwahrscheinlich. Je tiefer man in die Zeit hinuntergeht, desto größer wird die sakrale Würde, die David und seiner Dynastie zugeschrieben wird. Wie das Davidbild allmählich mit immer größerer Empfindlichkeit gehütet wurde, zeigen der Deuteronomist und der Chronist. Schon beim Deuteronomisten finden wir keinen Versuch mehr, David realistisch zu zeichnen. Sein Bild hat sich stark ins Typische ausgeweitet. Und noch viel mehr hat sich das chronistische Davidbild von den alten Quellen entfernt. David ist beim Chronisten der makellose, heilige König geworden. Auch die Königspsalmen sprechen von David in einer Weise, die ihn weit von seiner geschichtlichen Erscheinung abrückt und die von dem altorientalischen Hofstil geprägt ist (GvRad, TheolAT I 320).

Das Bild Davids ist also nicht immer das gleiche geblieben. Im Laufe der Zeit sind zahlreiche neue Züge hinzugekommen, die darauf berechnet sind, die sakrale Würde des von Gott erwählten und beauftragten Mandatars Jahwes hervorzuheben. So unbefangen, wie es in der Rutherzählung geschieht, hat man in der exilischen oder nachexilischen Zeit von David und seiner Herkunft nicht mehr reden können.

Aber auch in der Frühzeit ist es recht unwahrscheinlich, daß man das Davidbild etwa aus künstlerisch-literarischen Gründen spielerisch hätte in dieser Weise ausschmücken können. Eine moabitische Herkunft wäre für den Gesalbten Israels keine harmlose Arabeske gewesen. Es muß ein ganz bestimmter, sehr zwingender Grund gewesen sein, der den Ruth-erzähler veranlaßt hat, seine Geschichte zu erzählen. Dieser Grund kann kein anderer sein als eine alte Tradition von Davids Her-kunft aus Moab. Die Notiz, die David mit Boas und Ruth verbindet, ist kein sekundärer Zusatz zu einer alten Erzählung. Im Gegenteil, diese scheinbar beiläufige Notiz ist als der ursprüngliche Kern zu betrachten, um dessentwillen die Rutherzählung entstanden ist. Von dieser Tradition finden wir aus begreiflichen Gründen sonst keine deutliche Spur im Alten Testament; aber ihre ehemalige Existenz darf nichtsdestoweniger wegen der Rutherzählung als sicher gelten. Die Geschichte vom fremden Ein-schlag in Davids Herkunft ist nur als eine Spiegelung einer alten Über-lieferung verständlich, die David von einer moabitischen Einwanderer-frau abstammen ließ. Die Geschichte Davids, sein erstaunlicher Aufstieg, der, wie AAlt es ausgedrückt hat, von vornherein auf einer anderen als der national-israelitischen Linie vor sich ging, seine Stellung als König über Juda, in deren anfänglicher Konzeption zahlreiche nichtjudäische Grup-pen mitbeteiligt waren (Die Staatenbildung der Israeliten in Palästina: KlSchr II 39f.), bieten für eine Tradition von Davids fremdem Ursprung den besten Hintergrund. Die Notiz von 1 S 22 3, daß David nach seinem Bruch mit Saul sich nach Moab begeben und für seine alten Eltern bei dem König von Moab eine Freistatt gefunden habe, sollte in diesem Zu-sammenhang wenigstens erwähnt werden.

Diese vorauszusetzende Tradition ist sehr bald als eine schwere Be-lastung empfunden worden. In dieser Lage ist die Rutherzählung als ein Euphemismus entstanden. Es ist hier der Versuch gemacht worden, die harmvolle und zählebige Moabitertradition, die der davidischen Her-kunft anhaftete, zu beschönigen und unschädlich zu machen. Darum geht es in dem konkreten Ereignis der Ruthnovelle. Nur wenn die Erzählung diesen Zweck verfolgt, wird sie in ihren Einzelheiten recht verständlich. Der moabitische Einschlag in Davids Herkunft sei nicht so zu verstehen, als gehöre er zu einer aus Moab eingewanderten Familie. Seine Familie stamme vielmehr aus Bethlehem und habe nur wegen einer Hungersnot ihr Land vorübergehend verlassen müssen. Nur seine Urgroßmutter sei eine Moabiterin gewesen. Ruth zu judaisieren, sie religiös und politisch in Juda einzuverleiben, darum handelt es sich in dieser Erzählung. Diesen konkreten Zweck haben die Worte Ruths an ihre Schwiegermutter in 1 16: „Dein Volk ist mein Volk, und dein Gott ist mein Gott." In der gleichen Weise sind auch die Worte des Boas an Ruth zu verstehen: „Vater, Mut-ter und Heimat hast du verlassen und bist zu einem Volke gezogen, das du vordem nicht kanntest, Jahwe vergelte dir deine Tat. Dein Lohn müsse vollkommen sein von Jahwe, Israels Gott, unter dessen Fittichen du Zuflucht gesucht hast" (2 11f.).

Sollte die Einverleibung Ruths in das Volk Israel eine unbestreitbare sein, waren jedoch andere Mittel erforderlich als fromme Worte und Wünsche. Den entscheidenden Beweis für die Zusammengehörigkeit der Moabiterin Ruth mit Juda konnte nur eine rechtsgültige Handlung liefern. Dazu dient die weit ausgeführte Schlußszene 4 1–12. Die ausführlich erzählte und auf juristische Pünktlichkeit angelegte Rechtshandlung läßt sich als erzählerisches Motiv kaum begreifen, etwa wie Gunkel meint: „Den Verfasser ergötzt es, jetzt einen verwickelten Rechtsfall zu schildern und zu zeigen, wie er nach altem Rechte entschieden worden ist" (Reden und Aufsätze, 1913, 78). Es ist kaum zu überhören, wenn man die Geschichte von der Rechtshandlung im Tor liest, daß sie eine andere Triebfeder hat als die bloße Erzählungsfreude. Sie enthält bestimmte Eigentümlichkeiten, Anomalien, die unerklärlich bleiben, wenn die Erzählung nur einen literarischen Zweck haben sollte. Es ist den Auslegern immer aufgefallen, daß wir nur in der Rutherzählung die Verbindung von Schwagerehe und Lösepflicht finden. Daß Noomi einen Acker hat, der von den Verwandten Elimelechs zu lösen ist, kommt höchst unerwartet und macht den Rechtsfall besonders verwickelt. Nur ein sehr konkreter Grund kann den Erzähler veranlaßt haben, die Geschichte in dieser Weise zu komplizieren. Dieser Grund ist wieder die alte Moabitertradition, die unschädlich zu machen der Erzähler bestrebt ist. Diese Tradition hat sich nicht nur mit der genealogischen Abstammung, sondern auch mit dem Familienbesitz der davidischen Familie beschäftigt. Diese Dinge waren im alten Israel eng miteinander verbunden. Nicht nur die Vorfahren Davids mußten von dem Verdacht außerisraelitischer Herkunft befreit werden. Auch der Erbbesitz der Davidfamilie ist als ursprüngliches Eigentum einer aus Moab eingewanderten Familie betrachtet worden und hatte eine rechtlich einwandfreie Volljudaisierung nötig. Die wird in Kap. 4 gegeben. Damit erledigen sich die juridischen Ungenauigkeiten und Widersprüche dieses Kapitels: Warum wird der Acker erst jetzt erwähnt? Wer ist die Verkäuferin – Noomi und Ruth (4 5) oder nur Noomi (4 3)? Ist der Acker schon beim Wegzug Elimelechs nach Moab verkauft worden? Wer war dann der Käufer? Oder wird er erst nach der Rückkehr feilgeboten? Alle diese Fragen bleiben außerhalb der Betrachtung des Erzählers, der sich nur darum bemüht, das Erbstück einer aus Moab eingewanderten Familie zu judaisieren, es als einwandfreies, judäisches Eigentum darzustellen.

Die Rutherzählung ist als eine Führungsgeschichte zu verstehen. Jahwes Lenkung des Geschehens wird aber nicht wie in den alten Sagen intermittent in Wundern sichtbar gemacht. Sie ist als eine verborgene

Macht verstanden, die dem Geschehen immanent ist. Die göttliche Führung ist in erster Hand eine Führung des menschlichen Herzens. Der Erzähler hat das Geschehen psychologisch und rational verstanden und dargestellt. Hinter diesen entsakralisierten Erzählungen steht eine veränderte Wirklichkeitsauffassung, eine neue Geistigkeit, die mit einer bestimmten Epoche in Verbindung steht: der salomonischen Aufklärung (GvRad, TheolAT I 56ff.). In den Worten der handelnden Personen stecken bedeutsame theologische Hinweise, in denen die göttliche Führung sichtbar wird. So sollen Noomis Worte verstanden werden, wenn sie zu ihren beiden Schwiegertöchtern spricht: „Geht, kehrt eine jede in das Haus ihrer Mutter zurück. Jahwe beweise euch Verbundenheit, wie ihr sie den Toten und mir bewiesen habt! Jahwe lasse euch einen Ruheplatz finden, eine jede im Hause ihres Mannes" (1 8f,). Den gleichen Sinn haben die Worte des Boas an Ruth, als er die junge Ährenleserin zum ersten Mal auf seinem Acker trifft: „Jahwe vergelte dir dein Tun; und dein Lohn möge vollkommen sein von Jahwe, dem Gott Israels, zu dem du gekommen bist, um unter seinen Flügeln Zuflucht zu suchen" (2 12).

Ebenso wichtig ist ein zweites Merkmal dieser Führungsgeschichte. Es handelt sich nicht um die alles zum Guten lenkende Hilfe Jahwes, auch nicht um Jahwe als Schützer der Witwen oder Belohner der Treue. Die Führung Jahwes ist hier viel speziellerer Art. Die Ruthgeschichte will den Nachweis erbringen, daß der moabitische Einschlag in der Abstammung Davids von Jahwe selbst gewollt und bewirkt ist. Angesichts dieser Tatsache müssen alle Bedenken wegen der Herkunft Davids verstummen.

Einen Schritt weiter führt eine andere Beobachtung. Die Führungsgeschichte des Buches Ruth hat einige bemerkenswerte Züge, die die Vätergeschichten der Genesis in Erinnerung bringen. Dabei sollte nicht nur an die klar ausgesprochenen Hinweise auf die Genesiserzählungen gedacht werden, die in dem Segenswunsch über Ruth stecken: „Möge Jahwe das Weib, das in dein Haus einziehen soll, machen wie Rachel und Lea, die beide das Haus Israel erbaut haben. – Und dein Haus gleiche dem Haus des Perez, den Thamar dem Juda gebar, durch die Nachkommen, die dir Jahwe von diesem jungen Weibe geben möge" (4 11f.). Die Ähnlichkeiten mit den Vätergeschichten gehen viel tiefer und sind für die Struktur der Rutherzählung nicht ohne Bedeutung gewesen. Es genügt, einige konkrete Erzählungsmotive zu erwähnen, die sofort die Vätergeschichten in Erinnerung bringen: die Auswanderung wegen einer Hungersnot (vgl. Gn 12 und 26), die Kinderlosigkeit der künftigen Stammmutter (Gn 16f. 25 21 29 31 30), den Ackerkauf (Gn 23). Hinter diesen Anklängen an die Väterzeit liegt ohne Zweifel eine bewußte Absicht des Rutherzählers. Er hat danach gestrebt, die Geschichte von den Urahnen Davids den Erzählungen von den Vätern anzugleichen. In den Erzvätergeschichten und in dem, was er von Ruth erzählt, hat er etwas

Gemeinsames gesehen: Vorbereitungen heilsgeschichtlicher Epochen, die er als gleichwertig betrachtet. Während die Vätergeschichten ihre Ausrichtung auf den endgültigen Besitz des Landes und – letzten Endes – auf den Sinaibund haben, soll die Erzählung von Ruth und Boas als Vorbereitung einer zweiten besonderen heilsgeschichtlichen Veranstaltung Jahwes verstanden werden: die Bestätigung Davids und seines Thrones für alle Zeiten. Wenn die Vätergeschichten und die Rutherzählung literarisch aneinander erinnern, liegt der Grund darin, daß sie theologisch die gleiche Funktion haben; sie sind Vorgeschichten der beiden großen Heilssetzungen, auf welchen die ganze Existenz Israels vor Jahwe ruhte: Sinaibund und Davidbund.

§ 7. LITERATUR

Kommentare: JDrusius, Historia Ruth ex Ebraeo Latine conversa & commentario explicata (1632). – JADietelmair, Das Buch Ruth: Die Heilige Schrift des Alten und Neuen Testaments nebst einer vollständigen Erklärung derselben III (1752). – EFCRosenmüller, Judices et Ruth: Scholia in Vetus Testamentum. Libri historici Vol. 2 (1835). – EBertheau, Das Buch der Richter und Ruth: Kurzgef. Exeget. Handbuch zum AT, VI (1845, ²1883). – CFKeil, Biblischer Commentar über die prophetischen Geschichtsbücher des AT: Bibl. Comm. über das AT II 2 ed. CFKeil und FDelitzsch (1863). – PCassel, Das Buch der Richter und Ruth: Theol.-homil. Bibelwerk ed. JPLange V (1865). – SOettli, Das Buch Ruth und das Buch Esther: Kurzgef. Kommentar zu d. Schr. d. ATs ed. HStrack und OZöckler (1889). – ABertholet, Das Buch Ruth: Kurzer Hand-Commentar zum AT ed KMarti Abt. XVII (1898). – WNowack, Richter – Ruth: Göttinger Handkommentar z. AT I 4 (1902). – RBreuer, Ruth: Die fünf Megilloth II (1908). – PJoüon, Ruth. Commentaire philologique et exégétique (1924, ²1953). – GSmit, Ruth, Esther en Klaagliederen: Text en Uitleg ed. FMThBöhl und AvVeldhuizen (1930). – FPerles, חמש מגלות ed. AKahana (Tel Awiw 1930). – WRudolph, Das Buch Ruth übersetzt und erklärt: Kommentar zum AT ed. ESellin XVI 2, (1939). – MHaller, Ruth: Die Fünf Megilloth, Handbuch zum AT ed. OEißfeldt I 18 (1940). – RTamisier, Le livre de Ruth traduit et commenté: La Sainte Bible ed. Clamer III (1949). – GAFKnight, Ruth and Jonah. Introduction and Commentary: Torch Bible Commentaries (1950). – HWHertzberg, Die Bücher Josua, Richter, Ruth: Das Alte Testament Deutsch 9 (1953, ²1959).

Zur Textkritik: TSRørdam, Libri Judicum et Ruth sec. Versionem Syriaco-Hexaplarem (1861). – CHHWright, The Book of Ruth in Hebrew with a Critically-Revised Text etc. (1864). – GJanichs, Animadversiones criticae in Vers. Syriacam Peschitthonianam librorum Kohelet et Ruth (Diss. Marburg 1869). – CHamann, Annotationes criticae et exegeticae in librum Rut ex vetustissimis eius interpretationibus depromptae (Diss. Marburg 1871). – ABEhrlich, Randglossen zur hebräischen Bibel VII (1914). – GDiettrich, Die Massora der östlichen und westlichen Syrer in ihren Angaben zum Buche Ruth nach 5 Handschriften: ZAW 22 (1902) 193–201. – ARahlfs, Studie über den griechischen Text des Buches Ruth: Nachrichten von der Kgl. Ges. der Wissenschaften zu Göttingen, phil.-hist. Kl. 1922, 47–164. – ASaarisalo, The Targum to the Book of Ruth: Studia Orientalia II (1928) 88–104. – ASperber, Wiederherstellung einer griechischen Textgestalt des Buches Ruth: MGWJ 81 (1937) 55–65. – ThCVriezen, Two Old Cruces: OTS 5 (1948) 80–88 (zu 4 5). – RThornhill, The Greek Text of the Book of Ruth; a Grouping of Manuscripts according to Origen's Hexapla: VT 3 (1953) 236–249.

Sonstiges: FWCUmbreit, Über Geist und Zweck des Buches Ruth. Eine kritische Andeutung: ThStKr 7 (1834) 305–308. – DHartmann, Das Buch Ruth in der Midraschliteratur (Diss. Zürich 1901). – HWinckler, Rut: Altorientalische Forschungen 3 (1902) 65–78. – LBWolfenson, The Character, Contents, and Date of Ruth: AJSL 27 (1911) 285–300. – HGunkel, Ruth: Reden und Aufsätze (1913) 65–92. – LKöhler, Ruth: SThZ 37 (1920) 3–14. – WWCannon, The Book of Ruth: Theology 16 (1928) 310–319. – WEStaples, The Book of Ruth: AJSL 53 (1937) 145bis 157. – AJepsen, Das Buch Ruth: ThStKr 108, NF 3 (1937/38) 416–428. – PHumbert, Art et leçon de l'histoire de Ruth: RThPh 26 (1938) 257–86. – AVis, Enkele Opmerkingen over den Stijl in het Boek Ruth: NThT 28 (1939) 44–54. – MDavid, Het Huwelijk van Ruth. Uitgaven vanwege de Stichting voor Oud-semietische, Hellenistische en Joodsche Rechtsgeschiedenis gevestigd te Leiden, No. 2 (1941). – MDavid, The Date of the Book of Ruth: OTS 1 (1942) 55–63. – HABrongers, Enkele Opmerkingen over het Verband tussen Lossing en Levirat in Ruth IV: NedThT 2 (1947/48) 1–7. – MBCrook, The Book of Ruth. A New Solution: JBR 16 (1948) 155–160. – ERobertson, The Plot of the Book of Ruth: BJRL 32 (1950) 207–228. – HHRowley, The Marriage of Ruth: The Servant of the Lord and other Essays on the Old Testament (1952) 163–186. – GvRad, Predigt über Ruth 1: EvTh 12 (1952/53) 1–6. – JMyers, The Linguistic and Literary Form of the Book of Ruth (1955). – SBGurewicz, Some Reflections on the Book of Ruth: Australian Biblical Review 5 (1956) 42–57 (lithograph. Schrift). – SSegert, Vorarbeiten zur hebräischen Metrik III. Zum Problem der metrischen Elemente im Buche Ruth: ArOr 25 (1957) 190–200. – GSGlanzman, The Origin and Date of the Book of Ruth: CBQ 21 (1959) 201–207.

ANFANG DER GESCHICHTE
(1 1–5)

¹Zu der Zeit, als die Richter richteten ᵃ, kam eine Hungersnot ins Land. Und ein Mann aus Bethlehem in Juda zog mit seinem Weibe und seinen beiden Söhnen fort, um im Gefilde ᵇ Moabs als Fremder zu wohnen. ²Und der Mann hieß Elimelech ᶜ und sein Weib Noomi ᵈ und seine beiden Söhne Machlon und Kiljon, Ephratiter aus Bethlehem Juda. Und sie kamen ins Gefilde Moabs und blieben da. ³Und Elimelech, Noomis Mann, starb, und sie blieb übrig mit ihren zwei Söhnen. ⁴Sie aber nahmen sich moabitische Frauen; die eine hieß Orpa und die andere Ruth ᵉ. Und sie wohnten dort etwa zehn Jahre. ⁵Da starben auch diese beiden, Machlon und Kiljon, und die Frau blieb allein zurück nach dem Verlust ᶠ ihrer beiden Söhne und ihres Mannes ᵍ.

a בִּימֵי שְׁפֹט in den alten Übersetzungen leicht abgeändert: 𝔊ᴮ ἐν τῷ κρίνειν 1
= בִּשְׁפֹט, 𝔖 > שְׁפֹט. – b Viele MSS haben בְּשָׂדֵה statt 𝔐 בִּשְׂדֵי. Die alten Übersetzungen haben sing. Wahrscheinlich ist auch das massoretische שְׂדֵי als sing.
zu verstehen, st. cstr. des alten שָׂדֵי; vgl. GK § 93 11, BL § 73 1. – c 𝔊ᴮ nennt 2
den Mann durchweg Ἀβειμελεχ. – d „Und der Name seiner Frau war Noomi" fehlt in 𝔊ᴮ und 𝔄: Haplographie. – e 𝔖 schreibt den Namen ʳᵉūt. – 4
f מִן mit der Grundbedeutung „von – weg", vgl. BrSynt § 111 c. – g 𝔊 und 𝔖 5
nennen den Mann vor den Söhnen.

Kurz und ohne viele Seitenblicke erzählt der Anfang der Geschichte nur, was unbedingt nötig ist, um uns mit den Personen und Verhältnissen bekannt zu machen; eine ungefähre Zeitangabe, eine Ortsbestimmung und eine möglichst kurze Vorstellung der beteiligten Personen genügen in dieser Exposition.

Der Ausdruck „zu der Zeit, als die Richter richteten" setzt eine gewisse Distanz zwischen dem Erzähler und den zu berichtenden Dingen voraus, verlegt aber das Geschehen nicht in eine sehr ferne Vergangenheit. Die vorkönigliche Zeit wurde wohl recht bald als eine besondere Periode betrachtet. Für die Bestimmung der Abfassungszeit ist aus diesen Worten sehr wenig zu holen.

ויהי als Einführung einer selbständigen Erzählung und sogar eines Buches ist nicht selten, vgl. Jos 1 Ri 1 1S 1 2S 1 Neh 1. Formell und inhaltlich erinnert die Einleitung an Gn 12 10 und 26 1. Wie einst Abraham und Isaak, wird jetzt Elimelech mit seiner Familie wegen einer Hungersnot aus seiner Heimat vertrieben. „Juda" scheint hier wie Ri 17 7 19 1 u.ö. die ursprüngliche Bedeutung als Landschaftsname zu haben, die südlichen Teile des westjordanischen Gebirges umfassend und mit Bethlehem als politischem Mittelpunkt; vgl. MNoth, GI 47. 57; WAT 48; für eine gegen Jerusalem gerichtete politische Aktivität mit Bethlehem als Hauptort s. AAlt, Micha 2, 1–5. ΓΗΣ ΑΝΑΔΑΣΜΟΣ in Juda: KlSchr III (1959) 372–381.

Eine Auswanderung aus Juda nach Ägypten wegen Mißwachses ist in Betracht der klimatischen Verhältnisse ganz realistisch. Die hier erzählte Wanderung nach Moab, das klimatisch in dem gleichen Bereich liegt wie Juda und die gleiche Regenmenge wie Juda hat, ist dagegen als Folge eines Mißwachses in Juda kaum begreiflich. In der Rutherzählung spielt die Hungersnot offenbar die Rolle eines erzählerischen Motivs, das an die Vätersagen erinnern soll. Eine alte Überlieferung verlegte Davids Herkunft nach Moab. Seine Vorfahren sind indessen, so will die Erzählung die Sache darstellen, gar keine eingeborenen Moabiter gewesen. Elimelech hat, wie einst Abraham und Isaak, sein Land wegen einer Hungersnot verlassen müssen. Er hatte in Moab kein Bürgerrecht, sondern hielt sich dort als Schutzbürger, גֵּר, auf.

2 Der Erzähler verwendet kein Wort auf eine Charakterisierung der vier Auswanderer. Nur ihre Namen werden genannt. Keiner von diesen kommt sonst im Alten Testament vor. Für Elimelech („Gott ist König") vgl. *Ilimilku* der Amarnabriefe sowie das ugaritische *ilmlk*. Das *i* ist nicht Suffix der 1. pers., sondern Rest einer alten Kasusendung; vgl. Noth, Personennamen 34f. Noomi, eigentl. „(meine) Lieblichkeit"; Gegensatz Mara, „die Bittere" (20). Ebensowenig wie Elimelech und Noomi sind die übrigen Namen von dem Erzähler erfunden. Die Versuche, „Machlon" und „Kiljon" als Hinweise auf das tragische Schicksal der beiden Söhne zu erklären, sind gekünstelt: Machlon = „Krankheit" (חלה) oder „Unfruchtbarkeit" (arab. *mḥl*), Kiljon = „Hinfälligkeit" (כלה); vgl. aber Noth, Personennamen 10.

אפרתים kann hier natürlich nicht „Ephraimiten" meinen, sondern „Ephratiten", d.h. Angehörige der bethlehemitischen Sippe Ephrat, vgl. Mi 5 1 1 S 17 12 Ps 132 6.

3–5 Nach einiger Zeit stirbt Elimelech. Die kleine Familie bleibt aber im fremden Lande, wo die Söhne sich moabitische Frauen nehmen. נשא אשה (statt des gewöhnlichen לקח א'') kommt öfter in den jüngeren Büchern vor (Esr 10 44 2 Chr 11 21 13 21 24 3 Si 7 23). Es steht aber auch in Ri 21 23, und zwar in dem gleichen Sinn wie hier; die Übersetzung „Frauen rauben" gibt wegen des Relativsatzes keinen guten Sinn.

Die Namen der beiden moabitischen Frauen sind etymologisch nicht ganz durchsichtig. Mit Hilfe der Wurzel ערף, „Nacken", hat man aus „Orpa" die Bedeutung „widerspenstig" herauslesen wollen; so schon Midr. Ruth, der in dem Namen eine Anspielung an die Heimkehr Orpas sieht, als sie ihrer Schwiegermutter den Rücken kehrte (14). Andere ebenso gekünstelte rabbinische Deutungen bei Hartmann, Das Buch

14

Ruth in der Midrasch-Literatur (1901). „Ruth" wird schon in der Peschitta als „Freundin", רְעוּת, gedeutet. Es ist aber sehr fraglich, ob רות
als eine kontrahierte Form zu betrachten ist, und die Etymologie bleibt
dunkel. Orpa und Ruth sind ohne Zweifel echt moabitische Namen, die
aus einer alten Überlieferung von der Herkunft Davids bekannt waren.
Der Targum macht Ruth zu einer Tochter des Moabiterkönigs Eglon.
Die Tage der beiden Söhne wurden nach Targ. verkürzt als eine Strafe
wegen ihrer Ehen mit den ausländischen Frauen.

Die Nöte und Ängste, die in diesen ersten Zeilen hervorbrechen, be- Ziel
kommen ihre eigene Akzentuierung dadurch, daß sie von einem ganz
speziellen Geschehen erzählen, der Herkunft der davidischen Dynastie.
Schon in ihren allerersten Vorstufen ist die Familie Davids Gegenstand
des göttlichen Erwählungswillens gewesen. Aber diese erwählten Menschen sind nicht als Helden und Heldinnen geschildert. Ihr Erwähltsein
ist ein verborgenes. Anonym und farblos, nur mit den Namen erwähnt,
unbewußt oder sogar unwillig sind sie Werkzeuge des göttlichen Heils-
willens. Wer die Rutherzählung im Licht des Evangeliums liest, wird
schon durch den Namen Bethlehem an ihre Fortsetzung im Neuen Testament erinnert, die Geburt Christi, vom Hause Davids, wo sowohl die
Dissonanzen des Geschehens als die Anonymität der beteiligten Personen
in verschärfter Form auftreten.

DIE HEIMKEHR
(1 6–22)

Text ⁶Da machte sie sich mit ihren Schwiegertöchtern auf[a], um aus dem Gefilde[b] Moabs heimzukehren. Denn sie hatte im Gefilde Moabs gehört, daß Jahwe sich seines Volkes angenommen und ihnen Brot gegeben habe. ⁷So zog sie von dem Orte, wo sie sich aufgehalten hatte, und ihre beiden Schwiegertöchter mit ihr. Als sie nun unterwegs waren, um ins Land Juda zurückzukehren[c], ⁸sprach Noomi zu ihren beiden Schwiegertöchtern: „Geht, kehrt eine jede in das Haus ihrer Mutter[d] zurück! Jahwe erweise[e] euch[f] Barmherzigkeit, wie ihr sie den Toten und mir[g] erwiesen habt. ⁹Jahwe lasse euch einen Ruheplatz finden[h], eine jede im Hause[i] ihres Mannes." Und sie küßte sie. Aber sie fingen an, laut zu weinen, ¹⁰und sprachen zu ihr: „Wir wollen mit dir zu deinem Volke[j] heimkehren". ¹¹Noomi aber sprach: „Kehrt nur um, meine Töchter; warum wollt ihr mit mir gehen? Habe ich noch Söhne in meinem Leibe, die euch Männer werden könnten[k]? ¹²Kehrt heim, meine Töchter, geht[l]! Ich bin ja zu alt, um noch eines Mannes (Frau) zu werden; selbst wenn ich dächte: ‚Ich habe noch Hoffnung' und noch in dieser Nacht[m] einem Manne angehörte und wirklich Söhne bekäme, ¹³könntet ihr darauf[n] warten, bis sie erwachsen wären? Wolltet ihr euch darum[n] einschließen und keinem Manne gehören? Nein[o], meine Töchter! Es ist mir viel bitterer ergangen als euch, denn Jahwes Hand ist wider[p] mich ausgegangen." ¹⁴Da erhoben[q] sie ihre Stimmen und weinten noch mehr. Und Orpa küßte ihre Schwiegermutter (zum Abschied), während Ruth sich an sie hängte. ¹⁵Da sprach sie[r]: „Siehe, deine Schwägerin ist heimgekehrt zu ihrem Volk und ihrem Gott; so kehre auch du um, deiner Schwägerin nach[s]." ¹⁶Ruth aber sprach: „Dringe nicht an mich[t], daß ich dich verlassen und von dir umkehren sollte. Denn wo du hingehst, da will ich auch hingehen, und wo du bleibst, da bleibe ich auch; dein Volk ist mein Volk, und dein Gott ist mein Gott. ¹⁷Wo du stirbst, da sterbe ich und da will ich begraben werden[u]. Jahwe tue mir an, was er will – nur der Tod wird mich und dich scheiden[v]." ¹⁸Als sie[w] nun sah, daß sie fest darauf beharrte, mit ihr zu gehen, gab sie es auf, ihr zuzureden. ¹⁹So gingen die beiden[x], bis sie nach Bethlehem kamen[y].

Als sie nun in Bethlehem ankamen[y], geriet die ganze Stadt ihretwegen in Aufruhr[z], und (die Frauen) riefen: „Ist das Noomi?" ²⁰Sie aber sprach zu ihnen: „Nennt mich nicht Noomi, nennt mich Mara, denn viel Bitternis hat der Allmächtige mir bereitet. ²¹Voll bin ich ausgezogen, und leer hat Jahwe mich heimkehren lassen; warum nennt ihr mich Noomi, wo doch Jahwe wider mich Zeugnis abgelegt[aa] und der Allmächtige mir Schlimmes zugefügt hat?" ²²So kehrte Noomi zurück und mit ihr ihre Schwiegertochter, die Moabiterin Ruth, die aus dem Gefilde Moabs gekommen war[bb]. Und sie kamen in Bethlehem an zu Beginn der Gerstenernte.

6   a Statt der beiden Zeitwörter וַתָּקָם und וַתָּשָׁב hat 𝔖 nur eines: „und sie kehrte zurück". 𝔖 hat das erste Verb in sing. (ἀνέστη), fährt dann aber mit
7   plur. fort: ἀπέστρεψαν - - ἤκουσαν. – b Vgl. 3. – c Der letzte Halbvers fehlt
8   in 𝔗. – d 𝔖 erweiternd: „in euren Ort und Elternhaus". – e Verbale Wunschsätze stehen in impf. (K) oder in Jussiv (Q); vgl. BrSynt § 8 a. – f Mask. Suffix statt fem.: עמכם; desgleichen לכם 9; im gleichen Vers aber kommt auch

16

להן vor; BrSynt § 124 b. – g 𝔊 hat wieder einen erweiterten Text: „mir und meinen beiden Söhnen, die gestorben sind". – h יתן יהוה לכם ומצאן: zur syn- 9 detischen Aneinanderreihung syntaktisch verschiedener Sätze vgl. BrSynt § 135 b. 𝔊 hat fälschlich ein חֶסֶד nach לכם hinzugefügt, um den Satz syntaktisch einfacher zu machen. – i בֵּית Haplographie für בְּבֵית BrSynt § 81 a. 𝔊 hat (wieder erleichternd) „im Hause eurer Väter". – j 𝔊 (erweiternd) „dei- 10 nem Lande und Volke". – k 𝔊 hat für den 2. Halbvers ziemlich frei: „habe 11 ich noch Söhne, denen ich euch geben könnte", euphemistisch, vgl. den folgenden Vers. – l Asyndetische Aneinanderfügung zweier Verba der Bewegung 12 nach BrSynt § 133 a; vgl. 8. 𝔊ᴮᴬ haben wegen der defektiven Schreibung die zweite Verbform nicht erkannt (διότι = לכן). – m הלילה > 𝔊ᴮᴬ 𝔊; wahrscheinlich eine absichtliche Korrektur des als unschicklich betrachteten Ausdrucks. Andere griechische Handschriften haben derb naturalistisch καὶ ἐγενόμην λελακκωμένη (= חלילה) ἀνδρί. – n הָלָהֵן; das fem. pl. hat hier 13 neutrischen Sinn: „Könntet ihr darauf warten". s. Wort. – o Die subjektive Negation אל zur Ablehnung einer Aufforderung, vgl. BrSynt § 56 a. – p ב „gegen" in feindlichem Sinn nach BrSynt § 106 h. – q וַתִּשֶּׂנָה defektive Schrei- 14 bung für וַתִּשֶּׂאנָה; in 9 voll geschrieben. – r 𝔊 „Da sprach Noomi", 𝔊 „… ihre 15 Schwiegermutter". – s אחר nach einem Bewegungsverb entspricht bisweilen „zusammen mit", vgl. 𝔙: vade cum ea. – t 𝔊 „Es sei fern von mir". – u 𝔊 + 16–17 גם־אני. – v Zur Schwurformel vgl. BrSynt § 170 c. – w 𝔊 und 𝔊: „Noomi". – 18 x שתיהם, viele Handschriften הן־; vgl. 4 11. – y בָּאנָה (wie Jer. 8 7) statt des 19 normalen בָּאן. – z 𝔐 וַתֵּהֹם, 𝔊 ἤχησεν „tönte" setzt keinen abweichenden Text als Vorlage voraus, vgl. 1 S 4 5 1 Kö 1 45, wo niph. von הום in der gleichen Weise wie hier übersetzt worden ist. Ebensowenig geht 𝔊 „freute sich" auf einen anderen Text zurück. – aa ב ענה „zeugen wider" (2 S 1 16, Jes 59 12) 21 gibt guten Sinn und ist nicht mit den Übersetzern als pi zu lesen (was den acc. fordern würde) oder in עשה zu ändern. – bb השבה ist von den Massoreten als 22 perf. akzentuiert worden, wobei der Artikel als Relativum dient: „die aus dem Gefilde Moabs zurückgekehrt war". Ursprünglich war das Wort vielleicht als part. gemeint. Die Massoreten haben dann aus inhaltlichen Gründen das perf. vorgezogen als besser dazu geeignet, das als abgeschlossen vorliegende Ergebnis einer Handlung auszudrücken; vgl. Joüon, Grammaire 145 c. 𝔊 hat einen längeren Text: „die mit ihr aus lauterem Herzen zurückkehren wollte".

Die Rutherzählung gliedert sich in eine Anzahl klar umrissener Sze- **Form** nen, die durch kleinere Zwischensätze kunstvoll voneinander getrennt sind. In der ersten Hauptszene, die von der Rückkehr Noomis erzählt, liegt das Hauptgewicht auf dem inneren, liebevollen Konflikt zwischen Noomi und den beiden Moabiterinnen, die ihrer Schwiegermutter in das fremde Land folgen wollen. Das Stück schließt sich inhaltlich eng an die vorhergehende Vorgeschichte an, unterscheidet sich aber von ihr durch die große Ausführlichkeit. Das Interesse des Erzählers gilt vor allem den Empfindungen und seelischen Vorgängen der drei Frauen. Der Dialog nimmt durch das ganze Buch einen großen Raum ein; von seinen 85 Versen enthalten 55 Verse Dialog (Joüon). Die Erzählungstechnik sowie das psychologische Interesse erinnern an die jahwistischen Erzählungen in der Genesis und an die Geschichten von Davids Aufstieg und von seiner Thronnachfolge.

Das Ende des Stückes von der Ankunft in Bethlehem mit der Schluß-
bemerkung, daß die beiden Frauen zu Beginn der Gerstenernte zur Stadt
kamen, bildet den natürlichen Ausgangspunkt für das weitere Geschehen
im zweiten Kapitel.

Ort   Auch dieser Abschnitt bietet für eine Datierung der Erzählung keine
festen Anhaltspunkte. Auf die kurze Einleitung 1 1–5, die auf alten Über-
lieferungen fußt, folgt die eigentliche Erzählung, die wesentlich Ergebnis
einer schriftstellerischen Tätigkeit ist. Zweck des Erzählers ist es, die zählebige Überlieferung von der moabitischen Herkunft Davids unschädlich
und annehmbar zu machen. Seine Geschichte ist darauf angelegt, darzustellen, daß die Davidsdynastie schon in ihren ältesten Vorstufen von
Gott gewollt und bejaht gewesen sei. Sogar Davids Herkunft aus Moab
sei in Gottes Plan mitberechnet und eingeordnet worden. Die Unbefangenheit, mit der hier von dem davidischen Ursprung gesprochen wird,
macht eine Spätdatierung der Rutherzählung unwahrscheinlich und weist
in eine Zeit, in der die sakrale Würde des Gesalbten Jahwes dem Davids-
bild noch nicht allen Realismus genommen hatte.

Wort   Mit dem Aufbruch aus Moab fängt die Geschichte eigentlich an, wie
6–7   aus der Ausführlichkeit und Breite der Erzählung unmittelbar hervorgeht. Noomi, die ja nur zufällig ihr Land verlassen hatte, will jetzt wieder
nach Hause zurückkehren. Sie wird von ihren beiden Schwiegertöchtern
begleitet, die ja wie sie selbst verwitwet sind. Die Wanderung nach Bethlehem wird ausdrücklich als eine Heimkehr bezeichnet (beachte das
zweimal wiederholte שׁוב).

8   Die beiden Moabiterinnen wollen ihrer Schwiegermutter die Treue
bewahren und ihr in das fremde Land folgen. Noomi aber, auf das Wohl
der jungen Frauen bedacht, will das Opfer nicht annehmen und fordert
sie auf, umzukehren (לֵכְנָה שֹּׁבְנָה; zur Asyndese bei Verben der Bewegung
vgl. BrSynt § 133 a).

Ein wenig befremdlich klingt es, daß die Frauen „in das Haus ihrer
Mutter" zurückkehren sollen. Aus 2 11 geht hervor, daß wenigstens der
Vater der Ruth noch lebte (in 𝔗 mit König Eglon identifiziert). Man
hätte den sonst gebräuchlichen Ausdruck „Vaterhaus" erwartet; vgl.
Gn 38 11 Lv 22 13 Nu 30 17 Dt 22 21 Ri 19 23 sowie die erleichternde syrische Übersetzung „in eurem Ort und Elternhaus", 𝔊^A εἰς οἶκον τοῦ πατρὸς
αὐτῆς. Es könnte sein, daß die Erwähnung des Mutterhauses gerade hier
einen weicheren, eindringlicheren Klang hat (Rosenmüller, Joüon).

9   Noomi wünscht ihnen als Lohn für ihre treue Liebe, daß sie in neuen
Ehen Glück und Schutz finden sollen. מְנוּחָה, „Rastplatz", kommt oft als
militärischer Terminus vor, wird aber auch vom Gelobten Lande ge-

braucht (Dt 12 9 1 Kö 8 56 Ps 95 11) oder als Bezeichnung des Zion als Jahwes Residenz (Ps 132 8. 14).

Ruth und Orpa wollen ihre Schwiegermutter nicht verlassen und weigern sich, sich zurücksenden zu lassen. Das כִּי hat hier adversativen Sinn „nein"; vgl. BrSynt § 134 a. 10

Noomi muß noch einmal reden. Sie kann ihnen nichts bieten, hat keine Söhne mehr und wird keine bekommen. זָקַנְתִּי מִהְיוֹת לְאִישׁ „ich bin zu alt, um eines Mannes (Frau) zu werden"; מִן zur Angabe des Unterschiedes (BrSynt § 111 g). Nach alter israelitischer Rechtssitte (Gn 38 Dt 25 5–10, vgl. Mt 22 24 ff. u. Par.) waren die Verwandten und zunächst der Bruder eines kinderlosen Verstorbenen verpflichtet, das hinterlassene Weib zu heiraten und dem Verstorbenen durch diese Schwagerehe Nachkommenschaft zu erwecken. 11–12

In der Wendung כִּי אָמַרְתִּי steht כִּי in konditionalem Sinn (BrSynt § 164 c).

הֲלָהֵן ist weder die aramäische Partikel „deshalb" (Da 2 6. 9 4 24) noch eine ungenaue Schreibung für לָהֶם (etwa mit einem auf בָּנִים gehenden Suffix), sondern fem. plur. mit neutrischem Sinn und bezieht sich auf die von Noomi gerade erwähnten Bedingungen. „Könntet ihr darauf warten", d.h., daß alle diese unsicheren und unwahrscheinlichen Dinge wirklich eintreffen werden. 13

שׂבר pi. „hoffen", „warten", selten im Hebräischen, aber häufig im Aramäischen; in Ps 119 166 wie hier mit ל der Sache. עגן, Hapax, niph. „an Eingehung einer neuen Ehe gehindert werden", von Frauen gesagt. Der juridische Terminus עֲגוּנָא heißt „Ehehindernis, weil der Tod des Gatten nicht bewiesen ist".

Der Sinn der Worte Noomis מַר־לִי מְאֹד מִכֶּם ist nicht ganz klar. Schon in der Doppelübersetzung von ⅏ stehen zwei später oft wiederholte Erklärungen nebeneinander: „Denn es ist mir bitter leid um euretwillen" (= ⅏ ὅτι ἐπικράνθη μοι σφόδρα ὑπὲρ ὑμᾶς) und „Ich bin viel schlimmer daran als ihr". Nur die zweite Übersetzung paßt zum Folgenden: „Denn die Hand Jahwes ist wider mich ausgegangen". Sie gibt auch die beste Begründung für Noomis Aufforderung an die jungen Frauen, sich von ihr zu scheiden, es hat keinen Zweck, daß sie mit Noomi gehen, jene sind noch jung, sie haben ihre Eltern und ihre Heimat, diese hat alles verloren. Wenn sie mit ihr gehen, wählen sie völlig zu ihren Ungunsten. יָצְאָה יַד בְּ nur hier, vgl. aber יַד שָׁלַח בְּ „sich vergreifen an" (Gn 37 22 1 S 26 9).

Unter Tränen fügt sich die eine, Orpa. נשׁק bedeutet, wie aus dem Zusammenhang hervorgeht, „den Abschiedskuß geben"; vgl. Gn 31 28 1 Kö 19 20. Die alten Übersetzer haben erklärende Zusätze: καὶ ἐπέστρεψεν εἰς τὸν λαὸν αὐτῆς, ⅏ „und sie kehrte zurück und ging ihres Weges". Ruth aber hielt sich an ihre Schwiegermutter. דבק ist ein anschaulicher Ausdruck: „an etwas haften", „kleben". Das griechische ἠκολούθησεν ist 14 als Fehlschreibung für die sonst gebräuchliche Übersetzung ἐκολλήθη (so 2 8. 21) zu beurteilen.

15   Ruth sollte dem Beispiel ihrer Schwägerin folgen, die „zu ihrem Volk und ihrem Gott" heimgekehrt ist. שׁבה ist perf. In den Worten der Noomi – wie auch in der Antwort Ruths – schimmert die alte Anschauung durch, daß auch die anderen Völker ringsumher, ebenso wie Israel, ihren Gott haben; vgl. Ri 11 24. ⑥ hat den Ausdruck vermieden und schreibt nur „zu ihrem Elternhaus".

16–17   Ruth weist endgültig alle Versuche ab, sie zur Rückkehr zu bewegen. Ihre feierlich schönen und pathetischen Worte sollen nicht nur für die Treue Ruths gegen Noomi ein Zeugnis ablegen. Sie dienen vor allem dazu, die Judaisierung der moabitischen Frau recht eindrucksvoll darzustellen. Sie tritt jetzt aus dem rechtlichen und religiösen Zusammenhang mit ihrem Volke heraus und wird ein Glied der judäischen Gemeinschaft. Ihre ganze Existenz wird mit diesem Übergang eine neue, was durch die emphatische Erwähnung der wichtigsten Lebensgebiete zum Ausdruck kommt, Land und Grab, Volk und Glaube. Und ihre Worte werden von einem feierlichen Schwur begleitet. Für das in der Schwurformel zu erwartende אם לא tritt hier die deiktische Partikel כי ein: „Fürwahr, der Tod (nur) wird dich und mich scheiden." Die emphatische Voranstellung des Subjekts drückt die Exklusivität aus.

    Der Targum hat sich mit den feierlichen Worten Ruths nicht begnügt. Nachdem sie einen ausdrücklichen Wunsch geäußert hat, eine Proselytin zu werden, folgt ein Gespräch zwischen den beiden Frauen, die tatsächlich eine Art Proselytenprüfung mit Fragen und Antworten ist, wobei Ruth jeweils mit den einzelnen Sätzen des 𝔐 antwortet.

18   Noomi sieht, daß ihre Überredungsversuche nichts nützen, und hört auf, mit ihrer Schwiegertochter davon zu sprechen. Von der weiteren Wanderung hören wir nichts. Der Erzähler läßt sie schweigend miteinander nach Bethlehem gehen, wo eine kleine Zwischenszene folgt.

19   Die kleine Stadt geriet wegen der beiden Frauen in Bewegung. הום niph. „in Verwirrung kommen", „außer sich geraten" (1 S 4 5 von der Erde, als die Lade aus Silo herbeigeholt wurde; 1 Kö 1 45 von Jerusalem, als Salomo König wurde).

    וַתּאֹמַרְנָה „und (die Frauen) sagten", constr. ad sensum, vgl. עליהם im folgenden Vers. „Ist das Noomi?" Die verwunderte Frage hat den Sinn eines Ausrufs (BrSynt § 12). Noomi will ihren Namen, „die Liebliche", in sein Gegenteil verändern: „die Bittere", „die bitter Betrübte", מָרָא mit aramäischer Endung; viele Handschriften haben מרה.

21–22   Die Schlußworte Noomis unterstreichen noch einmal die kritische Lage der beiden wehrlosen Frauen. Daß daraus etwas Großes und Glückliches hervorging, war allein das Werk Jahwes. Mit der abschließenden Bemerkung, daß die Rückkehr nach Bethlehem zu Beginn der Gerstenernte erfolgte, hat der Erzähler die Aufmerksamkeit des Lesers unmittelbar auf das weitere Geschehen gerichtet, die Begegnung auf dem Acker des Boas.

Wie das ganze Büchlein, handelt auch dieses Stück von der Führung Jahwes. Die beiden Frauen, deren Gedanken und Gefühle durch ihr Gespräch enthüllt werden, sind nicht als Glaubenshelden, auch nicht als besonders fromme Menschen geschildert. Noomi hat Ruth nach Moab zurückschicken wollen. Und auch Ruth mutet uns trotz ihrer berühmten Worte in 16 f. merkwürdig anonym und farblos an. Beide wissen sehr wenig davon, daß sie mitten in einer von Gott geführten Geschichte stehen. — Ziel

Auch die Handlung, die sich in kleinen bäuerlichen Verhältnissen und unter realistischer Ausmalung des Alltagslebens abspielt, läßt nichts davon ahnen, daß wir es mit einem Geschehen von ungeheuren Dimensionen zu tun haben. „Das ist also die Predigt unserer biblischen Geschichte für uns, daß sie uns lehrt, zu scheiden zwischen dem, was Menschen treiben und denken, und dem, was die Bibel das Werk Gottes mit uns nennt; und daß wir wissen sollen, daß Gottes Werk unter allen Umständen ans Ziel kommt und nicht an der Unzulänglichkeit dessen hängt oder scheitert, was wir denken oder reden oder handeln" (GvRad, EvTh 12, 1952, 4).

AUF DEM ACKER DES BOAS
(Kapitel 2)

Text [1]Und Noomi hatte einen Verwandten [a] von ihres Mannes Seite [b], einen vermögenden Mann [c], aus der Sippe Elimelechs, mit Namen Boas. [2]Und die Moabiterin [d] Ruth sprach zu Noomi: „Ich möchte aufs Feld gehen und Ähren lesen [e] hinter einem, der gütig gegen mich ist". Und sie antwortete ihr: „Geh, meine Tochter." [3]Da ging sie hin [f] und las auf dem Felde hinter den Schnittern. Und zufällig traf [g] sie auf ein Grundstück, das dem Boas gehörte, der aus der Sippe des Elimelech war. [4]Und siehe, da kam [h] Boas von Bethlehem her. Und er sprach zu den Schnittern: „Jahwe sei mit euch [i]!" Und sie antworteten ihm: „Segne dich Jahwe!"

[5]Und Boas fragte einen Knecht, der über die Schnitter gesetzt war: „Wem gehört [j] die junge Frau da?" [6]Und der Knecht, der über die Schnitter gesetzt war [k], antwortete und sprach: „Es ist eine junge Moabiterin [l], die mit Noomi aus dem Gefilde Moabs zurückgekehrt ist; [m] [7]sie hat gesagt: ‚Darf ich wohl lesen und sammeln hinter den Schnittern her [n]' So ist sie gekommen und (hier) geblieben. Vom Morgen bis jetzt [o] hat sie nur wenig geruht."

[8]Und Boas sprach zu Ruth: „Du verstehst sicher, meine Tochter – geh nicht zum Lesen auf ein anderes Feld, ja, geh überhaupt nicht von hier weg [p], sondern halte dich hier an meine Mägde. [9]Suche auf dem Felde [q], wo sie schneiden, und geh hinter ihnen [r]. Du sollst wissen, daß ich den Knechten befehle [s], dich nicht anzutasten [t]. Und hast du Durst, sollst du zu den Krügen gehen [u] und darfst von dem trinken, was die Knechte schöpfen [v]." [10]Da fiel sie auf ihr Gesicht und beugte sich zur Erde und sprach zu ihm: „Wie kommt es, daß du so gütig gegen mich bist, so daß du dich meiner freundlich annimmst [w]? Ich bin ja nur eine Fremde." [11]Und Boas antwortete und sprach: „Es ist mir genau berichtet worden [x], was du alles an [y] deiner Schwiegermutter getan hast nach dem Tode deines Mannes. Du hast ja deinen Vater und deine Mutter und deine Heimat [z] verlassen und bist zu einem Volk gegangen, das du früher nicht kanntest. [12]Jahwe vergelte dir dein Tun, und dein Lohn möge ein voller sein von Jahwe, dem Gotte Israels, zu dem du gekommen bist, um unter seinen Flügeln Zuflucht zu suchen." [13]Und sie sprach: „Ja, du bist wirklich gütig gegen mich; denn du hast mich getröstet und hast zu deiner Magd freundlich gesprochen, und ich bin ja nicht einmal einer deiner Mägde gleich."

[14]Und zur Essenszeit [aa] sprach Boas zu ihr [bb]: „Komm her [cc] und iß von dem Brot und tunke deinen Bissen in den Essig." Da setzte sie sich zur Seite der Schnitter; und er reichte ihr Röstkorn, und sie aß sich satt und hatte noch übrig. [15]Und als sie sich erhob, um (wieder) zu lesen, gebot Boas seinen Knechten: „Auch zwischen den Bündelhäufchen [dd] darf sie lesen, und ihr sollt ihr nichts zuleide tun. [16][ee]Ja, ihr sollt aus den Bündeln (Halme) für sie herausziehen [ff] und liegen lassen [gg]; sie mag es dann auflesen, und ihr sollt sie nicht schelten."

[17]So las sie auf dem Felde bis zum Abend; und als sie ausklopfte, was sie gelesen hatte, war es ungefähr [hh] ein Epha Gerste. [18]Und sie hob es auf und ging in die Stadt und zeigte [ii] ihrer Schwiegermutter, was sie gelesen hatte. Und was sie vom Essen übrig behalten hatte, überreichte sie [jj] und gab es ihr. [19]Und ihre Schwiegermutter sprach zu ihr: „Wo hast du heute gesammelt, und wo hast du ge-

arbeitet^{kk}? Gesegnet sei, der sich deiner so freundlich angenommen hat." Dann erzählte sie ihrer Schwiegermutter, bei wem ^{ll} sie gearbeitet hatte, und sagte: „Der Mann, bei dem ich heute gearbeitet habe, heißt Boas." ²⁰Da sprach Noomi zu ihrer Schwiegertochter: „Gesegnet sei er von Jahwe ^{mm}, der seine Gnade nicht entzogen hat, weder den Lebenden noch den Toten." Und Noomi sprach (weiter) zu ihr: „Der Mann ist mit uns verwandt; er gehört zu unseren Lösernⁿⁿ". ²¹Und Ruth, die Moabiterin, ^{oo} sprach: „Außerdem ^{pp} hat er mir gesagt: „Halte dich an meine Knechte^{qq}, bis sie mit meiner ganzen Ernte fertig sind." ²²Und Noomi sprach zu Ruth, ihrer Schwiegertochter: „Es ist gut, meine Tochter, wenn du (nur) mit seinen Mägden hinausgehst, so kann man dich auf einem anderen Felde nicht belästigen."

²³So hielt sie sich beim Lesen an die Mägde des Boas, bis die Gerstenernte und die Weizenernte zu Ende war^{rr}. Dann blieb sie bei ihrer Schwiegermutter.

a K מִידַע, Q mlt MSS^{Ken} מוֹדַע; die Massoreten haben durch ihre Lesung 1 den Boas als einen entfernten Verwandten bezeichnet, also nicht nur als einen Freund, wie K. Mit K stimmt 𝔊 überein, die hier (wie 3 2 für מדעת) γνώριμος schreibt. – b Durch ל wird das Besitzverhältnis als indeterminiertes gekennzeichnet (BrSynt § 74 a). – c אִישׁ גִּבּוֹר חַיִל, „ein vermögender Grundbesitzer"; 𝔊 wörtlich ἀνὴρ δυνατὸς ἰσχύι, > 𝔖. – d > 𝔖. – e ב לקט; die Präposition 2 ב hat hier nicht lokalen Sinn, wie 𝔊 zu glauben scheint (ἐν τοῖς στάχυσιν), sondern soll die Nuance ausdrücken, daß die Handlung nur einen Teil des Objekts beansprucht, d.h., „ich werde am Ährenlesen teilnehmen" (das ב der Teilnahme kommt besonders gern nach den Verben אכל, שתה, אחז und נגע vor). – Zur Trübung des Schewa nach ק in אלקטה (ebenso 7) vgl. EKönig, Lehrgeb. d. hebr. Sprache I 189; GK § 10 h. – f Wörtlich: „Und sie ging und kam hin"; 3 die alten Übersetzungen haben den Ausdruck abgekürzt. – g Eig.: „Ihr Zufall traf". – Die Erzählung hat auch hier imperf. mit ו, obwohl der kursive Aspekt unterbrochen wird; vgl. Joüon § 118 K. – h בא ist hier perf.; 𝔊 ἦλθεν 4 – i Zum nominalen Wunschsatz siehe BrSynt § 7 b. 𝔊 „Friede sei mit euch!" – j למי; einige Septuagintahandschriften haben τίς statt τίνος. 𝔊 „Was hat 5 dieses Mädchen hier zu bestellen?" Den gleichen Ausdruck hat 𝔊 in 39. 𝔗 „Welchem Volke gehört das Mädchen?" – k > 𝔊. – l In 𝔊 determiniert: 6 ἡ παῖς ἡ Μωαβεῖτις. – m השבה; vgl. zu 1 22. 𝔊 hat Relativsatz. – n בעמרים 7 ist zu streichen; vgl. 𝔊 und 𝔙, wo die Wörter ואספתי בעמרים fehlen. Ruth bittet nur, hinter den Schnittern lesen zu dürfen. – o Die Zeitbestimmungen gehören nicht zu ותעמוד, sondern zum Folgenden. – מֵאָז steht hier als temporale Präposition „seit" wie Ex 4 10 (מֵאָז דַּבֶּרְךָ „seit du gesprochen hast"); LachisOstrakon 3, 7 (מאז־שלחך, „seit du gesandt hast"); vgl. BrSynt § 111 e, 158. – Die Wörter עַתָּה זֶה gehören zusammen, „jetzt nun". Statt שִׁבְתָּהּ „ihr Sitzen" ist mit 𝔊𝔖 שָׁבְתָה zu lesen: „Sie hat aufgehört", „hat eine Pause gemacht." הבית ist als Dittographie zu streichen. – p 16 MSS^{Ken} haben das normale 8 תעברי. Die unerklärte Vokalisierung mit ו kommt außer hier nur zweimal im AT vor, Ex 18 26 und Prv 14 3; vgl. Joüon Gr § 44 c; BL 40 s. – q Nicht Zu- 9 standssatz, sondern Ausruf: hier, auf meinem Acker, sollst du deine Augen offen haben. – r Das weibliche Suffix bezieht sich auf die Mägde, die hinter den Schnittern die Ähren in Bündeln sammeln. – s Durch הלא wird eine bejahende Antwort suggeriert, vgl. BrSynt § 54 c. Das perf. drückt den Zusammenfall von Aussage und Vollzug der Handlung aus, vgl. BrSynt § 41 d. – t נגע mit direktem Pronominalsuffix, sonst fast immer mit einer Präposition, häufig ב. Wie hier nur Gn 26 29 (Suff.) und Jes 52 11 (Nomen als Obj.); vgl.

Joüon Gr. § 125 b. – u וצמת והלכת; ו drückt hier eine konditionale Beziehung aus, vgl. BrSynt § 164 a. צמא wie ein Verb ל"ה geschrieben, vielleicht unter Einfluß des folgenden ושתית (BL 5, 376, Joüon Gr. § 78 g; GK § 75 qq). –

10 v מאשר in 𝕲𝕼𝕿 verdeutlicht: „von dem Wasser, das...". – w להכירני mit kon-
11 sekutiver Bedeutung. – x 𝕲 ἀπαγγελία ἀπηγγέλη. – y את als Präposition nach
14 BrSynt § 117 b. – z 𝕲 „deinen Stamm". – aa לעת האכל gehört, wie aus dem Zusammenhang hervorgeht, zu ויאמר; so die Massoreten, vgl. die Akzentuierung. In 𝕲ᴮᴬ dagegen – wo ἤδη ὥρα τοῦ φαγεῖν vielleicht Schreibfehler für τῇ δὴ ὥρᾳ κτλ. ist – bezieht sich die Zeitbestimmung auf den Anfang der Rede des Boas. – bb לה ohne Mappiq geschrieben (wie Nu 32 42. Sach 5 11); von den Massoreten ist also ה hier als stumm betrachtet, vgl. Joüon Gr § 25 a. 103 f. – cc גֹּשִׁי, der imp. mit o (statt גְּשִׁי) ist vermutlich als eine Analogieform der בֹּאִי
15 zu verstehen; BL 367. – dd 𝔏 inter manuatores hat wie 𝖁 (etiamsi vobiscum
16 metue voluit) עמרים persönlich verstanden. – ee 16 > 𝕲. – ff של־תשלו von שלל „ausziehen". 𝕲 hat die Worte zweimal übersetzt: βαστάζοντες βαστάξατε καί γε παραβάλλοντες παραβαλεῖτε αὐτῇ. Einige Minuskelhandschriften haben für die zweite Übersetzung σωρεύσατε, was wohl auf סֹל תָּסֹלּוּ zurückgeht. – gg 𝕲ᴮ hat φάγεται, was wahrscheinlich Fehlschreibung für ἄφετε ist. –
17.18 hh כ zum Vergleich der Menge; vgl. BrSynt § 109 a. – ii l mit 2 MSS hiph.
19 וַתֵּרָא; so 𝕲 und 𝖁. – jj 𝕲 'Ρούθ. – kk ואנה עשית abgekürzte Redeweise, eigentlich „Wohin (bist du gegangen) und hast gearbeitet?" 𝕲 „Gesegnet sei der Platz, wo du gewesen bist." – ll 𝕲 ποῦ ἐποίησεν; der griechische Übersetzer hat die Antwort Ruths straffer an die Frage ihrer Schwiegermutter an-
20 geglichen. – mm ליהוה; ל auctoris, besonders in der Verbindung ברוך ל, vgl. Joüon Gr § 132 f; 1 MS de Rossi 𝕲𝔏 יהוה: „Gesegnet sei Jahwe", vgl. aber
21 3 10. – nn מִגֹּאֲלֵנוּ, defektive Schreibung für ־לִינוּ (so in vielen MSS). – oo > 𝕲𝕾𝖁; die beiden ersten haben dafür לחמותה „zu ihrer Schwiegermutter". – pp גַם כִּי eigentlich „(Ich muß) noch (hinzufügen)"; vgl. Joüon Gr. § 157 a N. – qq Verschiedene MSS und Vrss haben fem.; es kommt aber hier nur darauf an, die Leute des Boas von den auf den Nachbarfeldern arbeitenden zu unter-
23 scheiden. – rr 𝕲 hat pi. כַּלּוֹת gelesen: συνετέλεσεν.

Form Man findet in dieser Erzählung die gleichen formalen und stilistischen Merkmale wie im vorigen Kapitel. Auch hier kommt der ungebrochene Zusammenhang des Erzählungsfadens durch die parataktische Satzverbindung klar zum Vorschein. In einer Reihe wechselnder, aber miteinander verbundener Szenen und Situationen läuft das Geschehen immer vorwärts: Ruth und Noomi (2), Boas und der Knecht (5–7), Ruth und Boas (8–14), Boas und die Knechte (15 f.) und schließlich wieder Ruth und Noomi (18–23).

Innerhalb dieses Erzählungsrahmens gibt es nun einen erstaunlichen Gefühlsreichtum. Jeder Vorgang hat sein eigenes inneres Kolorit. An einer sachlichen, objektiven Darstellung der Charaktere hat der Erzähler kein Interesse. Ebensowenig hat er die Szenen mit plastischer Anschaulichkeit ausgemalt. Im Vergleich mit dem Estherbuch, das eine Fülle des äußeren Details gibt, macht die Rutherzählung einen unanschaulichen Eindruck. Was man hier findet, ist eine dramatische Vergegenwärtigung des inneren Vorgangs. Vor allem in den Gesprächen hat es der Erzähler verstanden, innermenschliche und zwischenmenschliche Vorgänge konkret und intensiv zu schildern.

Was hier erzählt wird, spielt sich in einer patriarchalischen, örtlich sehr begrenzten Umgebung ab. Wenn man die Erzählung eine Idylle nennt, denkt man wohl vor allem an diesen sozialen Rahmen, das patriarchalische Verhältnis zwischen Boas und seinen Knechten, die selbstverständliche Geltung des Grundsatzes, daß jeder Bauer im Besitz seines Ackers sein soll. Die Zukunft brachte ganz neue Besitz- und Wirtschaftsverhältnisse im Lande Juda, wie sie besonders von Micha geschildert sind, Latifundienbildung der Herrenschicht von Jerusalem und eine fast vollständige Enteignung der Bauernbevölkerung; vgl. AAlt, KlSchr III (1959) 348ff. 373ff. Am besten verständlich wird die idyllische Schilderung ohne Zweifel, wenn sie in eine Zeit gehört, in das die alte Wirtschafts- und Gesellschaftsordnung nicht mehr existierte oder ernst gefährdet war. *Ort*

Wie Kap. 1 fängt auch dieses Stück mit einigen sehr kurzgefaßten Personalien an. Die dritte Hauptfigur, Boas, wird vorgestellt. Auch jetzt teilt der Erzähler nur so viel mit, wie es für das Verständnis des weiteren Geschehens nötig ist. Mit Q ist מוֹדָע zu lesen, d.h., Boas ist ein Verwandter des Elimelech, ohne jedoch zum engen Familienkreis zu gehören. Boas ist ein wohlhabender Grundbesitzer. Den gleichen Sinn, „sehr reich", hat גִּבּוֹר חַיִל auch 1 S 9 1; vgl. auch Rt 4 11, wo עשׂה חיל „zu Reichtum kommen" meint. 𝕿 weiß noch dazu, Boas sei „mit dem Gesetz wohl vertraut". *Wort 1*

Nachdem Boas dem Leser vorgestellt worden ist, wird er nicht unmittelbar in die Handlung eingeführt, sondern vorläufig zur Seite geschoben. Gemäß hebräischem Erzählungsstil ist es ganz in der Ordnung, daß der Bericht erst später auf ihn zurückkommt. *2*

Aus den Worten „hinter einem, in dessen Augen ich Gnade finde", wonach Ruth also nur mit Erlaubnis des Feldbesitzers Ähren sammeln will, folgt nicht zwingend, daß der Verfasser das Gesetz in Dt 24 19 Lv 19 9 f. 23 22 nicht kenne. 𝕾 hat wie oft eine ziemlich freie Übersetzung: „Ich will eine Nachlese sammeln hinter den Arbeitern jemandes, in dessen Augen ich Gnade finde."

וַיִּקֶר מִקְרֶה außer hier nur Qoh 2 14f., wo מקרה allerdings einen anderen Sinn hat: „Schicksal". Hier bedeutet מקרה „Zufall", d.h. das, was ohne den Willen oder das Zutun des Betroffenen vorfällt, und drückt somit die Überzeugung des Erzählers aus, daß die Menschen den Gang des Geschehens nicht bestimmen können. Andererseits ist es ihm klar, daß die Führung Jahwes auch hinter diesem Zufall steht. *3*

Die Grußformeln sind konventionell und sollten nicht als Zeichen einer besonders frommen Haltung bewertet werden. *4*

5 Die Frage „Wem gehört sie?" ist für den kollektiv denkenden alttestamentlichen Menschen ganz natürlich; vgl. Gn 32 18 1 S 30 13.

6–7 Ruth hat gebeten, das vom Gesetz garantierte Armenrecht in Anspruch nehmen zu dürfen, auf den Feldern der Bauern Ähren zu lesen; vgl. Lv 19 9 23 22. Die Pointe liegt darin, daß die Ährenleserin sich in bescheidenen Grenzen halten muß, d.h. hinter den Schnittern. Nur dort darf sie sammeln, wo die Schnitter schon ihre Arbeit getan haben und die Handbündel weggebracht sind; vgl. Dalman, AuS III 46ff. Später bekommt Ruth die Erlaubnis, auch zwischen den Bündelhäufchen zu sammeln, d.h. wo die Schnitter und Sammler noch beschäftigt waren (vgl. 2 15).

Die Antwort des Knechtes ist nicht ganz klar. Die Schwierigkeit kommt erstens daher, daß ein הבית (infolge Dittographie) in den Text gekommen ist. Dadurch wurde weiter שָׁבְתָה („sie hat geruht") unmöglich und ist von den Massoreten als eine Form von ישב aufgefaßt worden, um mit הבית zusammenzupassen.

8 שמע hat hier wie öfter den Sinn „verstehen", vgl. Gn 11 7 42 23 Jes 33 19 36 11 Jer 5 15 Ez 3 6 Prv 18 13. Auf die Frage mit הלא erwartet man eine bejahende Antwort, vgl. BrSynt § 54 c. Was Boas sagen will, ist also: Bei mir hast du Schutz, aber du verstehst doch sicher, daß dir auf anderen Feldern viel Unangenehmes passieren könnte; bleibe darum hier bei meinen Mägden. ⑤ hat den Ausdruck mißverstanden: „Hast du nicht im Sprichwort gehört: auf einem Felde, das dir nicht gehört, sollst du nicht sammeln?" – אל und לא vor den Imperfekten waren ursprünglich von verschiedener emotionaler Stärke, wurden aber später gleichwertig gebraucht; vgl. BrSynt § 5 a.

9 Die freundlichen Worte des Boas sollen den Leser auf die künftigen Geschehnisse vorbereiten, die ja damit enden, daß die Ährenleserin des reichen Bauern Frau wird.

10–11 Bewegt und erstaunt über das unerwartete Wohlwollen des Boas, wirft sich Ruth dankbar und demütig vor ihm nieder. Was er jetzt zu sagen hat, verrät aber, daß er die junge Moabiterin recht gut kennt. Seine Zusammenfassung ihrer Taten erinnert an die Erzählung von Abraham, der gleichfalls als ein Fremder ins Land Kanaan kam, nachdem er Eltern und Heimat verlassen hatte; Gn 12 1ff. Das ziemlich seltene ארץ מולדת kommt dreimal in den Vätergeschichten vor, Gn 11 28 24 7 31 13. Für die offenbare Hintansetzung des Verbots in Dt 23 4, nach dem die Moabiter aus der Gemeinde Jahwes auf immer ausgeschlossen sind, hat ℑ sich mit den frommen Taten Ruths nicht begnügen lassen. Boas habe außerdem „durch das Wort der Weisen" erfahren, daß dieses Verbot nicht Frauen, sondern nur Männern gelte.

12 Die Antwort des Boas hat den gleichen feierlichen Klang wie die Worte Ruths in 1 16f. פעל ist ein poetisches Wort, das nur sehr selten in Prosa

vorkommt. Das feierliche תַּחַת־כְּנָפָיו ist kaum nach dem Bild eines schützenden Vogels zu verstehen, sondern bezieht sich wahrscheinlich auf die ausgespannten Kerubenflügel, die als Symbol des Gottesschutzes gelten, vgl. Ps 17 8 36 8 63 8. Die Worte des Boas unterstreichen die religiöse Bedeutung der Übersiedlung Ruths in Bethlehem: sie wird an der Schutz- und Rechtssphäre Jahwes teilhaft.

Ruth erkennt in freudiger und dankbarer Überraschung, daß Boas 13 so freundlich ist. אֶמְצָא־חֵן hat fast den Sinn einer Dankformel: „Ich danke dir" (Ehrlich, Rudolph, vgl. 1 S 1 18 2 S 16 4).

חֹמֶץ ist durststillender Weinessig zur Erfrischung in der Hitze; vgl. 14 Dalman, AuS III 18. ᵷ hat *chalba* „Milch", was Verschreibung von *challa* „Essig" ist. Als ein Leckerbissen galt קָלִי, geröstete Getreidekörner, vgl. Dalman, AuS III 265f. ᵷ hat dafür ἄλφιτον „Gerstenmehl", ebenso ᵷ *schachtita*. – Schwieriger ist das Hapax צבט. ᵷ ἐβούνισεν „er häufte" hat vielleicht ויצבר gelesen, vgl. aber 2 16, wo ᵷ das Nomen צבת mit dem gleichen griechischen Wort übersetzt. Die blasse Übersetzung „darreichen" ist unsicher. Vielleicht hat das Wort einen viel spezielleren Sinn, der mit der Zubereitung zusammenhängt; vgl. ugaritisch *mṣbṭm* „Zange", was eher auf die Bedeutung „greifen", „anfassen" führt; vgl. auch arab. und äth. *ḍabaṭa* „festhalten".

Das abgeschnittene Getreide wurde zu Handbündeln, צבתים (vgl. 15 16), vereinigt, die dann in Häufchen, עמרים, zusammengebracht wurden; vgl. Dalman, AuS III 39f. Die neue, besondere Bevorzugung besteht nun darin, daß Ruth nicht nur hinter den Schnittern lesen darf, sondern auch zwischen den Bündelhäufchen, wo die Ähren zahlreicher waren (vgl. 6).

Aber noch mehr! Normalerweise stand nur, was zufällig zu Boden 16 fiel, zur Verfügung einer Ährenleserin. Boas gibt aber den Schnittern einen Wink, sie sollen absichtlich Halme aus den Bündeln losreißen und für Ruth liegenlassen. צבת (nur hier), ein Bündel von Ähren, so viel, wie die Linke des Schnitters für einen Schnitt festhält; vgl. akk. *ṣabātu* „mit den Händen greifen". Zum Unterschied von den Garben (אלמות, späthebräisch auch כריכות) waren die צבתים nicht gebunden, vgl. Dalman, AuS III 42. 48f.

Um das Stroh nicht mitnehmen zu müssen, drischt Ruth die gesammelten Ähren gleich auf dem Felde. חבט ist technischer Terminus für 17 eine besondere Art des Dreschens; für kleinere Getreidemengen pflegte man die Ähren mit einem Stock oder Holzhammer auszuklopfen (Dalman, AuS III 92). Ein Epha (= 36,4 l.) Gerstenkörner ist ein erstaunliches Tagewerk. ᵷ „ein volles Maß".

שָׂבְעָה wird von LKöhler, KBL s.v. als ein abstraktes Nomen betrach 18 tet: „Sättigung", von Zorell, Lex., vielleicht natürlicher, als einen Infinitiv, „postquam se satiavit".

אָנָה in der Bedeutung „wo" = אָן nur hier, vgl. aber שָׁמָּה, das vereinzelt 19 für שָׁם auftritt wie Ez 48 35. – Noomi versteht sofort, daß Ruth nur dank eines besonderen Wohlwollens soviel Getreide hat sammeln können, und spricht über den unbekannten Wohltäter einen Segenswunsch aus.

20 Der Relativsatz אֲשֶׁר לֹא־עָזַב חַסְדּוֹ bezieht sich auf Jahwe (vgl. Gn 24 27), nicht auf Boas, wie 𝔊 zu meinen scheint: εὐλογητός ἐστιν τῷ κυρίῳ ὅτι οὐκ ἐνκατέλιπεν κτλ. – Mit קָרוֹב wird eine nicht näher bestimmte verwandtschaftliche oder menschliche Beziehung bezeichnet. Ein familienrechtlicher Begriff spezieller Art ist dagegen גֹּאֵל. Go'el ist der Verwandte, dem die Aufgabe obliegt, in verschiedenen Notlagen als Erlöser und Befreier aufzutreten; er verhilft dem in Schuldsklaverei geratenen Bruder wieder zur Freiheit, er kauft das aus Not veräußerte Besitztum eines Sippenangehörigen zurück und er heiratet die kinderlose Witwe eines verstorbenen Bruders, um ihm Nachkommen zu verschaffen (Lv 25 25 ff. Dt 25 5 f.). Für die Terminologie siehe JJStamm, Erlösen und Vergeben im AT (1940); ARJohnson, The Primary Meaning of ga'al: VT Suppl. I (1953) 67 ff.; AJepsen, Die Begriffe des Erlösens im AT: Festgabe für Rudolf Hermann z. 70. Geburtstag: So lange es „heute" heißt (1957) 153–163.

21–23 So gehen die Dinge ruhig weiter. Ruth bleibt während der ganzen Erntezeit auf dem Felde des Boas. Dann sitzt sie wieder zu Hause. Die Erzählung ist wieder zu einen Stillstand gekommen. Der Leser mag einen neuen Anstoß erwarten, der das Geschehen wieder in Bewegung setzt und eine neue Phase der Erzählung einleitet.

Ziel In diesem Abschnitt der Erzählung wird es noch deutlicher, daß wir es mit einer Führungsgeschichte zu tun haben. Der Gang des Geschehens wird nicht von den Menschen bestimmt. Insofern kann man von einem Zufall, מקרה, sprechen (2 3). Aber hinter den scheinbar zufälligen Ereignissen steht Jahwe. Die Erzählung von der Ährenleserin handelt in all ihrer Alltäglichkeit von einer göttlichen Erwählung mit erstaunlichen Dimensionen; sie stellt eine Stufe des Heilshandelns Jahwes mit Israel dar. So tief ist Gott in den menschlichen Alltag heruntergestiegen, und so verborgen arbeitet er mit Werkzeugen, die sehr wenig davon wissen, was Gott mit ihnen eigentlich vorhat.

AUF DER TENNE DES BOAS
(Kapitel 3)

[1] Und Noomi, ihre Schwiegermutter, sprach zu ihr: „Meine Tochter, du weißt Text
ja, daß ich[a] dir einen Ruheplatz verschaffen möchte, damit es[b] dir gut gehe. [2] Und
nun ist ja Boas, bei dessen Mägden du warst, ein Verwandter von uns[c]; siehe, er[d]
worfelt heute nacht die Gerstentenne. [3] So wasch dich und salbe dich und zieh dein
Obergewand[e] an und geh zur Tenne hinunter[f]; gib dich dem Manne nicht zu erkennen[g], ehe er mit Essen und Trinken fertig ist. [4] Wenn er aber sich schlafen legt,
merke dir den Ort, wo er sich hinlegt, und gehe hin, decke den Platz zu seinen Füßen auf und lege dich dorthin[h]; so wird er dir mitteilen, was du tun sollst." [5] Und
sie antwortete ihr: „Alles, was du mir[i] sagst, werde ich tun."

[6] Und sie ging zur Tenne hinunter und tat genau, wie ihre Schwiegermutter
es ihr geboten hatte[j]. [7] Als nun Boas gegessen und getrunken[k] hatte und fröhlich
geworden war, ging er hin, um sich am Ende des Körnerhaufens schlafen zu legen[l].
Dann kam sie leise herzu, deckte den Platz zu seinen Füßen auf und legte sich
hin[m]. [8] Um Mitternacht aber schrak der Mann auf und beugte sich vor[n], und siehe,
eine Frau lag zu seinen Füßen. [9] Und er sprach[o]: „Wer bist du?" Und sie antwortete: „Ich bin Ruth, deine Magd. Breite deinen Gewandzipfel[p] über deine
Magd, denn du bist Löser." [10] Da sprach er: „Gesegnet seist du vor Jahwe, meine
Tochter. Du hast deine neue Liebeserweisung noch schöner gemacht als die erste,
indem du nicht den jungen Männern[q] nachgegangen bist, ob arm oder reich[r].
[11] Und nun, meine Tochter, hab keine Furcht! Alles, was du sagst[s], will ich dir tun;
wissen doch alle im Tor meines Volkes[t], daß du eine wackere Frau bist. [12] Und
nun ist es wirklich wahr, daß[u] ich Löser bin; aber es gibt noch einen Löser, der
näher ist als ich. [13] Bleibe[v] die Nacht hier; will er dich dann am Morgen lösen, gut
so mag er lösen; will er dich aber nicht lösen, dann will ich dich lösen[w], so wahr
Jahwe lebt[w]. Leg dich nieder bis zum Morgen." [14] So legte sie sich hin zu seinen
Füßen bis zum Morgen; aber noch ehe[x] ein Mensch den anderen erkennen konnte,
stand sie auf. [y]Er dachte nämlich: „Es soll nicht bekannt werden, daß das Weib[z]
auf die Tenne gekommen ist[y]." [15] Und er sagte[aa]: „Gib das Tuch[bb], das du um
dich hast, und halte es her[cc]. Und sie hielt es hin, und er maß sechs (Maß[dd]) Gerste
hinein und lud's ihr auf. Dann ging er[ee] zur Stadt.

[16] Und sie kam zu ihrer Schwiegermutter, und die sagte: „Bist du es, meine
Tochter?" Und sie erzählte ihr alles, was der Mann an ihr getan hatte. [17] Und
sie sagte: „Diese sechs (Maß) Gerste hat er mir gegeben; denn er sprach zu mir[ff]:
„Du sollst nicht mit leeren Händen zu deiner Schwiegermutter kommen."

[18] Und sie antwortete: „Bleib ruhig, meine Tochter, bis du erfährst[gg], wie die
Sache ausfällt.[gg] Denn der Mann wird nicht ruhen, bis er noch heute die Sache zu
Ende geführt hat."

a Wörtlich: „Soll ich nicht..."; vgl. 2 8f., BrSynt § 54 c. – b Zu אֲשֶׁר als 1
Einleitung eines Absichtssatzes vgl. BrSynt § 161 b. – c מִדַּעְתָּנוּ (wie bei den 2
Präpositionen) statt des normalen דֹּתָנוּ; vgl. GesK § 91 f; BL § 29 m; Joüon,
Gr § 94 h. – d הִנֵּה־הוּא statt הִנֵּה, auch als Qere zu Jer 18 3. – e Lies mit K 3
den sing. שִׂמְלָתֵךְ. – f Q vertritt hier die normale Form וְיָרַדְתְּ, während K וירדתי
die alte Form des fem. sing. bietet; vgl. z. B. Jer 2 20. – g ⑤ „Zeige dich ihm

29

4 nicht" setzt natürlich keine abweichende Vorlage voraus. − h 𝔊 hat den Satz
5 ein wenig geändert: גלית fehlt. Zur Ketib-Form וידעתי s. 3. − i Die Massoreten
wollen mit Recht ein אֵלַי nach תאמרי lesen; desgleichen auch viele MSS 𝔊 𝔗.
6.7 − j צוּתָה kontrahierte Form für צִוְּתָה. − k וישׁת > 𝔊ᴮ: καὶ ἔφαγεν Βόος καὶ
ἠγαθύνθη ἡ καρδία αὐτοῦ. − l 𝔊 + „Und als er in süßem Schlaf auf der Tenne
lag". − m ותשכב > 𝔊ᴮ: καὶ ἀπεκάλυψεν τὰ πρὸς ποδῶν αὐτοῦ; 𝔖: „Und sie
8 deckte den Saum seines Mantels auf und fiel ihm zu Füßen." − n Oder: „dreh-
te sich herum", vgl. arab. lafata. לפת (nur dreimal im AT) ist nicht ganz klar.
Die alten Übersetzer haben es als Synonym des וַיֶּחֱרַד gedeutet: 𝔊 καὶ ἐταράχθη,
9 𝔖 waṭwah „obstupuit". − o Verschiedene alte Übersetzungen + „zu ihr". −
10 p mlt MSS כְּנָפֶיךָ (Dual) „deine Flügel", d.h. „schütze mich". − q 𝔊 ohne
11 Artikel. − r 𝔊 „reich oder arm". − s mlt MSS + אֵלַי. − t Wörtlich: „das
ganze Tor meines Volkes". 𝔊 πᾶσα φυλὴ λαοῦ μου (φυλή falsch für πύλη); 𝔖
12 ähnlich: „der ganze Stamm unseres Volkes" (עַמֵּינוּ statt עַמִּי). − u אם ist mit Q
13 und vielen hebräischen MSS zu streichen (Dittographie, vgl. אמנם). − v לִינִי
ist in einigen MSS mit unnormal großem ל geschrieben; zu den verschiedenen
Erklärungen der literae majusculae siehe BRoberts, The OT Text and Versions (1951) 46. − w – w > 𝔊, die dafür eine neue Redeeinleitung hat: „Und
er sprach zu ihr." 𝔊ᴮ ζῇ Κύριος, σὺ εἶ Κύριος, was wohl eine Doppelüber-
14 setzung ist, vielleicht durch Hörfehler entstanden. − x Das nur hier vorkommende K בטרום vielleicht durch Versehen entstanden; Q und viele MSS
בטרם. 𝔊 hat nach ותקם: „am Morgen, als es noch dunkel war". − y – y 𝔊
„Sie sprach zu ihm: „Niemand soll erfahren, daß ich zu dir auf die Tenne ge-
15 kommen bin." − z 𝔊 γυνή (ohne Artikel). − aa 𝔊 𝔖 + אליה. − bb Zu der
nach dem Muster eines Imperativs flektierten Interjektion הָבָה siehe BrSynt
§ 6 a. − cc Die Massoreten haben eine ungewöhnliche Vokalisierung: אֲחֲזִי
(statt אֶחֱזִי). Der Ausdruck fehlt in 𝔊ᴮ 𝔊ʰ. − dd Selbstverständliche Maß-
und Gewichtsangaben werden oft hinter den Zahlwörtern ausgelassen (BrSynt
17 § 85 e). − ee Viele Handschriften, 𝔊 𝔙 haben fem. − ff So nach Q; אלי
durch Haplographie vor אל ausgefallen; viele Handschriften und Übersetzun-
18 gen folgen dem Q. − gg – gg > 𝔊.

Form   Wiederum ein Stück, das sich erzählungstechnisch sehr deutlich als
eine eigene Einheit abhebt. Das Kapitel fängt an und schließt mit den
Gesprächen zwischen Ruth und Noomi, während die nächtliche Szene
auf der Tenne des Boas das Hauptstück bildet. Die Worte der Noomi in
18 lenken die Aufmerksamkeit auf die Zukunft, die notwendige Schlußszene im letzten Kapitel.

Ort   Der Erzähler ist mit dem Bauernleben des alten Israel wohlvertraut.
Die Schilderung von den praktischen Voraussetzungen der nächtlichen
Szene ist zwar, wie zum Stil dieser Erzählung gehört, knapp an äußeren
Details, aber durchaus sachgemäß; nach Abschluß der Ernte fängt das
Dreschen sofort an. Der Bauer bleibt nachts auf der Tenne, um sein Be-
sitztum vor Diebstahl zu schützen. „Alle Personen der Geschichte und
der Erzähler mit ihnen empfinden als Bauern" (Gunkel, Reden und Auf-
sätze 86). Aber auch in diesem Kapitel, und besonders hier, spielt das
Geschehen sich ganz im Privatleben ab und gibt überhaupt keine Anhaltspunkte, die auf eine konkrete geschichtliche Situation führen.

Die erfahrene und praktische Noomi ergreift wieder die Initiative. Wort 1
Sie will für Ruth ein neues Heim (מָנוֹחַ, vgl. das gewöhnlichere מְנוּחָה 1 9)
finden und hat einen Plan ausgedacht.

Boas, der hier wie 2 1 (Q) ein „Verwandter" genannt wird, ist jetzt 2
mit dem Worfeln beschäftigt (זרה). Diese Arbeit fand auf der Tenne, im
Freien, statt, und dabei wurde die gedroschene Gerste in den Wind ge-
worfen, damit Stroh und Spreu von den Körnern entfernt werden sollten.
Der nötige Wind darf nicht zu kräftig sein oder stoßweise kommen, vgl.
Jer 4 11. Der Abend und die Nacht, wenn der vom Meer heraufkommen-
de Westwind von passender Stärke ist, sind die beste Worfelzeit. Boas
selbst verbringt die Nacht auf seiner Tenne, um Aufsicht über die wichtige Arbeit zu haben und Diebstähle zu verhüten. Als Worfler waren –
so darf man vermuten – die Knechte vom Erntefeld (2 15) tätig.

Der Plan Noomis geht darauf aus, Boas zur Heirat mit Ruth zu be- 3
wegen. Ruth soll sich waschen und salben und hübsch anziehen, um dem
Mann zu gefallen. Die Zeit ist mit kluger Berechnung gewählt, beim
nächtlichen Worfeln, wo man sich über die reiche Ernte freut und wo in
bester Stimmung geschmaust und getrunken wird.

Die Tennen pflegen auf Höhen zu liegen. Zur Tenne des Boas außerhalb der Stadt soll Ruth indessen hinabsteigen, was sich aus Bethlehems
Lage auf zwei Hügeln erklärt. Der Midrasch dagegen meint, es gehe aus
dieser Stelle hervor, daß die Tennen sich an tiefgelegenen Orten befan-
den. 𝔊 hat, wohl aus Versehen, ἀναβήσῃ, vgl. 6 κατέβη.

Boas weilt die ganze Nacht auf seiner Tenne und schläft unter freiem 4
Himmel. Ruth soll sich, wenn er eingeschlafen ist, zu seinen Füßen legen,
d.h., sich als eine Bittstellerin in seinen Schutz begeben. Obwohl mit
großer Keuschheit erzählt, wurde diese nächtliche Szene auf der Tenne
auch von den alten Israeliten als eine gewagte Situation empfunden.

Ruth ist ohne Zögern bereit, dem Vorschlag ihrer Schwiegermutter 5
zu folgen: „Alles, was du mir sagst"; die Massoreten wollen hier, wie in
17b, ein אלי lesen und haben die dazugehörigen Vokalzeichen in den
Text eingefügt; nach jüdischer Terminologie ein sogenanntes קרי ולא
כתיב.

Alles geht genau, wie Noomi es berechnet hat; Boas ißt eine Mahl- 6–7
zeit, legt sich guter Dinge bei dem Getreidehaufen nieder und schläft
bald ein. Da kommt Ruth leise hinzu, deckt den Platz ihm zu Füßen auf
und legt sich nieder. In der Peschitta lautet der Schluß etwas anders als
in 𝔐: „Und sie deckte den Saum seines Mantels auf und fiel ihm zu
Füßen", was mit der Septuaginta (Cod. B) verglichen werden sollte: καὶ
ἀπεκάλυψεν τὰ πρὸς ποδῶν αὐτοῦ. Das hebräische וַיִּשְׁתְּ ist in beiden Versionen unübersetzt. עֲרֵמָה ist der Haufe des gedroschenen Kornes. 𝔊 hat wie
oft auch hier eine ungenaue Übersetzung: „an der Seite der Tenne."

Was Ruth von Boas wünscht, ist nicht Schutz, sondern von ihm ge- 8–9 heiratet zu werden. Diesen Sinn hat es, seinen Gewandzipfel über eine Frau zu werfen; vgl. Ez 16 8 und weiter Dt 23 1 27 20. Für die gleiche symbolische Handlung unter den Arabern sowohl in alter wie in moderner Zeit, siehe WRSmith, Kinship and Marriage in early Arabia³ (1903) 105; GJacob, Altarabisches Beduinenleben² (1897) 58; Burckhardt, Bemerkungen über die Beduinen und Wahaby (1831) 213; AJirku, Die magische Bedeutung der Kleidung in Israel (1914) 14ff.; vgl. auch 𝔗: „Dein Name werde über deiner Magd genannt, indem du mich zum Weibe nimmst." Ruth begründet ihren Wunsch damit, daß Boas go'el ist, d.h., er hat das Recht und die Pflicht, sie zu lösen.

10   Die erste Liebeserweisung (חסד) Ruths bestand darin, daß sie Eltern und Heimat verließ und ihre Schwiegermutter nach Bethlehem begleitete; vgl. 2 11. Jetzt hat sie den alten Boas als Ehemann vorgezogen, um durch die Heirat mit ihm als go'el den Namen ihres verstorbenen Mannes zu erhalten.

11   Boas wird Ruths Anerbieten nicht verwerfen. Sie soll auch keine Angst haben, daß man „im Tor" wegen ihrer moabitischen Herkunft Einwände erheben wird; denn alle haben sie als eine tugendhafte Frau kennengelernt. אשת חיל ist von 𝔊 und 𝔖 wörtlich übertragen, während 𝔗 איתתא צדיקתא „ein frommes Weib" hat, und zwar mit der folgenden Hinzufügung: „Und du besitzest die Kraft, das Joch der göttlichen Gebote zu tragen."

Das nur hier vorkommende כָּל־שַׁעַר עַמִּי bezeichnet den Ort der allgemeinen Zusammenkunft der Bürger, nicht den Gemeinderat; vgl. den ähnlichen Ausdruck שַׁעַר מְקוֹמוֹ 4 10.

12   Go'el ist immer der nächste Sippenangehörige, der zur Lösung imstande ist. Vor dem Boas kommt hier ein anderer, unbekannter Verwandter als Löser in Betracht. Der muß zuerst gefragt werden.

13   Boas faßt die Angelegenheit als eine Rechtssache auf, die er ohne Aufschub fertigbringen will. Über die Nacht soll Ruth auf der Tenne bleiben, damit ihr nicht auf dem Heimweg im Dunkel etwas Unangenehmes oder Gefährliches passiere. Aber schon am nächsten Morgen soll entweder der nächste Löser oder Boas selbst Ruth ihr Recht verschaffen.

In der Haggade ist טוב als Name des Lösers aufgefaßt und dieser Tob ein älterer Bruder des Boas genannt worden.

14   Noch vor der Dämmerung schickt Boas die junge Frau fort; keine üble Nachrede soll sich an die beiden heften. In den alten Übersetzungen sind verschiedene Versuche gemacht worden, die Logik des Satzes straffer zu machen („sie stand auf; er dachte nämlich"). 𝔊 hat Ruth zum Subjekt in den beiden Sätzen gemacht. Nach 𝔗 äußert Boas seine Worte an seine Knechte, während er nach 𝔙 sich direkt an Ruth mit einer Mahnung wendet: cave ne quis noverit quod huc veneris.

Eine reiche Gabe gibt er Ruth mit. Sie soll das Getreide in ihrer 15
מִטְפַּחַת tragen, die eben deswegen unmöglich ein dünner Schleier sein
kann, sondern wahrscheinlich ein Umschlagtuch oder eine Kopfbe-
deckung aus kräftigem Material bezeichnet; siehe Dalman, AuS V 332.
Beim Getreidemaß kann es sich nicht um den Epha handeln (216 l!);
auch der Sea (1/3 Epha) ergäbe eine zu schwere Last, die wohl kaum in
der מטפחת Platz fände. Das zu ergänzende Maß ist wahrscheinlich der
Omer (1/10 Epha). Der Einwand, daß Omer als mask. ein fem. Zahlwort hätte fordern sollen, ist nicht zwingend. Man kann sich sehr wohl
vorstellen, daß die nur flüchtig mitgedachte Maßbezeichnung syntaktisch unberücksichtigt bleibt.

מי wird gewöhnlich als Zustandsakkusativ verstanden: „Als welche 16
bist du da?" Besser ist vielleicht, מי als reines Fragepartikel zu betrachten
= num: „Bist du es?" Diese Funktion scheint מי an einigen anderen Stellen zu haben (z.B. Am 7 2. 5 מי יקום יעקב „Wird Jakob bestehen?"; vgl.
HSNyberg, Hebreisk Grammatik, 1952, § 28f. Anm. 2). Dagegen paßt
die Interpretation der alten Übersetzungen ziemlich schlecht: „Wer bist
du, meine Tochter?", etwa als Anruf an die vor der Tür pochende Ruth.
𝕲 hat sogar eine Antwort hinzugefügt: „Und sie sprach zu Ihr: Ich bin
Ruth."

Aus der Erzählung der Ruth und aus dem Geschenk, das sie sieht, 17–18
erkennt Noomi, daß Boas die Sache ohne Aufschub zu Ende bringen wird.

Die nächtliche Szene auf der Tenne des Boas führt noch tiefer in die Ziel
Verborgenheit des göttlichen Handelns hinein. Sie trägt den Stempel
einer vollkommenen Profanität. Menschliche Berechnung, Verschlagen-
heit und Eigennutz scheinen die allein treibenden Kräfte zu sein. Und
doch ist auch dieses Geschehen in all seiner Zeitlichkeit eine göttliche
Führung. Alles ist von Gott in sein Werk eingerechnet. Durch diese tri-
vial alltäglichen und extrem profanen Ereignisse hat er sein Volk dem
kommenden Gesalbten zubereitet.

DIE LÖSUNG
(Kapitel 4)

Literatur ERLacheman, Note on Ruth 4 7–8: JBL 56 (1937) 53–56. – MBurrows, The Marriage of Boaz and Ruth: JBL 59 (1940) 445–454. – HABrongers, Enkele Opmerkingen over het Verband tussen Lossing en Leviraat in Ruth IV: NedThT 2 (1947/48) 1–7. – ThCVriezen, Two Old Cruces: OTS 5 (1948) 80–88 (zu 4 5).

Text ¹Boas aber war zum Tor hinaufgegangen ᵃ und hatte sich dort hingesetzt. Da kam gerade der Löser vorüber, von dem Boas gesprochen hatte. Und er rief: „Du, So und So ᵇ, komm herüber und setze dich her." Und er kam und setzte sich. ²Dann holte er zehn Männer von den Ältesten der Stadt und sprach: „Setzt euch hier." Und sie setzten sich. ³Und er sprach zu dem Löser: „Das Grundstück, das unserem Verwandten Elimelech gehörte, will Noomi, die aus dem Gefilde Moabs zurückgekehrt ist ᶜ, verkaufen ᵈ. ⁴Und ich dachte, ich will dich darauf aufmerksam machen ᵉ und sagen: Erwirb es vor denen, die (hier) sitzen, und vor den Ältesten meines Volkes. Willst du Löser sein, so löse; willst du ᶠ aber nicht lösen, sage es mir, damit ich es weiß ᵍ. Denn nebst dir kommt sonst niemand für das Lösen in Frage, aber ich komme nach dir." Er erwiderte: „Ich will Löser sein." ⁵Und Boas sagte: „Wenn du den Acker aus der Hand Noomis erwirbst, so erwirbst du ʰ zugleich auch die Moabiterin Ruth ⁱ, die Frau des Verstorbenen, um den Namen des Verstorbenen auf seinem Erbbesitz wieder erstehen zu lassen." ⁶Da sagte der Löser: „Dann kann ich für mich nicht lösen ʲ, sonst schädige ich meinen eigenen Besitz. Löse du für dich, was ich lösen sollte, ich kann nicht Löser sein." ⁷Nun galt vor alters in Israel, daß man beim Lösen oder Tauschen, um irgendeine Sache zu bekräftigen ᵏ, seinen Schuh auszog ˡ und dem andern überreichte. Das galt als Bestätigung in Israel. ⁸Und der Löser sprach zu Boas: „Erwirb dir's ᵐ." Und er zog seinen Schuh aus ⁿ.

⁹Und Boas sprach zu den Ältesten und allem Volk: „Ihr seid heute Zeugen, daß ich alles, was dem Elimelech, und alles, was dem Kiljon und Machlon gehört hat ᵒ, aus der Hand Noomis erworben habe. ¹⁰Und weiter habe ich auch Ruth ᵖ, die Moabiterin, die Frau des Machlon, mir als Ehefrau erworben, um des Verstorbenen Namen auf seinem Erbbesitz wieder erstehen zu lassen, damit der Name des Verstorbenen aus dem Kreise seiner Verwandten und aus dem Tor seines Ortes �q nicht ausgetilgt werde. Dessen seid ihr heute Zeugen." ¹¹Und alles Volk, das im Tor war, und die Ältesten sprachen ʳ: „(Wir sind) Zeugen. Jahwe mache die Frau, die in dein Haus kommt, wie Rachel und Lea, die zusammen ˢ das Haus Israel gebaut haben! Und mögest du zu Macht kommen ᵗ in Ephrata und einen guten Ruf in Bethlehem haben ᵘ. ¹²Und dein Haus gleiche dem Haus des Perez, den Thamar dem Juda gebar, durch die Nachkommen, die Jahwe dir von dieser jungen Frau geben möge."

¹³So nahm Boas Ruth, und sie wurde sein Weib, ᵛund er ging zu ihr ein ʷ; und Jahwe schenkte ihr Schwangerschaft, und sie gebar einen Sohn. ¹⁴Da sprachen die Frauen zu Noomi: „Gepriesen sei Jahwe, der dir nicht hat fehlen lassen einen Löser heute. Und werde sein Name gerühmt ˣ in Israel. ¹⁵Und er wird dir ein Erquicker werden und dein Greisenalter ʸ versorgen; denn deine

34

Schwiegertochter ᶻ, die dich liebhat ᵃᵃ, hat ihn geboren, sie, die dir mehr wert ist als sieben Söhne". ¹⁶Und Noomi nahm das Kind ᵇᵇ und legte es an ihren Busen ᵇᵇ und wurde seine Wärterin. ¹⁷Und die Nachbarinnen ᶜᶜ nannten ihn mit seinem Namen, indem sie ᶜᶜ sprachen: „Geboren ist ein Sohn der Noomi"; und sie nannten seinen Namen Obed. Das ist der Vater Isais, des Vaters Davids.

¹⁸Das ist der Stammbaum des Perez: Perez zeugte Hezron ᵈᵈ, ¹⁹Hezron ᵈᵈ zeugte Ram ᵉᵉ, Ram ᵉᵉ zeugte Amminadab, ²⁰Amminadab zeugte Nachschon, Nachschon zeugte Salma ᶠᶠ, ²¹Salma zeugte Boas, Boas zeugte Obed, ²²Obed zeugte Isai, Isai zeugte David ᵍᵍ.

a וּבֹעַז עָלָה: das konstatierende perf. statt des kursiven וַיַּעַל בֹּעַז, weil die Handlung in den ununterbrochenen Strom des Geschehens nicht fällt; sie kann in Vergleich mit dem gerade Erzählten früher, gleichzeitig oder später sein (vgl. BrSynt § 41). – b פְּלֹנִי אַלְמֹנִי, Worte des Erzählers, nicht des Boas. Der Ausdruck wird gebraucht, wenn der Name einer Person nicht genannt werden kann oder soll; vgl. BrSynt § 24c. פְּלֹנִי scheint aus dem Zeitwort פלה (Nebenform von פלא) abzuleiten zu sein: „anders sein" (nicht in qal, häufig aber in niph. und hiph.). פְּלֹנִי bedeutet also ein anderer, ein Unbestimmter, um den man sich nicht genau kümmert; vgl. LKöhler, ThZ 1 (1945) 303 f. אַלְמֹנִי hängt mit אָלַם, „stumm sein", zusammen: wer nicht reden kann, daher fremd, unbekannt ist. 𝔊 hat den hebräischen Ausdruck im Vokativ κρύφιε. 𝔊 hat die Worte mißverstanden: „Er aber sprach zu ihm: Warum?" Auch an den beiden anderen Stellen, wo der Ausdruck im AT vorkommt, hat ihn 𝔊 nicht (1 S 21 3) oder nur teilweise (2 Kö 6 8) verstanden. – c Vgl. 1 22; > 𝔊. – d 𝔐 מְכָרָה, gewöhnlich aber als part. gelesen: מֹכְרָה. Das perf. der Massoreten ist indessen wahrscheinlich beizubehalten. Es drückt den Zusammenfall zwischen Aussage und Vollzug der Handlung aus (BrSynt 41d). Dieses konstatierende perf. kommt besonders bei rechtlich verbindlichen Aussagen vor, wo es gilt, den definitiven Charakter der Handlung zu betonen; vgl. z.B. die Worte des Hethiters Ephron an Abraham Gn 23 11, wo die Situation eine sehr ähnliche ist (Rechtsverhandlung im Stadttor): השדה נתתי לך והמערה אשר־בו לך נתתיה „Das Feld schenke ich dir (hiermit) und die Höhle darauf; dir schenke ich sie." Auch die alten Übersetzer haben perf. gelesen, allerdings ohne den Sinn zu verstehen; 𝔊 ἣ δέδοται, 𝔖 „Noomi hat mir verkauft". – e 𝔊 wörtlich ἀποκαλύψω τὸ οὖς σου. – f Statt יגאל ist mit vielen MSS und den alten Übersetzern תגאל zu lesen. – g Lies mit Q וְאֵדְעָה. – h Lies mit Q קָנִית. – i Lies mit 𝔏 𝔊 𝔙 וגם־את statt 𝔐 ומאת, vgl. 10. – j K לגאול לי, Q לְגָאֳל־לִי. – k Das pi. statt des zu erwartenden hiph. oder palel; vgl. Joüon, Gr § 80 M; GK § 72 m. – l Das perf. als Tempus iterativum; vgl. BrSynt § 41 a. – m 𝔊 hat ein Objekt: τὴν ἀγχιστείαν μου = אֶת־גְּאֻלָּתִי. – n 𝔊 + καὶ ἔδωκεν αὐτῷ. – o 𝔊 nennt hier nicht Elimelech, nur seine Söhne. – p Statt אֵת hat 𝔊 אַף gelesen: „und dich, Ruth." – q 𝔊 ἐκ τῆς φυλῆς λαοῦ αὐτοῦ, wobei φυλή am besten als Korrektur für πύλη zu erklären ist; vgl. 3 11. 𝔊 „und von seinem Stamm." – r 𝔊 schreibt sehr gekünstelt die Bejahung nur dem Volk und die Glückwünsche nur den Ältesten zu. – s Viele MSS שְׁתֵיהֶן. – t 𝔊ᴮ hat καὶ ἐποίησαν (δύναμιν), was ohne Zweifel Schreibfehler für καὶ ποιῆσαι ist (so 𝔊ᴬᴸ). – u 𝔊 καὶ ἔσται ὄνομα; andere griechische MSS haben eine wörtliche Übersetzung geben wollen: κάλεσαι (imp.); ebenso 𝔖: „und nenne dessen (näml. Ephratas) Namen Bethlehem (domum panis!). – v – w > 𝔊ᴮ. – x 𝔊 schreibt καὶ καλέσαι τὸ ὄνομά σου ἐν Ἰσραήλ = וְיִקְרָא שְׁמֵךְ. – y 𝔊 „deine Stadt"; der Übersetzer hat wahrscheinlich das griechische πολιάν als πόλιν

gelesen (Janichs). – z 𝔊ᴮ ohne Suffix. – aa Die zu erwartende Vokalisierung
16–19 ist אהבתך. – bb – bb > 𝔖. – cc – cc > 𝔖. – dd In mehreren alten Über-
20 setzungen die Form זוֹם. – ee 𝔊ᴮᴬ Αρραν. – ff Der Name ist hier und im folgenden Vers in verschiedenen Formen tradiert worden; auch in den MSS
und Vrss viele Variationen, vgl. BH. Den Vorzug verdient vielleicht שלמא
22 (1 Ch 2 11. 51). – gg 𝔊ᴬ 𝔏 𝔖 + המלך.

Form   Die Szene wechselt wieder. Wie im vorigen Stück sind die Ereignisse
in Kap. 4 räumlich fest zusammengehalten. Alles spielt sich im Tor ab
und hat die Form einer Rechtsverhandlung, die in fast pedantischer
Weise vollzogen wird.

Ort   Die Schilderung des Rechtsverhandelns zeigt, daß der Erzähler mit
den alten Rechtssitten sehr wohl vertraut ist. Das Schuhausziehen wird
als eine veraltete Zeremonie erwähnt und erklärt (4 7), scheint also zur
Zeit des Erzählers außer Brauch gekommen zu sein. Daraus folgt aber
keinesfalls, der Verfasser gehöre erst in eine späte, etwa nachexilische
Zeit. Zahlreiche Verträge und Kontrakte aus vorexilischer Zeit zeigen
zur Genüge, daß die alte symbolische Bestätigung eines Rechtsgeschäfts
früh überflüssig werden konnte und durch schriftliche Dokumente er-
setzt wurde.

Wort 1   In dieser letzten Hauptszene finden wir Boas im Stadttor, wo alle
Rechtshandlungen stattfinden. Bald kommt auch der nähere Verwandte,
dessen Name nicht genannt wird, und setzt sich zu Boas hin.
2   Die Ältesten, d.h. die Stadtaristokratie, üben als lokale Behörde die
Verwaltung und Rechtspflege aus; vgl. Dt 25 7 f. 1 Kö 21 8–14 (vgl. Rde
Vaux, Les Institutions de l'Ancien Testament I, 1958, 108 f. 212 f.). Die
bethlehemitischen Ältesten waren ohne Zweifel viel zahlreicher als zehn:
Sukkoth hatte 77 (Ri 8 14). Hier genügt eine geringere Zahl, die als ein
Ausschuß handelt.
3   לְאָחִינוּ, „unserem Bruder", hat wie öfter einen umfassenderen Sinn:
Verwandter; vgl. Gn 20 5 11 27 ff. Die Worte des Boas sind nicht so zu
verstehen, als habe Noomi das Grundstück schon verkauft und die Aufgabe des go'el sei jetzt, das veräußerte Eigentum aus der Hand des Käu-
fers zu lösen. Der Verkauf wird gerade jetzt stattfinden, und die Erzählung
will anschaulich machen, wie dieser Acker, der gemäß einer alten Tradition Besitztum einer Einwandererfamilie aus Moab war, judaisiert wird.
Die Judaisierung des Eigentums der Davidfamilie wird als eine gᵉ'ullāh
geschildert. Dem Erzähler liegt alles daran, ausdrücklich und demonstrativ aufzuweisen, daß der Acker durch einen rechtskräftigen Kauf in
die Hände des Boas gekommen ist.
4   Der nächstberechtigte Löser erscheint als eine belanglose Neben-
figur, deren Name nicht genannt zu werden braucht. Aus erzählerisch-

technischen Gründen ist er aber nicht zu entbehren; nur wenn er dabei ist, kann der Erzähler den Rechtsfall allseitig schildern, durch den das Grundstück in die Hände des Boas gelangt und israelitisches Besitztum wird.

Der mutmaßliche *go'el* erklärt sich zuerst bereit, den Acker für sich 5–6 zu lösen. Sobald er aber erfährt, daß er damit zugleich die Pflicht übernimmt, dem Elimelech einen Nachkommen zu verschaffen, der den Acker des Verstorbenen erben wird, zieht er sich zurück und will lieber nicht Löser sein. Das würde sein eigenes Besitztum nicht vergrößern, sondern wahrscheinlich schmälern. Die Aushändigung einer Kaufsumme für einen Acker, der nicht sein oder seiner Familie Eigentum werden sollte, würde seine finanzielle Stellung in Unordnung bringen. $\mathfrak{S}$ hat eine zweite Erklärung hinzugefügt, weshalb er auf die Lösung verzichtet: „aus Mangel an Glauben"; es ist vielleicht nicht ausgeschlossen, in diesen Worten eine christliche Beeinflussung der Peschitta zu sehen; vgl. Rm 4 20.

Durch das לְפָנִים, „früher", kommt eine gewisse Distanz zwischen dem 7 Erzähler und den erzählten Verhältnissen zum Ausdruck. Zur Zeit des Erzählers war die schriftliche Bestätigung schon längst an die Stelle der Schuhsymbolik getreten. Das Schuhausziehen war nicht mehr verständlich und eine kurze Erklärung daher nötig. Zum Schuh als Zeichen der Herrschaft und des Besitzes vgl. Ps 60 10, wo das Werfen des Schuhes Besitzergreifen meint. Umgekehrt bezeichnet das Ausziehen des Schuhes Verzicht auf Besitz. Eine ähnliche Symbolik liegt der schimpflichen Entschuhung in Dt 25 9 zu Grunde, wo die Frau dem Mann den Schuh auszieht und ihm ins Gesicht spuckt. Der Erzähler betont nachdrücklich die rechtliche Gültigkeit der symbolischen Handlung.

Eine feierliche Erklärung von seiten des Boas, die von den Zeugen 9–10 bejaht wird, bestätigt formell die Besitzübertragung und macht sie rechtlich bindend.

Die zukünftige Urgroßmutter Davids wird mit den großen Gestalten 11–12 aus der Väterzeit verglichen, Rahel und Lea, den Stammüttern von ganz Israel, die das Volk aufgebaut haben, und Perez, Sohn des Erzvaters Juda und der Thamar (Gn 38).

Boas heiratet also Ruth, und sie erhält einen Sohn. Die Aufmerksam- 13–17 keit wird aber in der Schlußszene nicht auf Ruth gerichtet, sondern auf Noomi. Sie hat „heute" einen Löser bekommen, d.h., das neugeborene Kind wird ihr ein Erquicker und Versorger sein. Dem Erzähler ist es nicht genug, Ruth in die judäische Volksgemeinschaft einzuverleiben. Er gibt sich noch dazu Mühe, durch eine besondere Adoptionshandlung dem Neugeborenen eine echtjudäische Mutter zu geben. Noomi nimmt das Kind an ihren Busen, und die Umherstehenden sagen: „Der Noomi ist ein Sohn geboren." Diese weitverbreitete altorientalische Rechtssitte wird in den alttestamentlichen Gesetzen nicht erwähnt; aber verschiedene

Erzählungen geben zu erkennen, daß die Vorstellung in Israel nicht unbekannt gewesen ist. Die Kinder Bilhas und Zilpas werden von Rahel und Lea adoptiert (Gn 30 3–13). In der Segnung von Ephraim und Manasse (Gn 48) ist der gleiche Kniesetzungsritus zu spüren. Die Söhne Makirs werden auf den Knien Josephs geboren, d.h., sie gelten kraft einer rechtsgültigen Adoptionshandlung als Söhne Josephs. Vgl. weiter LKöhler, Die Adoptionsform von Ruth 4 16; ZAW 29 (1909) 312–314.

Nach Art der alttestamentlichen Namengebung hätte man in 17 statt שם einen wirklichen Namen erwartet, der eine Anspielung auf die Worte ילד בן נעמי wäre, etwa Jibleam (Gunkel) oder Ben Noam (Eißfeldt). Sollte ursprünglich ein anderer Name für Davids Großvater hier gestanden haben, so rührte er wahrscheinlich aus der alten Moabitertradition her und seine Tilgung hinge dann mit der Judaisierung der davidischen Familie zusammen. Den letzten Schritt dieser Judaisierung finden wir dann in der Änderung des Namens in Obed, wodurch David in die Stammtafel von Perez eingegliedert wird.

18–22 ואלה תולדות, „und dies ist der Stammbaum", die bekannte Formel von P. Der Stammbaum Davids, der auf den in 12 genannten Perez hinaufgeführt wird, ist hier sekundär hinzugefügt worden, und zwar aus 1 Ch 2 4–15 oder aus der gleichen Quelle wie dieses Stück.

Ziel   Auch dieses Kapitel fängt tief im Alltagsleben an. Die Rechtssache wird unter strenger Beobachtung juristischer Regeln entschieden. Sieht es nicht wieder so aus, als entfalteten sich die Schicksale der mitagierenden Menschen aus ihren immanenten Gesetzen heraus als eine bloße Folge empirischer Ursachen und Wirkungen? Nur andeutend hat der Erzähler klargemacht, daß Jahwe auch hinter diesen Geschehnissen als deren Urheber und Lenker steht: Die Frauen Bethlehems preisen Jahwe, der Noomi nicht einen Löser hat fehlen lassen (14). Das menschliche Dasein entfaltet sich nicht, wie uns gern als selbstverständlich erscheint, aus seinen immanenten Maßstäben heraus. Der profan irdische Kausalzusammenhang ist ein Ausdruck göttlicher Lenkung.

Ihren innersten Sinn erhält die Botschaft des Buches aber dadurch, daß Ruth, wie in diesem Kapitel zuletzt klar wird, eine ganz besondere Aufgabe bekommt: Sie wird Stammutter des Gesalbten Israels. „Wenn wir jetzt zurückblicken auf das, was uns diese alte Geschichte gelehrt hat, so haben wir eigentlich dauernd ein großes Pauluswort umkreist: ‚Euer Leben ist verborgen mit Christo in Gott' (Kol 3 3). Wenn wir dieses Wort von unserer alttestamentlichen Geschichte her auslegen, so heißt das: Dieses unser Leben, das Gott so positiv ansieht, daß er es für seine ewigen Zwecke gebrauchen kann, das in seinen Augen etwas so Reelles ist, daß es sich sogar als Pfeiler im Tempel Gottes verwenden läßt – das ist uns verborgen. Aber es ist da, weil Christus da ist. Ist nicht unser christliches

Lamento über die Nichtigkeit unseres Lebens oft ein sehr unchristliches Gerede? Sollte uns nicht vielmehr ein Hochgefühl erfüllen, daß er unser Leben brauchen will – vielleicht sogar zu seiner großen Ernte; so, wie auch die Ruth gleich hat mithelfen dürfen bei der Ernte, die gerade in Israel im Gange war" (GvRad, Ev Th 12, 1952/53, 6).

DAS HOHELIED

(CANTICUM CANTICORUM)

EINLEITUNG

§ 1. AUSLEGUNGSGESCHICHTE DES HOHENLIEDES

Von den alttestamentlichen Schriften hat keine eine reichere und wechselvollere Auslegungsgeschichte als das Hohelied. Das unausweichliche Grundproblem, mit dem jede Auslegung zu ringen hat, betrifft den Sinn des Buches. Wie ist es zu erklären, daß eine Dichtung, die jeden unvoreingenommenen Leser durchaus profan anmutet, im Kanon einen Platz gefunden hat und später sogar den Megilloth zugewiesen wurde?

Die älteste Antwort auf die Frage nach dem Sinn des Hohenliedes gibt die allegorische Deutung, die sowohl die altjüdische Auslegung wie die der alten Kirche beherrscht und im Mittelalter ihre reichste Blüte erlebt. Die jüdische Exegese findet das Thema des Hohenliedes in der Liebe, die Jahwe mit seinem erwählten Volk verbindet und die den Verlauf der jüdischen Heilsgeschichte bestimmt. Wie alt die allegorische Auslegung bei den Juden ist, läßt sich nicht genau feststellen. In der Septuaginta zeigt sich von ihr noch keine Spur, siehe unten S. 77ff. Der Targum und der Midrasch kommen wegen ihres späten Ursprungs für diese Frage kaum noch in Betracht. In 4 Esr 5 24. 26 werden „Lilie" und „Taube" als bildliche Bezeichnungen des erwählten Volkes erwähnt: „Aus allen Blumen des Erdkreises hast du die eine Lilie erkoren"; „aus allen Vögeln, die du geschaffen, die eine Taube dir berufen". Die Beziehung auf Cant 2 1 und 6 9 ist wohl nicht unwahrscheinlich, aber als Zeichen einer allegorischen Auffassung bleibt die Stelle ziemlich unbestimmt, zumal verschiedene andere Bilder der „Lilie" und der „Taube" Gesellschaft leisten: Weinstock, Pflanzgrube, Wasserbach, Schaf.

Noch im 2. christlichen Jahrhundert scheint eine wörtlich-sinnliche Deutung bei den Juden bekannt gewesen zu sein. Rabbi Akiba († um 135 n. Chr.) hat die verflucht, die Stücke aus dem Hohenlied im Weinhaus (בֵּית הַמִּשְׁתֶּה) singen (Tos Sanh 12 10; eine ähnliche Aussage in Sanh 101ᵃ). Akiba selbst betrachtet das Hohelied nicht bloß als ein heiliges, sondern im Vergleich mit den übrigen Hagiographen als das allerheiligste Buch (b Jadajim 3 5) und rechnet doch wohl also mit einem allegorischen Geheimsinn. Das geht auch aus Mechiltha Ex 15 2 hervor, wo Akiba den Jüngling des Hohenliedes auf Gott und das Mädchen auf Israel bezieht.

Für eine nähere Darstellung der Auslegung bei den Kirchenvätern und im Mittelalter sei auf die vorzügliche Arbeit FOhlys (Hoheliedstudien) verwiesen, an die die folgende Übersicht sich in allem Wesentlichen anschließt (bibliographische Angaben unten in § 10). Die älteste christliche Auslegung des Hohenliedes steht unter Einwirkung der jüdischen Exegese. Das erste Zeugnis einer Umbiegung der jüdischen allegorisierenden Deutung ins Christliche findet sich bei Hippolytus von Rom († 235). Sein Kommentar scheint sich besonders an die Juden zu richten. Das Hohelied erscheint als ein Dialog zwischen Christus und der Synagoge, die zum Glauben und zur Buße aufgerufen wird und aus der die Kirche hervorwächst.

Der eigentliche Urheber der christlich-allegorischen Erklärung des Hohenliedes ist aber Origenes († 253/54). Weit über Hippolytus hinaus und bis in Einzelheiten hat er das Buch als ein Drama verstanden mit einer bestimmten Rollenverteilung und regiemäßigen Anweisungen. In dieser allegorisierenden Deutung erweist sich das Hohelied als ein religiöses Mysterium der Liebe, und zwar der Liebe zwischen Christus und der Kirche. Neben dieser ekklesiologischen Deutung spielt bei Origenes die mystische, philosophisch gefärbte Erklärung der Brautschaft als eines inneren Verhältnisses von Seele und Wort Gottes eine nicht zu übersehende Rolle.

In der allegorisierenden Hoheliedauslegung des spanischen Bischofs Gregor von Elvira († nach 392) hat die ekklesiologische Deutung eine bedeutsame Entwicklung erfahren. Die Braut stellt bei ihm die Kirche als den mystischen Leib Christi dar.

Obwohl Ambrosius (339–397) keinen geschlossenen Hoheliedkommentar verfaßt hat, ist er für die Deutung des Buches außerordentlich einflußreich geworden. In seinem schriftstellerischen Nachlaß finden sich Auslegungen zu fast dem ganzen Hohenlied. Er hat die geläufige Deutung der Braut auf die Kirche und auf die Menschenseele übernommen. Daneben hat er aber die Auslegung mit einer Fülle neuer Bedeutungsvarianten bereichert. Besonders wichtig ist die mariologische Deutung, für die Ambrosius den frühesten Beleg liefert. Die Braut des Hohenliedes wird mit der Gottesmutter als erhabenem Vorbild jungfräulichen Lebens gleichgesetzt.

Augustinus (354–430), Schüler des Ambrosius, hat als Hoheliedausleger keine große Bedeutung gewonnen. Sein Interesse am Hohenlied ist vor allem apologetisch bestimmt, und in seinem Streit mit den Donatisten um die Einheit der Kirche hat er den Literalsinn ins Feld geführt.

Auch Hieronymus (um 347–419/20) hat sich hauptsächlich als Apologet mit dem Hohenlied befaßt. Er steht Ambrosius ziemlich nahe und hat seine mariologische Deutung geteilt und ausgebaut. Als der erste hat er den hortus conclusus, fons signatus (4 12) auf die beständige Virginität Marias ante et post partum gedeutet.

Zwischen 405 und 415 schrieb der jüdische Christ Aponius in Rom einen Kommentar, in dem er das Hohelied als eine Weissagung versteht, die den Völkern der Welt das Heil verspricht und die Bekehrung Israels verkündet. Eigenartig und keine Nachfolge findend ist seine Deutung des Liebesgesprächs als eines Dialogs zwischen der Seele Christi selbst und dem Wort Gottes. Damit verbindet sich aber auch die gewöhnliche Erklärung der Braut als Kirche und als Einzelseele. Auch die Deutung auf die Gottesmutter findet sich bei Aponius.

Ein vereinzelter Widerspruch gegen die von Origenes inaugurierte allegorische Deutung kam von der antiochenischen Schule, dessen führender Exeget, der syrische Bischof Theodor von Mopsuestia in Kilikien (350–428), das Hohelied als ein weltliches erotisches Gedicht betrachtete und ihm kanonische Dignität absprach. Salomo habe es zur Verteidigung seiner Ehe mit einer Ägypterin verfaßt. Die fünfte ökumenische Synode von 553 hat Theodor mit seinen Schriften mit kirchlichem Anathem belegt.

Für die mittelalterliche Hoheliedexegese wurde Gregor der Große (um 540–604) von unabsehbarer Bedeutung. Außer in zwei Homilien sind seine Ausführungen vor allem in einer Anzahl Florilegien, d.h. von seinen Schülern und Bewunderern angelegten Sammlungen von Gregorstellen zum Hohenlied, überliefert worden. Bräutigam und Braut werden hier als Christus und die Kirche gedeutet, wobei die Kirche mit der Gesamtheit des Menschengeschlechts vom Anfang bis zum Ende der Welt gleichgesetzt wird. Daneben bekommt aber auch die mystisch-kontemplative Deutung ein starkes Eigengewicht: es geht im Liebesgespräch um die Beziehung zwischen Gott und der einzelnen Seele.

Auf lange Zeit hin maßgebend für die Hoheliedauslegung wurde der Kommentar des Beda Venerabilis († 735). Als Allegoriker knüpft er vor allem an Gregor den Großen an. Christenheit und Judentum bilden zusammen die ecclesia, d.h. die Braut Christi. Die mystische Auffassung von der Braut als der Seele kommt bei Beda nur selten zum Vorschein, und die mariologische Deutung fehlt ganz.

Die Hoheliedexegese der karolingischen Zeit bis um 1050 ist sowohl im Abendland wie im Orient ziemlich unselbständig und epigonenhaft. Man begnügt sich damit, die älteren Werke zu exzerpieren und zu kompilieren. Gregor und Beda sind die Hauptautoritäten. Desto erstaunlicher ist die Renaissance der Auslegung, die zu Anfang des 12. Jahrhunderts beginnt. Ihre geistige Voraussetzung ist in der kirchlichen Reformbewegung unter Gregor VII. († 1085) zu suchen. Der neuen Frömmigkeit und dem damit zusammenhängenden kirchlichen Selbstbewußtsein ist das Hohelied zum erweckenden Symbol geworden. Das 12. Jahrhundert hat mehr als dreißig Hoheliederklärungen hervorgebracht. Neben der sachlichen Auslegung treten in ihnen anfänglich kirchenpolitische Ideen stark hervor. Die Auslegung Brunos von Segni (1049–1123) stellt die geschichtliche Erscheinung der Kirche ins Zentrum, während die mystisch-kontemplative Deutung der Braut als Seele des Gläubigen zurückgedrängt wird. Im Hoheliedkommentar des Johannes von Mantua (11. Jh.) sind die Texterklärungen weithin zum Mittel der politischen Auseinandersetzung geworden. Seine Auftraggeberin Mathilde von Tuszien ist hier mit der Braut des Hohenliedes gleichgesetzt.

Den entscheidenden Bruch mit der konservativen, auf der Vätertradition basierenden Hoheliedexegese hat der Benediktinermönch Rupert von Deutz (um 1070–1129) vollzogen. In seinem Hoheliedkommentar hat er versucht, die früher hauptsächlich in der Marienliturgie beheimatete mariologische Deutung exegetisch zu begründen. Das Hohelied wird hier als ein Gespräch zwischen Christus und Maria erklärt und eng mit der biblischen Geschichte vom Erdenleben Christi verknüpft. Für die Entwicklung der mystischen, von subjektivem Erleben getragenen Hoheliedexegese, die vor allem in den Klöstern eine Heimat fand, ist Rupert der bedeutendste Wegbereiter. Die mit ihm aufbrechende Hoheliedmystik ist durch Bernhard von Clairvaux (1090–1153) auf ihre größte Höhe geführt worden. In seinen 86 Predigten über das Hohelied, von denen zwanzig allein den beiden ersten Versen gewidmet sind, findet sich eine sehr eindringende, bis auf die einzelnen Wörter sich erstreckende Interpretation. Das Hohelied ist für Bernhard das Buch der seelischen Erfahrung, dessen Worte und Bilder ein inneres Drama der Seele spiegeln. Die Braut des Hohenliedes sieht Bernhard nicht in der Kirche, auch nicht wie Rupert in der Gottesmutter, sondern in der Menschenseele. Das Gespräch zwischen Bräutigam und Braut bewegt sich in einer Welt der mystischen Gotteserfahrung. Auch Bernhards Freund, Wilhelm von St. Thierry (um 1085–1148), behandelt in seiner Hoheliederklärung das Verhältnis zwischen Christus und der Seele, während von der mariologischen Deutung keine Spur zu finden ist.

In der gleichen Zisterziensermystik steht auch der Schüler und Freund Bernhards, der Abt Gilbert von Hoyland († 1172), der mit seinen 48 Predigten zum Hohenlied die Auslegung Bernhards weiterführte, und zwar nach dem Vorbild des Meisters. Neu in Gilberts Auffassung von der Braut ist, daß er sie mit der Ordensgemeinschaft gleichsetzt. Die Bilder des Hohenliedes enthüllen das wahre Wesen der klösterlichen Lebensform. Noch ein Zisterzienserabt, Johannes von Ford in Devonshire († 1220), hat die Hoheliedauslegung Bernhards fortgesetzt und durch seine 120 Predigten zu Ende geführt. Wie für Bernhard ist das Hohelied auch hier ein Buch von Christus und der Seele. Auch die Hoheliedexegese des Abtes Gottfried von Auxerre († 1188) entstand als eine Fortsetzung von Bernhards Predigten, gibt aber sehr verschiedenen Deutungen Raum und bezieht die Braut nicht nur auf die Seele, sondern auch auf die Kirche, auf die menschliche Gemeinschaft und auf Maria.

Ein großer zusammenhängender Hoheliedkommentar rührt von

einem gewissen Thomas her, dessen Identität nicht feststeht, der aber ohne Zweifel zum Zisterzienserorden gehört. Die Abfassungszeit liegt wahrscheinlich zwischen 1170 und 1189. Was diesem Kommentar sein eigenes Gesicht verleiht, ist vor allem seine überraschende Unbefangenheit und Offenheit gegenüber der literarischen Welt der Antike. Neben dem Bibeltext und der kirchlichen Liturgie liebt er, die antiken Autoren zu zitieren: Juvenal, Vergil, Persius, Ovid, Horaz, Boethius.

Eine konsequente mariologische Deutung findet man bei dem Pariser Theologen Alanus ab Insulis (um 1120–1202), der in seinem späten Leben Zisterzienser wurde. Nicht nur, was die Evangelien von Maria erzählen, sondern auch Züge der Marienlegende, z.B. ihre Himmelfahrt, werden mit Hoheliedversen in Verbindung gebracht.

Für den mit den Zisterziensern rivalisierenden Prämonstratenserorden ist die mariologische Deutung sogar kennzeichnend. In dem Kommentar Philipps von Harvengt († 1183) ist Maria Mutter, Braut und Schwester Christi, vor allem aber Mitleiderin bei Christi Passion und Mittlerin für die Menschen. Gleichzeitig mit Philipp ist ein anderer prämonstratensischer Hoheliederklärer, der Abt Lukas von Montcornillon bei Lattich († 1178/79), der in den Liedern einen vierfachen allegorischen Sinn findet.

Unter den Augustinerchorherren hat besonders die Schule von St. Viktor bei Paris sich in der Hoheliedauslegung betätigt. In ihr nimmt dogmatische Spekulation einen großen Raum ein. Das Hohelied bildet ein Kompendium der mystischen Gotteserkenntnis. Der Benediktiner Honorius Augustodunensis (um 1090 bis um 1156) sieht im Hohenlied ein dramatisches Textbuch, das in vier Abschnitten die vier Epochen der Weltgeschichte beschreibt.

Die Reformation, die sonst um den Literalsinn der Schrift bemüht war, hat kein neues Verständnis des Hohenliedes gebracht. Luther weicht insofern von der gewöhnlichen allegorischen und dogmatisch-mystischen Deutung ab, als er die Braut nicht mit der Kirche, sondern mit dem alttestamentlichen Gottesstaat identifiziert und sich also der jüdisch-allegorischen Auslegung nähert; das Buch sei ein Loblied Salomos auf den Staat Israels. In der Praefatio seiner Vorlesungen über das Hohelied 1530–31 heißt es: Salomon Canticum illud scripsit de Regno et Politia sua, quod benignitate Dei in pulcherrima ac laetissima pace ac summa tranquillitate administravit (WA XXXI 2, 586).

Das 17. Jahrhundert hat für die Hoheliedauslegung wenige neue Erkenntnisse gebracht. Die kirchlich-allegorische Deutung blieb ziemlich unbeschränkt vorherrschend, nach der der Gang der Kirchengeschichte aus den Liedern herauszulesen sei. Bisweilen wird das Hohelied fast als eine Art Apokalypse verstanden, in der die Kirchen- und Ketzergeschichte bis in Einzelheiten entschleiert wird. So z.B. bei JCoccejus, der das Hohelied mit der Offenbarung des Johannes zusammenstellt.

Noch im 18. Jahrhundert macht die Hoheliedauslegung einen ziemlich einheitlichen Eindruck. Die allegorische Deutung allerdings ist nicht immer die gleiche geblieben, sondern kann eine reichhaltige Probekarte von Varianten aufzeigen. Von einer grundverschiedenen Auffassung kann man aber nicht sprechen, solange wir uns im Bereich des Allegorisierens befinden. Aus dem Gesagten geht hervor, daß die sog. dramatische Auffassung keine wirkliche Alternative bietet, ja – wie bei Origenes zu sehen ist – keine Lockerung der allegorischen Deutung mit sich bringt. Die Auffassung des Hohenliedes als eines Dramas bedeutet nur eine formale Beurteilung, die mit verschiedenen sachlichen Deutungen gut vereinbar ist.

Um ein Aufgeben der allegorischen Erklärung geht es dagegen in dem mythisch-kultischen Deutungsversuch. Diese Auslegung tritt in ihren später häufig wiederholten Grundzügen bei WErbt klar zutage; das Hohelied handle von der Hochzeitsfeier eines Geschwister-Götterpaares, des Sonnengottes (Dōd) und der Mondgöttin Ischtar (Schalmīt). In den Beziehungen zwischen den Liebenden spiegeln sich mythische Vorgänge, Empfängnis der Göttin, Hinabsteigen in die Unterwelt, Aufwachen aus dem Tod. In etwas abgeänderter Gestalt erscheint die mythologische Deutung bei TJMeek. Nach ihm stellt das Hohelied eine Liturgie zum Adonis-Tammuzkult dar, freilich nicht in ihrer ursprünglichen Gestalt, sondern stark verschleiert, um die Einbeziehung in den Jahwekult zu ermöglichen. Auch WWittekindt sieht im Hohenlied einen Zyklus von Kultliedern, die bei einem jerusalemischen Fest zur Feier der heiligen Hochzeit zwischen Tammuz-Schalman und Ischtar-Sulamit verwendet wurden. Einen erneuten Versuch, das Hohelied als eine Liturgie zum Fest der heiligen Hochzeit zu verstehen, findet man bei HSchmökel. Die jetzige Ordnung der Lieder ist nach ihm sekundär und verschleiert den Ursinn. Durch eine tiefgreifende Umstellung will Schmökel die ursprüngliche Ordnung der Gedichte wiederherstellen, die den Ablauf der Festliturgie spiegeln soll. Mosaikartig stellt er die Verse oder Versgruppen zu einem Kultdrama mit 36 Abschnitten zusammen. Die Frage, wie es denkbar sei, daß die Kultliturgie eines völlig heidnischen Festes in den jüdischen Kanon Eingang finden konnte, beantwortet Schmökel mit der Annahme einer mehrfachen Umformung und Umdeutung des ursprünglichen Textes in jahwistischer Richtung. Die letzte Umformung habe kurz vor der Kanonisierung stattgefunden, also im 3. oder 2. Jahrhundert. Diese soll auch erklären, wie das Hohelied die Megille zum Passahfest werden konnte.

Neben der allegorischen und der kultmythologischen Deutung erscheint als dritter Erklärungsversuch die Auslegung des Hohenliedes als einer Sammlung profaner Liebeslieder. Der frühste Vertreter einer

„realistischen" Auffassung ist der schon erwähnte antiochenische Exeget Theodor von Mopsuestia. Seine Deutung fand, wie wir gesehen haben, wenig Zustimmung. Mit der kirchlichen Verurteilung Theodors und seiner Schriften war die Profandeutung auf lange Zeit aus der Hoheliedauslegung verbannt. Nur sporadisch und zögernd kommt sie wieder zum Vorschein. Der humanistisch- und reformatorischgesinnte Theolog Sebastian Castellio (1515–1563) wurde u.a. wegen seiner Deutung des Hohenliedes als eines „colloquium Salomonis cum amica quadam Sulamitha" genötigt, Genf zu verlassen. Hugo Grotius erklärt das Hohelied für ein idyllenartiges „carmen nuptiale", und Richard Simon sieht darin eine Sammlung erotisch-idyllischer Lieder ohne Ordnung und Zusammenhang. In seinen Anmerkungen und Zusätzen zu Robert Lowths Werk Praelectiones de sacra poesi Hebraeorum verwirft Johann David Michaelis die allegorische Auslegung und betrachtet das Hohelied als ein rein profanes, von zwei Eheleuten handelndes Liebeslied: „Restat, ut meam profitear sententiam, castos conjugum amores cani, non sponsi et sponsae" (593).

Einflußreicher wurde Johann Gottfried Herder, der das Hohelied wörtlich verstehen wollte: „Ich ging nochmals zum Buche, zu sehen, was da war, und zog die ältesten und neuesten Ausleger zu Rath, nur keiner war mir lieber, als der von allen beleidigte klare Wortverstand, der Ausleger aller Ausleger" (Sämmtliche Werke zur Religion und Theologie VII, Tübingen 1807, 74). Das Hohelied ist nach Herder ein Stück volkstümlicher Literatur von einzigartiger Unschuld und Reinheit: „Es gibt nur eine Liebe, wie eine Güte und Wahrheit. Liebest du dein Weib nicht, so wirst du auch nicht Freund, Eltern, Kind lieben. Schämest du dich des Hohenliedes, Heuchler, so schäme dich auch des Weibes, die dich empfangen, und des Kindes, das dir dein Weib geboren, am meisten aber deiner selbst, Deiner" (a.a.O. 96).

Herders ästhetisch-sublimierende Deutung fand Zustimmung, u.a. bei JGEichhorn und KFUmbreit.

In seiner 1873 veröffentlichten Untersuchung über „die syrische Dreschtafel" hat JGWetzstein eine Schilderung der palästinisch-syrischen Hochzeitsbräuche aus moderner Zeit gegeben. Während der ersten sieben Tage nach der Hochzeit, in der sog. „Königswoche", spielen die Neuvermählten die Rolle von König und Königin und werden von den Ortsbewohnern und den geladenen Hochzeitsgästen als ein Königspaar behandelt und bedient. Ein großer Tanz zu Ehren des jungen Paares wird von einem Lied, *waṣf*, begleitet, worin die körperliche Schönheit der beiden gepriesen wird. Durch Budde sind Wetzsteins Beobachtungen für die Deutung des Hohenliedes ausgenützt worden. Er sieht im Hohenlied „gleichsam das Textbuch einer palästinensisch-israelitischen Hochzeit" (Kurzer Hand-Commentar XVII S. XIX). Später hat er sich zu diesem Thema vorsichtiger geäußert.

Ein Vierteljahrhundert hindurch hat diese Theorie auf die Hoheliedauslegung großen Einfluß gehabt. Zu nennen sind Forscher wie
Stade, Cornill, Kautzsch, Jastrow, Cassuto, Goodspeed, Lods u.a. Besonders für die Auffassung des Hohenliedes als Volkspoesie ist Buddes
Auswertung des Wetzsteinschen Materials bedeutungsvoll gewesen. Allmählich sind jedoch die Zweifel an seiner Deutung stärker geworden.
Der zeitliche Abstand zwischen den von Wetzstein beschriebenen Hoch-
zeitsbräuchen und dem um mindestens zwei Jahrtausende älteren Hohenlied wurde für die These als eine Schwäche empfunden (OGebhardt). Ja,
sogar das Vorkommen einer „Königswoche" unter den palästinischen
Arabern ist als fraglich erschienen (HGranqvist).

Bei vielen neueren Deutungsversuchen ist eine Wiederaufnahme der
Herderschen These, oft allerdings in ziemlich modifizierter Gestalt, zu erkennen; d.h., man betrachtet das Hohelied als eine Sammlung von Liebesliedern, ohne irgendwelche Beziehungen zur Hochzeit und Ehe besonders zu betonen. Vertreter dieser Auffassung sind z.B. Haupt, Staerk,
Wheeler Robinson, Rudolph, Pfeiffer, Bentzen, Eißfeldt, Gordis. Für
diese Deutung wird die Frage nach der Komposition besonders wichtig.
Viele Versuche sind gemacht worden, das Hohelied als ein zusammenhängendes und wohldisponiertes Gedicht aufzufassen, sei es auf Grund
der formalen Struktur oder wegen eines Geschehen- und Gedankenfort-
schritts. Je stärker man den Zusammenhang betont hat, desto größer ist
das Bedürfnis nach Textumstellungen und Textausscheidungen geworden. Ein Versuch, das Kompositionsproblem zu lösen, ist die dramatische
Hypothese, die, wie oben erwähnt, nur die Form betrifft und sich für
inhaltlich weit verschiedene Auslegungen verwenden läßt. Nicht nur für
die Profandeutung, sondern auch für die allegorische und die kultmythologische Auslegung hat sie eine große Rolle gespielt. Für die Allegoriker
sind die Möglichkeiten einer szenischen Gestaltung insofern beschränkt,
als sie sich auf die biblische Heilsgeschichte beziehen müssen. So schon
bei Origenes. Ähnliches gilt auch mutatis mutandis für die kultmythologische Dramatisierung, die an einen bestimmten Motivkreis gebunden
ist, den „hieros gamos". Um so mannigfacher sind die Möglichkeiten
einer Gestaltung der Szenen und des Spiels bei einer Profanauslegung.
Man kann sich mit zwei dramatis personae begnügen, mit Salomo und
der Hirtin Sulamit. Der König habe das einfache Landmädchen geliebt
und es zu seiner Gemahlin gemacht (Franz Delitzsch). Oft wird noch
eine dritte Person hinzugefügt, der Hirt, der dann als der Geliebte oder
der Gatte des Mädchens aufgefaßt wird. Die Rolle Salomos muß in
solchem Fall etwas anders verstanden werden; er wird zum Schurken des
Stückes, der die tugendhafte Sulamitin für sich gewinnen will und sie
sogar an seinen Königshof bringt. Das Mädchen hält aber an ihrem
bäuerlichen Liebhaber fest, und die beiden werden zuletzt vereinigt.

Neben den Hauptakteuren hat man eine größere oder geringere Zahl anderer auftretender Personen finden wollen. Oder man sieht im Hohenlied einen Mimos, in dem ein Soloakteur durch Worte und Gebärden die dramatische Handlung anschaulich macht. Im allgemeinen kann man behaupten, daß die Dramenhypothese nur mit Hilfe einer willkürlichen Textbehandlung durchführbar ist.

Zuletzt soll nur kurz erwähnt werden, daß die allegorische Deutung unter den Exegeten unserer Zeit Vertreter hat, z.B. PJoüon, GKuhn, GRicciotti, DBuzy, ARobert, ABea, RTournay, AFeuillet.

§ 2. STELLUNG IM KANON UND KULT

Das Hohelied hat im dritten Teil des palästinischen Kanons, also unter den „Schriften", einen Platz bekommen. Als Voraussetzung seiner Aufnahme in den Kanon pflegt man ziemlich unreflektiert die allegorische Auslegung anzugeben. Die Deutung der Lieder auf Jahwe und Israel habe dem Büchlein die erforderte religiöse Legitimierung gegeben und es für den Kanon fähig gemacht. Wie wir gesehen haben, ist die allegorische Deutung in den jüdischen Quellen indessen erst bei Rabbi Akiba nachweisbar, d.h. zu einer Zeit, in der der Kanon als abgeschlossen gelten darf und die Entscheidung über den kanonischen Rang des Hohenliedes schon gefallen war. So lange wir keine Beweise für eine ältere allegorisierende Deutung haben, bleibt sie als Erklärung der Aufnahme des Hohenliedes in den Kanon anachronistisch. Hinter der allegorischen Auslegung finden sich Spuren einer profanen Deutung, die die Gedichte als weltliche Liebeslieder betrachtet hat. Noch Akiba hat diese Auffassung gekannt und bekämpft (Tos San 12 10).

Die Erklärung des kanonischen Ansehens des Hohenliedes muß in anderen Qualitäten gesucht werden, die schwerwiegender waren als eine ziemlich subjektive religiöse Bewertung. Eine entscheidende Rolle haben ohne Zweifel dabei das behauptete hohe Alter und vor allem die von niemandem angezweifelte salomonische Herkunft des Hohenliedes gespielt. Daß die Lieder von Salomo herrühren, muß von Anfang an als ein Axiom gegolten haben, zumal nicht nur die Überschrift, sondern auch die Gedichte seinen Namen erwähnen (1 5 3 7. 9. 11 8 11). 1 Kö 5 12 spricht von 1005 Liedern Salomos; und es lag nahe, das Hohelied als eines dieser Lieder, und zwar als das schönste von ihnen, zu betrachten.

Eine andere Erwägung gilt dem Inhalt des Hohenliedes. Hat der Israelit die Gedichte als weltliche Liebeslieder gelesen, wäre zu fragen, ob er diese Art und Weise, die Liebe zu schildern, als anstößig und für den Kanon diskriminierend aufgefaßt habe. Es ist wahr, daß eine spätere Zeit nicht mit der gleichen Unbefangenheit und Offenheit von der erotischen Liebe gesprochen hat, wie es hier der Fall ist (s.u.S. 72ff). Aber die Unbefangenheit des Hohenliedes hängt mit einem anderen Zug zusammen, der mit dem Jahweglauben in tiefem Einklang steht, der unmythologischen Sehweise. In einer Umwelt, in der von der erotischen Liebe nur im Rahmen eines mythischen Geschehens gesprochen wurde als einem Vorgang, der mit dem hieros gamos zusammenhing, zeichnet sich die entmythisierte Profanität, die uns im Hohenlied begegnet, scharf ab und bekommt einen fast bekenntnishaften Charakter. Theologisch gesehen sind die Gedichte ein Ausdruck der Überzeugung, daß Jahwe jenseits der Polarität des Geschlechtlichen steht; näher s.u.S. 84. Es ist zwar fraglich, ob man diese theologische Grundhaltung des Hohenliedes als ein bewußt verwendetes Argument in den Kanondiskussionen betrachten darf. Es soll nur davor gewarnt werden, die Profanität der Lieder ohne weiteres als ein Hindernis bei der Kanonwerdung anzusehen.

Im Judentum bekam das Hohelied liturgische Verwendung und wurde als Festrolle beim Passa vorgelesen. Die kultmythologische Auslegung mißt der Verknüpfung des Hohenliedes mit der Passafeier im Frühjahr eine besondere Bedeutung bei; darin käme der alte Charakter der Lieder als Ritualtexte beim frühjährlichen Tammuz-Adonisfest zum Vorschein. Die Verwendung des Buches als Passafestrolle ist indessen erst in ziemlich später Zeit bezeugt. Theodor von Mopsuestia sagt ausdrücklich, daß zu seiner Zeit keine öffentliche Vorlesung des Hohenliedes stattgefunden habe: unde nec Judaeis, nec nobis publica lectio unquam Cantici canticorum facta est (Migne, PG LXVI, 1864, col. 700). Die Verwendung der Lieder als Passalesung hat mit der Jahreszeit nichts zu tun, sondern hängt sehr wahrscheinlich mit der allegorischen Deutung zusammen. Hatte man einmal das Hohelied als ein Buch von der Liebe Jahwes zu seinem erwählten Volk und von seinem Heilswillen gedeutet, so war die Verknüpfung mit der Feier zur Erinnerung an den Exodus sogar natürlich.

§ 3. SPRACHE UND LITERARISCHE FORM

Wie sowohl die allegorische als die kultmythologische Auslegung erkennen lassen, hat man eine tiefsinnige theologisch-religiöse Hintergründigkeit im Hohenlied gern finden wollen, einen verschleierten oder verborgenen Sinn, der nicht von selbst ins Auge fällt, sondern mit Geduld und Scharfsinn herausgelesen werden muß. In merkwürdigem Gegensatz zu dieser religiösen Bewertung steht die literarische Beurteilung. Seit Herder spricht man gern von der rührenden Naivität des Hohenliedes und denkt dabei vor allem an die dichterische Form. Herder hält freilich Salomo für den Verfasser der Lieder; aber mit seinem Sinn

für volkstümliche Literatur betrachtet er das Hohelied tatsächlich als
Volksdichtung. Hier sei „die Liebe gesungen, wie Liebe gesungen werden
muß, einfältig, süß, zart, natürlich". Im Hohenlied findet Herder das
unübertroffene Urbild aller Volksdichtung: „In einem Dichter der Natur
und Liebe zeige man mir eine Situation, die einfältig, wahr, rührend,
menschlich sei: konnte sie zu dieser Zeit, unter diesem Himmel gedeihen;
so will ich ihn gleich, als Blume oder Blüthe, eine bessere in diesem Buche
zeigen" (Sämmtliche Werke VII, 66 f.). Ähnlich KBudde: „Um Volksdichtung handelt es sich jedenfalls, selbst wenn einmal der Stolz einer
vermögenden Familie sich von dem angesehensten Dichter der Ge-
gend ein Tanzlied schreiben läßt. Das Meiste entquillt jedenfalls un-
gekünstelt dem Volksmunde" (KHC XVII, 1898, XX). Die gleiche
Auffassung spricht CSiegfried aus: „Nach einem bestimmten Verfasser zu fragen ist bei derartigen aus dem Volke hervorgegangenen
Liedern überhaupt ein aussichtsloses Unternehmen" (HK II 3, 1898,
90). Nach MJastrow ist das Hohelied „the simplest kind of ballads
scarcely touched by the polishing efforts of the selfconscious poet" (Song
of Songs, being a Collection of Love Lyrics of Ancient Palestine, 1921,
13). Auch Rudolph sieht im Hohenlied „nicht das Werk eines Dichters,
sondern eine Sammlung von volkstümlichen Liedern" (ZAW 59, 1942–43,
193).

Die Beurteilung des Hohenliedes als naiver Volksdichtung ist sehr
fragwürdig. Daß die Gedichte anonym sind, heißt keinesfalls, daß sie aus
dem Volksmund stammen. Was vor allem gegen die Volkslied-Theorie
spricht, ist der literarische Charakter des Hohenliedes. Besonders lehr-
reich sind die unbestreitbaren Beziehungen zu der ägyptischen Liebeslyrik. Literarische Formen und Motive, die in der ägyptischen Dichtung
heimisch und dort ohne Zweifel als Früchte einer dichterischen Kunst
zu bewerten sind (vgl. Altägyptische Liebeslieder, eingeleitet und übertragen von SSchott, Zürich 1950, 8), kommen im Hohenlied häufig vor
und weisen nicht in die Richtung einer reflexionslosen Tiefenschicht der
Volksseele, sondern ganz bestimmt auf einen Dichter hin, d.h. eine
sprachmächtige Persönlichkeit als Träger des Liebesgedichts. Auch nicht
im Sinn der modernen Auffassung der Volkslieder kann man das Hohelied Volksdichtung nennen, d.h. zersungene, der Empfindungswelt und
dem Stil des Volkes angepaßte, abgesunkene Kunstlieder.

Erst eine nähere Untersuchung der Sprache und der Art der Rede
macht es aber klar, daß wir es im Hohenlied mit Kunstdichtung im
eigentlichen Sinn des Wortes zu tun haben, d.h. einer Literatur, die als
Produkt eines bewußt schaffenden und mit berechneten Stilmitteln arbeitenden Kunstverstandes entstanden ist. Allerdings für die schöpferische Eigenprägung eines Dichters gibt es selbstverständlich viel weniger
Raum in der alten Dichtung als in der heutigen. Der individuelle Stil-

wille des israelitischen Dichters muß innerhalb der Grenzen bleiben, die die literarische Tradition mit ihren festen Gattungen setzen.

Das Hohelied ist lyrische Dichtung. Künstlerische Gestaltung inner-seelischer Vorgänge im Dichter nimmt in den Liedern einen großen Raum ein. Aber auch die äußeren Szenen sind lyrisch dargestellt worden. Es spricht sich in den Gedichten eine stimmungsvolle Lyrisierung aus, die mit äußerem Realismus sehr wenig zu tun hat. Verschiedene Stileigen-heiten hängen mit der lyrischen Sehweise eng zusammen. Daß die Sprache des Hohenliedes nicht in hellsichtiger Beobachtung wurzelt, sondern in lyrischer Empfindung, läßt sich schon aus den adjektivischen Beiwörtern recht gut herauslesen. Wie im Alten Testament überhaupt kommen die Adjektive auch im Hohenlied sehr sparsam vor. Nur an etwa 40 Stellen ist die Darstellung mit Hilfe adjektivischer Beiwörter bereichert worden. Von ihnen dient nur eine sehr geringe Zahl einer unpersönlich-sachlichen Beschreibung einer Person oder Sache. Als solche könnte man etwa die Farbenadjektive שָׁחוֹר (1 5 5 11), שְׁחַרְחֹרֶת (1 6), צַח, אָדוֹם (5 10) bezeichnen sowie die Beschreibung des Wassers als חַיִּים (4 15) oder als רַבִּים (8 7), des Lagers als רַעֲנָן (1 6) und des Mutterschafs als שֶׁכֻּלָּה (6 6). Alle übrigen Beiwörter im Hohenlied dienen einer subjektiven Betrach-tungsweise, sei es daß sie Sinnesempfindungen widerspiegeln oder eine gefühlsmäßige Anteilnahme aussprechen: יָפֶה (elfmal), נָאוֶה (viermal), טוֹב (zweimal), עֲרֵב, מָתוֹק, אִם, בָּרָה usw.

Die Exaltiertheit der Gefühle führt weiter zu einer gewissen Auf-lockerung des Satzverbandes. Unvollständige Sätze und einzelne Worte, deren grammatische Beziehung unklar bleibt, kommen nicht selten vor. Der regelmäßige Parallelismus, mit Vorliebe von der prüfenden und beobachtenden Proverbienweisheit verwendet, hat im Hohenlied sehr oft eine unvollständige Gestalt angenommen, d.h. mit nur einem, beiden Gliedern gemeinsamen Prädikat bzw. Subjekt. Einige Beispiele. Am häufigsten sind die Fälle mit gemeinsamem Verb:

3 10	עמודיו עשה כסף רפידתו זהב
4 6	אלך לי אל־הר המור ואל־גבעת הלבונה
4 8	תשורי מראש אמנה מראש שניר וחרמון
5 5	ידי נטפו־מור ואצבעתי מור עבר
7 8	קומתך דמתה לתמר ושדיך לאשכלות

Entsprechend kann in Nominalsätzen ein Prädikat für beide Parallel-glieder stehen:

4 4	אלף המגן תלוי עליו כל שלטי הגבורים
5 2	שראשי נמלא־טל קוצותי רסיסי לילה

54

Mit gemeinsamem Subjekt:

2 1	אני חבצלת השרון שושנת העמקים
3 8	כלם אחזי חרב מלמדי מלחמה
5 10	דודי צח ואדום דגול מרבבה
8 5	מי זאת עלה מן־המדבר מתרפקת על־דודה

Mit dem unvollständigen Parallelismus verwandt sind die Sätze, die, obgleich sie syntaktisch und dem Sinn nach als abgeschlossen gelten könnten, Ergänzungen verschiedener Art bekommen haben. Besonders häufig ist der Nachtrag adverbialer Bestimmungen:

1 11	תורי זהב נעשׂה־לך עם נקדות הכסף
1 14	אשכל הכפר דודי לי בכרמי עין גדי
3 7	שׁשׁים גברים סביב לה מגברי ישראל
4 10	מה־טבו דדיך מיין

Auch andere, gedanklich und syntaktisch zusammengehörige Worte können durch zwischengeschobene Glieder getrennt werden, z.B. zwei gleichsinnige Adjektive:

1 5	שׁחורה אני ונאוה
1 16	הנך יפה דודי אף נעים

Substantiv und Beiwort:

8 8	אחות לנו קטנה

Die stilistische Wirkung dieser Spreizstellung (so genannt von LSpitzer, Stilstudien I, 1928, 146ff.) liegt vor allem in der größeren Selbständigkeit, die den beiden getrennten Gliedern zufällt. Besonders auf dem zweiten liegt ein starker Akzent, wodurch der Bedeutungs- und Gefühlsgehalt sich dem Leser aufzwingt.

Eindringlichkeit und verdichtete Gefühlshaftigkeit werden auch durch die Wiederholung bewirkt:

1 15 4 1	הנך יפה רעיתי הנך יפה
2 15	אחזו־לנו שׁועלים שׁועלים קטנים
4 9	לבבתני אחתי כלה לבבתני
7 1	שׁובי שׁובי השׁולמית שׁובי שׁובי

Eine chiastische Wortstellung kommt einige Male vor. Meistens ist der Chiasmus des Hohenliedes lediglich syntaktischer Art, also eine Über-

kreuzordnung von Satzteilen, die dem Satz einen auffallenden, geschmei-
digen Rhythmus gibt:

4 3   כחוט השני שפתתיך ומדבריך נאוה

7 11   אני לדודי ועלי תשוקתו

Von einem lexikalischen Chiasmus könnte man in 12f. sprechen, wo
jedenfalls teilweise die gleichen Worte in den gekreuzten Gliedern wieder-
kehren: כי־טובים דדיך מיין לריח שמניך טובים

Wie zu erwarten ist, überwiegen im Hohenlied die Nominalsätze gegenüber den Verbalsätzen ziemlich stark. Hier geht es ja nicht so sehr um
Geschehen und Vorgänge, sondern vielmehr um Menschen und Gegenstände, Situationen und Zustände. Der Nominalsatz ist geeignet, plastische und einprägsame Bilder zu geben.

Die habituelle Wortfolge des Nominalsatzes (Subjekt-Prädikat) kommt
natürlich auch im Hohenlied nicht selten vor:

2 14   כי־קולך ערב ומראיך נאוה

Sehr häufig sind aber verschiedene Umstellungen der Hauptglieder.
Einige Beispiele. Prädikat-Subjekt:

1 3   שמן תורק שמך

4 3   כחוט השני שפתתיך

4 12   גן נעול אחתי

6 4   יפה את

Mit drei Gliedern, Prädikat – Subjekt – adverbielle Bestimmung
(PSA):

1 2 מיין דדיך כי־טובים (besonders nach כי; vgl. Brockelmann, Grundriß II §
83b).

2 9   דומה דודי לצבי

PAS:

2 4   דגלו עלי אהבה

4 2   שכלה אין בהם

8 6   כי־עזה כמות אהבה

ibd.   קשה כשאול קנאה

Die Umstellungen haben ohne Zweifel stilistische Gründe. Dem vor-
angestellten Prädikat kommt ein wenn auch leiser Nachdruck hinzu.

Eine noch auffallendere und sehr häufige Abweichung von der habi-

56

tuellen Wortfolge betrifft die Verbalsätze, die Anfangsstellung des Subjekts:

1 3	עַל־כֵּן עֲלָמוֹת אֲהֵבוּךָ
1 6	בְּנֵי אִמִּי נִחֲרוּ־בִי
1 12	נִרְדִּי נָתַן רֵיחוֹ
2 11	כִּי־הִנֵּה הַסְּתָו עָבָר
5 4	דּוֹדִי שָׁלַח יָדוֹ מִן־הַחֹר
ibd.	מֵעַי הָמוּ עָלָיו
5 5	וְיָדַי נָטְפוּ־מוֹר
5 6	נַפְשִׁי יָצְאָה בְדַבְּרוֹ
6 2	דּוֹדִי יָרַד לְגַנּוֹ
7 14	הַדּוּדָאִים נָתְנוּ־רֵיחַ
8 7	מַיִם רַבִּים לֹא יוּכְלוּ לְכַבּוֹת אֶת־הָאַהֲבָה

Die Häufigkeit dieser Wortstellung in der Spruchdichtung findet nach ABloch ihre wahrscheinliche Erklärung in dem Einfluß der ständig mit den Verbalsätzen abwechselnden Nominalsätze (Vers und Sprache im Altarabischen. Metrische und syntaktische Untersuchungen: Acta Tropica. Suppl. 5, 1946, 99 f.). Diese Erklärung trifft wahrscheinlich auch für das Hohelied zu. Die Nominal- und Verbalsätze scheinen betreffs der Wortfolge einander gegenseitig beeinflußt zu haben. Eine Stelle wie 2 6 = 8 3 läßt vermuten, daß die normale Anfangsstellung des Subjekts im Nominalsatz eine ähnliche Wortstellung in dem unmittelbar nachgestellten Verbalsatz zur Folge hatte:

שְׂמֹאלוֹ תַּחַת לְרֹאשִׁי וִימִינוֹ תְּחַבְּקֵנִי

Eine ganz besondere Aufmerksamkeit verdienen die Personenbeschreibungen des Hohenliedes. Syntaktisch und stilistisch sind sie sehr verschieden gestaltet. Verhältnismäßig selten ist die direkte Beschreibung durch adjektivische Prädikate. Einige Beispiele.

„Sieh, du bist schön, meine Geliebte" (4 1).
„Ganz und gar bist du schön" (4 2).
„Mein Geliebter ist glänzend und rot,
ausgezeichnet mehr als zehntausend" (5 10).
„Wie schön sind deine Füße in den Sandalen" (7 2).
„Wie schön bist du, und wie lieblich bist du" (7 7).

Im Unterschied zur Bildsprache der Vergleiche wirken diese Beschreibungen, die fast ausschließlich in Aussagen über die ganze Person erscheinen, merkwürdig blaß und unanschaulich. Statt Sinnesempfindungen widerzuspiegeln, sind die verwendeten Adjektive meistens Träger von Gefühlen und Stimmungen, sprechen eine gefühlsmäßige Anteilnahme aus.

Noch seltener ist das adjektivische Attribut, das im Hohenlied eine typisierende Funktion zu haben scheint: 4 15 מים חיים, 8 7 מים רבים. In den Personenschilderungen kommt es nicht vor.

In den Beschreibungsliedern geht es vor allem um eine Veranschaulichung der menschlichen Körperteile. Als beliebtestes Stilmittel wird dabei wie in der ägyptischen Liebesdichtung der bildliche Vergleich gebraucht. In der Form des nominalen Identitätssatzes – den man wohl als die poetischste Form betrachten darf – kommt der Vergleich in Kap. 4 und 7 nur spärlich vor, während er in Kap. 5 eine reichere Verwendung findet. Der zu beschreibende Körperteil und der Vergleichsgegenstand stehen regelmäßig als Subjekt – Prädikat eines Nominalsatzes.

> „Deine Augen sind Tauben" (4 1).
> „Sein Kopf ist gediegenes Gold,
> seine Locken sind Dattelrispen" (5 11).
> „Seine Lippen sind Lilien" (5 13).
> „Seine Hände sind Goldzapfen...,
> sein Bauch ist eine Platte aus Elfenbein" (5 14).
> „Seine Schenkel sind Säulen aus Alabaster" (5 15).
> „Sein Gaumen ist Süßigkeiten" (5 16).
> „Deine Nabelwulst ist eine runde Schale...,
> dein Bauch ist ein Weizenhaufen" (7 3).
> „Deine Augen sind die Teiche von Hesbon" (7 5).

Nur selten wird der Vergleich durch ein besonderes Verb ausgedrückt (דמה ל);

> „Einer Stute an dem Wagen des Pharao vergleiche ich dich" (1 9).
> „Es gleicht mein Geliebter einer Gazelle oder einem Hirschkalb" (2 9).
> „Dein Wuchs gleicht der Palme, und deine Brüste den Trauben" (7 8).

Am häufigsten wird die Vergleichung durch die Partikel כ (oder כמו) ausgedrückt: „Dein Haar ist wie eine Herde der Ziegen" (4 1); „Wie eine Scharlachschnur sind deine Lippen" (4 3); „Dein Hals ist wie ein Elfenbeinturm" (7 5).

Der Vergleich – das trifft auch für die Identitätsformulierungen zu – wird in der Regel durch irgendwelche Beifügungen erweitert, die das Prädikat oder (seltener) das Subjekt näher ausführen. Die Erweiterungen können grammatisch in verschiedener Weise gestaltet sein. Häufig erscheint eine nominale Apposition, die oft so lose angeknüpft ist, daß sie in bloßen Parallelismus übergeht und bisweilen selbst Erweiterungen bekommt, z.B.: „Deine Brüste sind wie zwei Jungtiere, Gazellenzwillinge, weidend unter Lilien" (4 5).

58

Als Erweiterungen erscheinen auch Relativsätze und Partizipialkon-
struktionen: „Dein Haar ist wie eine Herde der Ziegen, die vom Gebirge
Gilead herabwallen" (41); „Seine Hände sind goldene Walzen, besetzt
mit Edelsteinen" (514).

Bisweilen geht die Satzkonstruktion in die eines selbständigen Haupt-
satzes über: „Wie der Davidsturm ist dein Hals, in Schichten gebaut,
tausend Schilde sind an ihm aufgehängt" (44); „Deine Nabelwulst ist
eine runde Schale, möge der Mischwein nicht fehlen" (73). Damit kommt
ein Moment des Vorgangsmäßigen in die Beschreibungen hinein.

Nicht selten wird das tertium comparationis völlig verlassen. Die
Gleichnisse dehnen sich über die Grenzen des Analogen und Vergleich-
baren aus und gewinnen ein eigenes Leben: „Deine Zähne sind wie eine
Herde neugeschorener Schafe, welche eben aus der Schwemme aufge-
stiegen sind, welche alle Zwillinge gebären, und ohne Junge ist keines
unter ihnen" (42); „Dein Wuchs gleicht der Palme und deine Brüste den
Trauben. Ich sagte: Ich will die Palme ersteigen, ich will ihre Rispen
fassen" (78f.). Andere Beispiele 45 und 72.

Wie ist das Hohelied als l i t e r a r i s c h e K o m p o s i t i o n zu verstehen?
Viele Versuche sind gemacht worden, das Büchlein als eine zusammenhängende, in sich geschlossene Einheit zu verstehen. Die Lieder seien ein orga-
nisch gewachsenes, unzerlegbares Ganzes, von einem starken Bauwillen
gestaltet. Den zusammenbindenden Faden wollte man gern in einer fortschreitenden, sinnvollen Handlung finden, sei es in der Form einer allegorischen Darstellung der Heilsgeschichte oder als eine Schilderung des
Verlaufs eines Liebesverhältnisses zwischen Mann und Weib.

Die Versuche, eine zusammenhängende Handlung im Hohelied zu
entdecken, sind nicht erfolgreich geworden. Nur um den Preis von allerlei gewaltsamen Textänderungen und Textumstellungen hat man sie
durchführen können. Der Textbefund weist in eine andere Richtung. Die
einzelnen Lieder werden nicht in einer logischen oder zeitlichen Stufen-
folge vorgeführt, sondern verdanken einer assoziativen Aneinanderreihung ihren Platz. Eine betonte und ausgeprägte Vorstellung oder sogar
ein Stichwort zieht zwangsläufig Lieder mit ähnlichen oder kontrastie-
renden Merkmalen nach sich; siehe den Kommentar.

Sind wir also kaum berechtigt, von einem Zyklus zu sprechen, von
einem architektonischen Formwillen gestaltet, so scheint es andererseits
nicht zutreffend zu sein, das Hohelied als eine lose Sammlung unzusam-
menhängender Lieder zu betrachten. Ein nicht zu übersehender Zusammenhang liegt schon darin, daß alle Lieder sich mit dem gleichen Thema
beschäftigen, der erotischen Liebe. Was die mannigfachen Personen und
Situationen zusammenhält, ist nicht etwa in einem episch oder drama-
tisch fortschreitenden Geschehen zu suchen, sondern im lyrischen Stimmungsgehalt. Hierüber siehe § 4.

Ein charakteristischer Zug der Lieder ist ihr Mangel an Exposition und Inszenierung. Die redenden Personen werden in das Zwiegespräch durch keine Einleitung eingeführt; wer sie sind, ist nur aus ihren Worten zu erschließen. Daß es sich hier um einen lyrischen und besonders in der Liebeslyrik heimischen Stilzug handelt, geht u.a. daraus hervor, daß auch in der altägyptischen und der altbabylonischen Liebesdichtung Einleitungen zur Vorstellung der Sprechenden sowie Überleitungsformeln zwischen den einzelnen Reden fehlen; für Ägypten siehe AHermann, Altägyptische Liebesdichtung 72ff., für Babylonien WvSoden, Ein Zwiegespräch Hammurabis mit einer Frau: ZA 49 (1949) 151–194.

Auch wenn man das Hohelied als eine Sammlung betrachtet, die ihren Zusammenhang in keinem Äußeren, sondern im Stimmungsgehalt und lyrischen Kolorit hat, kann man an der Frage nicht vorübergehen, wie die vielen auftretenden Personen und der jähe Szenenwechsel zu erklären sind. Es wird im Hohenlied von einem König gesprochen, aber auch von Hirten- und Gärtnerleuten. Die Szenen wechseln in entsprechender Weise; man befindet sich bald im königlichen Palast, bald im Weingarten oder auf der Weidetrift. Sieht man näher zu, fällt auf, daß die Personen und Situationen nicht beliebig sind. Es erscheint etwas wie eine Wiederkehr der gleichen, typisiert anmutenden Personen und Situationen. Der Personen- und Situationswechsel ist oft zu Gunsten einer immer verwickelteren dramatischen Deutung ins Feld geführt worden. Man hat in ihm eine naturgetreue Abbildung der Wirklichkeit gesehen, unter Ausschaltung jeder Stilisierung. Das ist schwerlich der Fall. Wir haben es vielmehr mit einer hochentwickelten Kunstdichtung zu tun, dem Produkt eines bewußt schaffenden Kunstverständnisses. Der König 1 4, die Gärtnerin 1 5f., die Hirtenleute 1 7f. sind als poetische Fiktionen zu verstehen, und zwar als literarische Travestien; d.h., der Dichter läßt das Liebespaar in Verkleidungen auftreten. AJolles, der als erster die literarischen Travestien ins Auge gefaßt hat (Blätter für deutsche Philosophie 6, 1932, 281–294), sieht in ihnen ein literarisches Mittel, „die Gesellschaft zeitweise zu verlassen, unsere Bedürfnisse zu verändern, jemand anders zu werden, ohne daß wir ganz aufhören, wir selbst zu sein" (290). In der abendländischen Literatur findet Jolles drei Travestietypen. In der „Rittertravestie" vollzieht sich eine Verkleidung nach oben hin. Die Versetzung in einen niedrigen Stand kommt in der Hirten- oder Schäfertravestie zum Vorschein, und die Schelmentravestie endlich dient dem schlechthin nach außen Fliehenden als geeignete Verkleidung.

Wie AHermann dargelegt hat, sind die literarischen Travestien nicht erst in der abendländischen Kultur aufgekommen, sondern wurden schon im alten Ägypten, namentlich in der ägyptischen Liebesdichtung, verwendet (a.a.O. 111ff.). In der ägyptischen Dichtung allerdings hat sich, da es im Neuen Reich kein Rittertum gab, keine in sich abgeschlossene

„Ritter"-Travestie ausbilden können. Aber Sprachbilder und Vergleiche zeigen doch das „deutliche Bestreben, in der Dichtung zu einem 'Ritter' und einer 'Edelfrau' emporzusteigen" (112). Die ägyptische Entsprechung der abendländischen „Hirten"-Travestie („Verkleidung nach unten") findet Hermann in der „Diener"-Travestie, während die Verkleidung zu einer Art „Hirt" oder „Schäfer" der abendländischen „Schelmen"-Travestie entspricht.

Diese aus der Weltliteratur bekannte Erscheinung, daß der Dichter seine Personen in literarischer Verkleidung und in fiktiven Wunschsituationen auftreten läßt, ist auch im Hohenlied zu finden, und zwar nicht nur in der Form vereinzelter Sprachbilder und Vergleiche, sondern als strukturbestimmendes Motivschema. Das Bedürfnis nach einer Überhöhung des Lebens allerdings hat in Israel, wo die Feudalherrschaft und damit ein „Rittertum" fehlten, keine „Ritter"-Travestie hervorgebracht. Den Platz des Ritters und der ritterlichen Welt nehmen im Hohenlied der König und das höfische Leben ein. Der „König" und die „Königin" sind im Hohenlied als literarische Travestien zu verstehen, Verkleidungen „nach oben hin", die der Dichter benutzt, um die Liebenden in Wunschsituationen auftreten zu lassen und die Szenen spannend und abwechselnd gestalten zu können. Bisweilen kommt das Wort „König" vor, z.B. 1 4. 12, anderswo gibt die Situationsschilderung zu erkennen, daß wir uns im Bereich der „Königs"-Travestie befinden, so in 1 17 und 7 2.

Das Hohelied benutzt auch die „Hirten"-Travestie und die zur gleichen Sphäre gehörige „Gärtner"-Travestie. Die Liebenden erscheinen als „Hirtenleute", die ihre Herden weiden lassen (1 7. 8 2 16 6 2f.). Das Mädchen wird als „Gärtnerin" dargestellt (1 6). Vor allem erscheint der Jüngling als ein „Gärtner", der die Früchte und Blumen des Gartens genießt (4 16 5 1 6 2.11). Die Beliebtheit der „Gärtner"-Verkleidung hängt mit der Metaphorik der erotischen Sprache zusammen. Das Mädchen und seine körperlichen Reize werden gern unter dem Bild eines Gartens oder Weinbergs beschrieben (1 6 4 12ff.). Die Erotisierung ist in der „Gärtner"-Travestie besonders stark. Hinter der sprachlichen Verhüllung sind die erotischen Anspielungen leicht erkennbar (4 16 7 9). Die „Gärtner"- und die „Hirten"-Travestien gehen dabei bisweilen ineinander; der Hirt hat einen Garten, wo er seine Herde weiden läßt (6 2f.). Der eigentliche Gegenstand dieser Garten-Idyllen ist die erotische Liebe.

Die „Hirten"- und „Gärtner"-Travestien sind im Hohenlied wohl als Verkleidung „nach unten hin" zu verstehen. Eine sublime Ausformung hat die „Diener"-Travestie in 8 6 bekommen, wo das Mädchen den paradoxen Wunsch ausspricht, ein Gegenstand des Geliebten zu werden: „nimm mich als einen Siegelring an dein Herz, als einen Siegelring auf deinen Arm". Zur gleichen Erscheinung in den ägyptischen Gedichten vgl. Hermann a.a.O. 117ff.

Wie schon erwähnt, sind die literarischen Travestien ein wichtiges Merkmal in der ägyptischen Liebespoesie, und die gleiche Erscheinung im Hohenlied ist kaum ohne ägyptischen Einfluß vorstellbar. Gerade auf dem Gebiet der erotischen Dichtung, die in Ägypten seit alters gepflegt worden und zur reichen Entwicklung gelangt war, ist eine Abhängigkeit von seiten Israels durchaus wahrscheinlich. Die literarischen Entsprechungen zwischen ägyptischer Liebespoesie und dem Hohenlied sind nicht auf die literarischen Travestien beschränkt, sondern kommen in vielen anderen Einzelheiten zum Vorschein. Eine literarische Gattung, die im Hohenlied erscheint und für die die Ägypter das frühest bekannte Beispiel liefern, ist die sog. Türklage (2 8ff. 5 2ff.), am besten in ihrer klassisch-antiken Ausprägung (Paraklausithyron) bekannt. Ihr Inhalt ist das Klagelied des ausgeschlossenen Liebhabers vor der Haustür der Geliebten; siehe den Kommentar zu den angeführten Stellen.

Ein anderer, schon erwähnter, von den Ägyptern erstmals angewandter und im Hohenlied erscheinender Gedichtstypus ist das Beschreibungslied, das in expressiven Bildern die körperliche Schönheit des Mädchens bzw. des Jünglings rühmend schildert; Näheres über die Beschreibungslieder in § 4 und im Kommentar zu 4 1ff. 5 10ff. und 7 2ff.

Auch aus dem reichen Vorrat an geprägten lyrischen Topoi und Einzelmotiven der ägyptischen Liebesdichtung ist manches im Hohenlied wiederzufinden. Wie in den ägyptischen Gedichten ist die Liebe auch im Hohenlied ganz real als ein physischer Vorgang dargestellt worden, als Sehen, Hören, Tasten, Riechen und Schmecken.

Der Jüngling begehrt, den Anblick der Geliebten zu schauen und ihre Stimme zu hören (2 14). Ihre Liebe schmeckt ihm besser als Wein (1 2 4 10), und ihr Name ist eine wohlriechende Salbe (1 3). Der Geruch ihres Mantels ist wie der Geruch des Libanon (4 11).

Wie die ägyptischen Dichter spricht auch das Hohelied von der Liebe als einer leiblichen Erkrankung: „Ich bin krank vor Liebe", sagt das Mädchen (2 5 5 8); für die gleiche Erscheinung in Ägypten siehe Hermann a.a.O. 98ff.

Unter den Zwischenfiguren, die als Helfer oder Feinde des Liebespaares eine Rolle spielen, treten sowohl in den ägyptischen Liedern wie im Hohenlied die Mutter und die Brüder des Mädchens auf (1 6 3 4 8 8f.). Daß es sich hier um einen toposartigen Zug der erotischen Poesie handelt, wird durchaus klar, wenn wir uns an die ägyptischen Gedichte wenden. Auch dort gehören die gleichen Personen zur Staffage der Liebeslieder; Näheres im Kommentar zu den angeführten Stellen.

Eine seltsame Gestalt ist endlich der sog. Prinz Mehi, der in den ägyptischen Gedichten als ein arbiter amoris erscheint. Von einer entsprechenden Figur spricht vermutlich die dunkle Stelle 6 12; siehe den Kommentar z. St.

§ 4. NATURSCHILDERUNG UND MENSCHEN-DARSTELLUNG IM HOHENLIED

Die Beschreibung der Außenwelt nimmt im Alten Testament keinen großen Raum ein. Im Angesicht der sinnlichen Erscheinungen, des Gegenständlichen und des Malerisch-Anschaulichen standen die alten Israeliten mit einer gewissen Fremdheit und Gehemmtheit da. Nur sehr selten findet man in den frühen Erzählungswerken konkrete Einzelheiten, die zur Beschreibung des menschlichen Aussehens dienen; vgl. GGerleman, Struktur und Eigenart der hebräischen Sprache: SEÅ 1957–58, 252–264. Ebenso selten sind die Naturschilderungen, d.h. auf Beobachtung ruhende Darstellungen der äußeren Natur und deren Erscheinungen. Damit soll nicht behauptet werden, daß eine Beschreibung der Natur dem Alten Testament völlig fremd sei. Im Rahmen der Hymnendichtung ist die Welt zum Gegenstand einer rühmenden Darstellung gemacht worden, und zwar im Bereich des Lobpreises von Jahwe. In der Natur und ihren Erscheinungen wird die göttliche Erschaffung und Erhaltung manifest (vgl. GvRad, TheolAT I 357ff.).

Eine ganz andere Art von Aussagen über die Natur finden wir in der Spruchweisheit. Ihr Interesse ist von einem rationalen Erkenntnisstreben getragen. Was die Erfahrungsweisheit Israels vor allem charakterisiert, ist der „penetrante Wille zur rationalen Auflichtung und Ordnung der Welt, in der sich der Mensch vorfindet, der Wille zur Erkenntnis und Fixierung der Ordnungen in den Abläufen des menschlichen Lebens ebenso wie bei den natürlichen Phänomenen" (GvRad a.a.O. 423). Beobachtung, eine kritische, an Naturwissenschaft grenzende, enzyklopädisch bemühte Beobachtung liegt der weisheitlichen Naturschilderung zugrunde. Dabei hängt ihr gern etwas Exaktes, Minutiöses an, eine gewisse Vorliebe für Betrachtung des Ungewöhnlichen, Kuriosen, ja sogar Widerlichen und Unerfreulichen.

Ein dritter Bereich, wo man von einer alttestamentlichen Naturschilderung sprechen könnte, ist das Hohelied. Wie nicht zum wenigsten aus der Bildsprache hervorgeht, spielen die Natur und die Landschaft in den Liebesliedern eine nicht unerhebliche Rolle. Die Naturschilderung begleitet oder – vielleicht richtiger – umrahmt die Liebesszenen. Körperliche Schönheit genügt nicht für das Bild des Mädchens. Die Landschaft, das Wachsen und Blühen in der Natur tritt mit in das Blickfeld. Ein gutes Beispiel ist 2 10–14, wo eine Liebesepisode die Gestalt einer ausführlichen Naturbeschreibung annimmt; siehe weiter 4 12ff. 6 11 7 12f. Es ist für die lyrische Empfindung charakteristisch, daß die äußere Natur mit zum harmonischen Gesamtbild gehört. Diese Übereinstimmung von Vegetation und körperlicher Schönheit hat mit einer mythischen Daseinsauffassung nichts zu tun, sondern hängt mit der lyrischen Sehweise zusammen.

Damit ist schon angedeutet worden, daß die Naturbeschreibung des Hohenliedes sich sowohl von der hymnischen wie von der weisheitlichen in einer sehr markanten Weise scheidet. Erstens macht sie einen durchaus weltlichen und säkularen Eindruck. Die frühlingsschöne Welt ist im Hohenlied nicht – wenigstens nicht primär und ausdrücklich – als ein Ausfluß von Gottes Handeln verstanden, sondern steht fast als etwas Absolutes, für sich Seiendes da. Sie trägt das Gepräge einer völlig entmythisierten Profanität. Die Gartenlyrik in 2 10ff. hat einen idyllischen Ton, der sie vom Hymnus weit entfernt. Ebenso klar hebt sich diese Naturschilderung von der weisheitlichen ab. In einer erstaunlichen Weise ist sie von einer glücksuchenden Sinnlichkeit geprägt. Eine freudige Hingabe aller Sinne spricht sich in ihr aus. Sie beobachtet nicht, sie genießt im Schauen. Lyrisches Mitfühlen ist ihr Signum, nicht kritische Beobachtung. Die Sehweise ist nicht konkret-anschaulich, sondern phantasievoll-anschaulich. Der Reichtum an schlagenden Bildern und Vergleichen scheint nicht in erster Linie dazu zu dienen, eine sinnliche Vorstellung zu konkretisieren, sondern will eher die Gefühls- und Stimmungswirkung steigern. Die Gegenstandsbezogenheit, die in den Körperbeschreibungen sehr markant ist, tritt in den Landschaftsschilderungen weniger klar hervor. Im Mittelpunkt steht oft nicht ein Zustand, sondern ein Vorgang, das Aufblühen der Natur und die Freude darüber. Die Regenzeit ist vorüber, die Blumen erscheinen, die Turteltaube singt, die Herden weiden. Von Umriß und Kontur ist hier nur wenig zu finden. Alles ist auf Bewegung und dynamisches Geschehen angelegt.

Nebenbei sei in der Landschaftsschilderung des Hohenliedes ein merkwürdiger Zug erwähnt, die geringe Rolle, die die Farben in ihr spielen. Der Garten, die Pflanzenbeete, die Blumen, ja sogar die Äpfel duften; aber Farben haben sie nicht. Farbenfroher ist die Menschendarstellung. Die Gärtnerin kokettiert mit ihrer schwarzen Haut (16); die Locken des Jünglings sind schwarz wie der Rabe (5 11) oder schimmern wie purpurgefärbte Wolle (7 6); die Lippen des Mädchens sind rot (4 3).

Ein interessanter und in dieser farbenarmen Landschaft überraschender Zug visueller Wahrnehmung ist die Erwähnung des Schattens. In 2 3 wird der Jüngling mit einem Apfelbaum verglichen, in dessen Schatten das Mädchen sitzen will. Noch auffallender sind 2 17 und 4 6 – „bis der Wind weht und die Schatten fliehen" –, weil hier noch deutlicher von der umbra poetica die Rede ist. Wie sehr der Schatten als Kennzeichen räumlicher Profilierung und räumlicher Tiefe zu bewerten ist, wird klarer, wenn wir bedenken, daß ihn die Landschaft der homerischen Epen nicht kennt: „Kein Wort vom Schatten fällt bei den Landschaftsbeschreibungen: schattenlos scheint der Zaubergarten der Kalypso vor uns zu liegen, schattenlos der wunderbare Garten des Alkinoos. Nie ist von einem Einzelgegenstand die Rede, einem Baum, einer Weinrebe oder dgl., der einen Schlagschatten würfe" (MTreu, Von Homer zur Lyrik: Zetemata. Monographien zur klass. Altertumswissenschaft, H. 12, 1955, 121f.). In der griechischen Literatur ist der Schatten, wie Treu gezeigt hat, eine poetische Entdeckung der Lyrik, die Frucht einer lyrischen Sehweise (a.a.O. 214. 245f.).

Eine besondere Aufmerksamkeit verdienen in diesem Zusammenhang die schon erwähnten Beschreibungslieder, d.h. die drei Gedichte in 4 1–7, 5 10–16 und 7 2–10, die sich formell und inhaltlich in eine gemeinsame literarische Gruppe einordnen lassen und sich von der Umgebung sehr deutlich abheben. Das gemeinsame Thema in diesen Liedern ist eine detaillierte Beschreibung der körperlichen Schönheit des Mädchens bzw. des Jünglings. Unter Aufbietung einer Fülle von expressiven Bildern, die additiv aneinander gereiht werden, hat der Dichter die menschlichen Gliedmaße und Körperteile rühmend veranschaulicht, Augen, Haar, Zähne, Lippen, Hals, Brüste usw.

Das erotische Beschreibungslied genoß im alten Orient eine große Beliebtheit. In dem *nasīb* der altarabischen Poesie hat die Beschreibung der Frauenschönheit einen festen Platz gefunden, und der Name „Beschreibungslied" oder *waṣf* rührt aus der arabischen Poetik her; Näheres über die arabische Liebesdichtung bei ILichtenstädter, Das *Nasīb* der altarabischen Qaṣīde: Islamica V 1 (1931) 17–96 und Enzyklopädie des Islam III (1936) 925. Ihre früheste Prägung indessen hat diese Gedichtgattung von den Ägyptern bekommen und scheint in letzter Hand auf alte kultische Beschreibungshymnen als ihre Vorläufer zurückzugehen. Das Schönheitsideal, das in den altägyptischen Beschreibungsliedern erscheint, kann man in der bildenden Kunst, vor allem in der Kleinplastik der Ägypter, wiederfinden; vgl. Hermann, Altäg. Liebesdichtung 130.

Als Gedichtgattung hat das Beschreibungslied in der Weltliteratur eine große Rolle gespielt, wie zahlreiche Belege, vor allem aus hellenistisch-römischer Zeit, Spätantike und Mittelalter, ja selbst früher Neuzeit, zeigen können; vgl. Hermann, Beiträge 130ff. Von besonderem Interesse ist das Genesis-Apokryphon von Qumran, das Saras körperliche Schönheit im Rahmen eines Beschreibungsliedes schildert: „...das Haar ihres Hauptes, und wie schön (יאן) ihre Augen, und wie begehrenswert (רגג) ist ihre Nase und alle Blüte ihres Angesichts, wie schön (יאא) ist ihre Brust, und wie schön (שפיר) ihre ganze Weiße, ihre Arme wie schön (שפירן), und ihre Hände wie vollkommen (כלילן). Und ... der ganze Anblick (מחזה) ihrer Hände. Wie schön (יאן) sind ihre Handflächen, und wie lang und schlank sind alle Finger ihrer Hände. Ihre Füße, wie schön (שפירן), und wie vollkommen ihre Schenkel. Alle Jungfrauen und Bräute, die in das Brautgemach eingehen, sind nicht schöner als sie (ישפרן מנהא), und über alle Frauen ist sie schön (שופר שפרה), und ihre Schönheit übertrifft sie alle. Und bei all dieser Schönheit ist auch viel Weisheit in ihr, und die

Kleinheit ihrer Hände ist schön" (Kol. XX 2–8; hrsg. von NAvigad-YYadin, A Genesis Apocryphon. A Scroll from the Wilderness of Judaea, Jerusalem 1956; weiter siehe EOßwald, Beobachtungen zur Erzählung von Abrahams Aufenthalt in Ägypten im „Genesis-Apokryphon": ZAW 72, 1960, 7–25).

Von den genannten Hoheliedgedichten handeln zwei von dem Mädchen (Kap. 4 und 7), während das dritte den Jüngling beschreibt (Kap. 5). Beschreibungslieder auf den männlichen Partner kommen nicht häufig vor. Der altarabische *nasīb* kennt sie nicht. Dagegen sind sie in Ägypten zu finden, wie das von Hermann zitierte Ostrakon Eremitage nr 1125 beweist (veröffentlicht von MMatthiew, Publications de la Société Égyptologique de l'Université d'État à Leningrad 5, 1930, 25–27).

Auch in einer anderen Hinsicht unterscheidet sich das Lied in Kap. 5 von den zwei übrigen; statt direkter Anrede wird hier die 3. Person verwendet. In der ägyptischen Liebeslyrik ist die 3. Person die geläufigste, aber nicht alleinherrschend; direkte Anrede hat z.B. das schon erwähnte Ostrakon Eremitage.

Das vornehmste Mittel, die Schönheit des Liebespartners zu veranschaulichen, ist wie in der ägyptischen Poesie der bildliche Vergleich, in den Beschreibungsliedern des Hohenliedes sogar noch reicher ausgestaltet als in den ägyptischen. Hier wie dort werden die Vergleichsgegenstände aus weit verschiedenen Gebieten geholt, vgl. Hermann, Altäg. Liebesdichtung 126. Besonders ergiebig ist die Tier- und Pflanzenwelt der palästinischen Landschaft, Taube, Ziege, Schaf, Gazelle, Hirsch, Pferd, Granatapfel, Lilie, Zeder, Palme, Weintraube, Cypernblume, Pflanzenbeete, Apfelbaum. Weniger häufig sind geographische Begriffe, Libanon, Thirsa, Jerusalem, Teiche Hesbons, oder andere Erscheinungen der ländlichen Umwelt, eine versiegelte Quelle, Brunnen mit frischem Wasser, Fluten aus dem Libanon. Andere Vergleiche sind architektonischer Herkunft, Turm Davids, Elfenbeinturm, Libanonturm, oder sie stammen aus der Juwelier- oder Kunsthandwerkstatt, Goldzapfen, Elfenbeinplatte, Alabastersäule, runde Schale. Besonders häufig sind Vergleichsgegenstände, die sich auf den Geruch- oder Geschmacksinn beziehen, verschiedene Salben und Gewürze, Wein, Äpfel.

Die aufgezählten Körperteile werden meistens, wie bisweilen in den ägyptischen Liebesgedichten (vgl. Hermann a.a.O. 126), in einer dem körperlichen Bau angepaßten Abfolge vorgeführt.

Kap. 4:	Augen	– Tauben
	Haar	– Ziegen
	Zähne	– Schafe
	Lippen	– roter Faden
	Schläfe	– Granatapfelscheibe

Hals	– Turm Davids
Brüste	– Gazellen

In Kap. 5 konkurriert mit diesem anatomischen Prinzip ein anderes, das durch die Zusammengehörigkeit der Vergleichsobjekte bedingt ist (so auch in Ägypten; vgl. Hermann a.a.O. 125):

Kopf	– Gold
Locken	– Dattelrispe
Augen	– Tauben
Kinnladen	– Pflanzenbeete
Lippen	– Lilien
Hände	– Goldzapfen
Bauch	– Elfenbeinplatte
Schenkel	– Alabastersäule
Gestalt	– Libanon, Zeder
Gaumen	– Süßigkeiten

Bis auf „Hände – Goldzapfen" liegt die körperliche Erscheinung der Reihenfolge zugrunde. Die darauf folgenden drei Vergleiche sind aber nicht auf die Körperteile, sondern auf die Vergleichsgegenstände abgestimmt: Goldzapfen, Elfenbeinplatte, Alabastersäule gehören alle der Sphäre des Kunsthandwerks an.

Das gleiche Schwanken findet man auch in dem Aufbau des Beschreibungsliedes in Kap. 7:

Oberschenkel	– Schmuck
Nabelwulst	– runde Schale
Bauch	– Weizenhaufe
Brüste	– Gazellen
Hals	– Elfenbeinturm
Augen	– Teiche Hesbons
Nase	– Libanonturm
Haupt	– Karmel
Haar	– Purpurwolle
Wuchs	– Dattelpalme
Brüste	– Trauben
Gaumen	– Wein

Die Reihe ist hauptsächlich nach anatomischem Gesichtspunkt gestaltet; aber auch unter den Vergleichsgegenständen wird eine assoziative Abfolge sichtbar: Elfenbeinturm, Teiche Hesbons, Libanonturm, Karmel, und ferner: Dattelpalme, Trauben, Wein.

Die Beziehungen zwischen dem Hohenlied und außerisraelitischer Dichtung sind in der Forschung schon längst ins Auge gefaßt worden.

Besonders gern hat man babylonischen Einfluß im Hohenlied finden wollen. Die kult-mythologische Auslegung sieht in diesen Gedichten einen Niederschlag kultischer Vorgänge, die mit dem hieros gamos zusammenhängen. Für diese Auffassung ungünstig ist vor allem die Tatsache, daß wir im Hohenlied fast nie eine unmittelbare Beziehung zur Hochzeit finden. Was hier besungen wird, ist nicht die bräutliche oder eheliche Liebe, sondern die Schönheit und Sehnsucht zweier junger Menschen. Statt einer Mythisierung des Sexuellen finden wir im Hohenlied eine Lyrisierung nicht nur des Liebeslebens, sondern des ganzen Daseins. Im Vordergrund steht nicht ein gottheitlich-mythisches Geschehen, sondern tief menschliche Vorgänge, das Persönliche und Einmalige des Liebeserlebnisses.

Diese Beobachtung hat für das Verständnis des Hohenliedes fundamentale Bedeutung und macht die behaupteten Parallelen mit babylonischen Kultliedern sehr fraglich. Eine mit dem Wesensgehalt des Hohenliedes viel verwandtere Literatur ist in Ägypten zu finden, wo Papyri, Ostraka und Inschriftsteine eine reich entwickelte Liebesdichtung erscheinen lassen, die in der 18. Dynastie und vor allem unter Königin Hatschepsut und in der Amarnazeit ihre reichste Blüte erlebt hat. Wie wir in § 3 gesehen haben, zeigt die literarische Thematik eine nahe Verwandtschaft mit den ägyptischen Liebesliedern.

Ein ganz besonderes Interesse im Blick auf die Beziehungen zu Ägypten verdienen die Beschreibungslieder. Bei ihnen ist nämlich zu fragen, ob die unleugbaren Beziehungen zwischen dem Hohenlied und Ägypten mit Hilfe der Annahme literarischer Abhängigkeit genügend erklärt sind oder ob wir tiefer greifen müssen und mit einer Vertrautheit mit ägyptischer Kultur auf breiterer Basis rechnen müssen. In weit höherem Grad als die ägyptische macht die Bildsprache des Hohenliedes den Eindruck kühner Gestaltungsfreude und Phantasie. Daneben fällt aber eine andere merkwürdige Tatsache auf. Die freudige Phantasie des Hohenliedes hat mit einer realistischen Beobachtungsfähigkeit sehr wenig zu tun. Bei aller Fülle des äußeren Details können wir den Eindruck nicht loswerden, daß die Beschreibungen uns seltsam unpersönlich anmuten und nicht selten ans Unwirkliche grenzen. Besonders stark wird dieser Eindruck im Beschreibungslied vom Jüngling (5 10–16). Er ist glänzend und rot. Sein Haupt ist Gold, seine Hände sind Goldzapfen, besetzt mit Edelsteinen. Sein Bauch ist eine Elfenbeinplatte, mit Saphiren bedeckt. Seine Beine sind Alabastersäulen, auf Fußgestellen aus Gold fundamentiert.

Die Beschreibung ist nicht ohne eine großartige Anschaulichkeit, bleibt aber als Schilderung eines Menschen merkwürdig lebensfern. Besonders auffallend sind die zahlreichen Glanzepitheta. Die Schönheit des Jünglings wird eher als ein glänzender Überzug, eine Vergoldung, dargestellt denn als ein menschliches Wesensmerkmal. Wie ist diese eigenartige

Sehweise zu erklären? Wer hat für diese Schilderung Modell gestanden? Meines Erachtens kaum ein lebendiger Mensch, sondern ein Kunstwerk. Die ganze Beschreibung, die in bezug auf einen lebendigen Menschen unrealistisch und bizarr anmutet, wird auf einmal zutreffend und richtig, wenn wir sie als Schilderung eines Rundbildes lesen. Zwischen dem Jüngling und dem Beschreibungslied im Hohenlied steht die Menschendarstellung der bildenden Kunst, und zwar der Kunst Ägyptens.

Schon bei den einleitenden Worten צח ואדום, „glänzend und rot" wird man an die Polychromie der altägyptischen Plastik erinnert. Die Skulpturen, sowohl die aus weichem Stein wie die aus Holz, waren gänzlich oder teilweise mit Farben bemalt, wobei die Fleischteile der männlichen Figuren gewöhnlich braunrot, die der weiblichen gelblich waren; vgl. z.B. PReuterswärd, Studien zur Polychromie der Plastik. I. Ägypten (Acta Universitatis Stockholmiensis III: 1, Stockholm 1958) 7. Der metallene Glanz erinnert an die ägyptischen Bronzefiguren, deren nackte Teile nicht gänzlich übermalt waren, statt dessen aber oft Einlagen aus Gold, Elektron, Silber und Kupfer bekamen; s. Reuterswärd 60ff. Auch die Holzplastik war nicht selten vergoldet, und an Alabasterskulpturen, die wahrscheinlich nur spärlich bemalt waren, kamen goldene Zutaten so häufig und reichlich vor, daß die Ägyptologen von einer „chrysalabastrinen Dichromie" sprechen; Reuterswärd 59. Über die symbolische Bedeutung der Vergoldung gewisser Körperteile s. WDeonna, Questions d'archéologie religieuse et symbolique. I. La dorure partielle des statues II (Rev. de l'histoire des rel. 68, 1913, 345ff.). Beim Vergleich der Hände mit Goldzapfen wäre vielleicht zu erwähnen, daß man in Ägypten den Toten an Gesicht, Händen, Füßen usw. mit Goldfolien belegte, Reuterswärd 21f. Die Vermutung liegt nahe, daß dieser sepulkrale Goldgebrauch eine Entsprechung in der plastischen Kunst gehabt habe, obgleich wegen der Sprödigkeit des Materials keine Reste erhalten sind.

Wohl am stärksten an ein Bildwerk erinnernd ist die Beschreibung der Beine als Alabastersäulen, auf Fußplatten aus Gold fundamentiert. Die massiv gegossene Fußplatte oder der hohle Sockel ist ein fester Bestandteil der ägyptischen Figuren. Auch wenn eine Aufstellung nicht beabsichtigt war – was besonders für die Kleinplastik gilt –, wurde die Basis nicht weggelassen, einfach weil sie zur vollständigen Figur gehörte und ein wesentliches Glied der Komposition ausmachte; vgl. GRoeder, Ägyptische Bronzewerke (1937) § 606ff., bes. 610 und 612. Die Fußplatte ist verhältnismäßig groß, meist rechteckig, länglich oder annähernd quadratisch. Die Figuren können mit Hilfe eines oder mehrerer Zapfen in die Basis eingesetzt werden, oder die Fußplatte wird an die Figur angegossen.

Was hier vom Beschreibungslied in Kap. 5 gesagt ist, gilt auch für die Beschreibungen des Mädchens in Kap. 4 und 7. Man kann die Beobachtung machen, daß schon die Auswahl der zu beschreibenden Körperteile des Jünglings und des Mädchens dem verschiedenen Bekleidetsein männlicher bzw. weiblicher Bilder recht gut entspricht. Während 5 15 die Beine des Jünglings beschreibt, spricht 7 2 von den Füßen des Mädchens. Das paßt mit der Tatsache gut zusammen, daß, während bei den Männerbildern die Beine unbekleidet waren, die Beine der Frauen in der gesamten ägyptischen Kunst niemals wiedergegeben werden, nur mit Ausnahme von den nackten Figuren von Kindern, Tänzerinnen und Puppen. Nur die Füße werden unterhalb des Kleidrandes sichtbar; vgl. Roeder § 407.

In demselben Vers finden wir eine Beschreibung der Hüften des Mädchens, die den Gedanken an ein Bildwerk suggeriert. Wenn חמוקי ירכיך mit חלאים, „Schmuckstücken" verglichen werden, kann der Vergleich die Bewegungen der Hüften nicht wohl meinen, sondern ihr Aussehen, also die „Wölbungen", „Rundungen". In der folgenden Erweiterung des Vergleichs, „von den Händen eines Künstlers gemacht", gibt das Lied selbst einen Hinweis auf den Ursprung des Vergleichs. Auch hier ist die Sehweise von der Kunst bestimmt.

Ein sehr klarer Bezug auf ein Kunstwerk liegt in 7 3 vor, wo der Nabelwulst des Mädchens als eine runde Schale, אגן הסהר, beschrieben wird. Als Beschreibung nach lebendigem Modell ist der Ausdruck ebenso befremdlich wie, wenn von einer Skulptur gebraucht, zutreffend. An unzähligen Figuren aus Stein, Bronze oder Holz ist der Nabel mit auffallender Deutlichkeit hervorgehoben, und man pflegt ihn sogar dort nicht wegzulassen, wo er durch ein Gewand verdeckt ist. „Der Nabel wird an Statuen vom Alten Reich ab in der verschiedensten Weise wiedergegeben: entweder nur als kleines rundes Loch oder als breite Grube oder als dreieckige Einsenkung, die sich nach oben noch ziemlich weit fortsetzen kann" (Roeder § 335).

Im Vergleich des Bauches mit einem aufgeschütteten Haufen geworfelten Getreides (7 3) ist die Farbe das tertium comparationis, was in Betracht der gelblich bemalten Frauenskulpturen durchaus sinnvoll wird.

Seltsam wirkt der Vergleich der Brüste des Mädchens mit zwei Junggazellen (7 4). Wichtig ist erstens, daß die Frauen in der ägyptischen Kunst sehr oft mit sichtbaren Brüsten dargestellt sind. Die künstlerische Gestaltung der Brüste macht es m.E. wahrscheinlich, daß wir als tertium comparationis des Vergleiches das jugendliche Aussehen annehmen sollen: „Die Gestalt der Brüste ist im allgemeinen die des Schönheitsideals der älteren Zeit, also fest, rund und nicht groß. Ein gutes Beispiel gibt die schreitende Neit mit ihrem gut entwickelten und doch zart gehaltenen Busen. Auch die säugende Isis mit ihren in einigen Fällen unabhängigen Zügen zeigt diesen mädchenhaften Typus, nicht etwa eine ungewöhnlich volle oder eine hängende Brust" (Roeder § 338).

Auf die verschiedenen, zum Teil befremdlich anmutenden Beschrei-

70

bungen des Haares fällt ein neues Licht, wenn wir auch hier mit der plastischen Kunst als Medium rechnen. Zuerst der Vergleich mit einer Ziegenherde, die von einem Berge herabströmt (4 1 6 5). Der Vergleich ist zu eigenartig, als daß wir das tertium comparationis nur in der schwarzen Farbe sehen dürften. Ohne Zweifel ist auch die Form mitgedacht. Eine Erklärung ergibt sich von selbst, wenn wir die kunstvoll herausgearbeiteten Haartrachten der ägyptischen Skulpturen betrachten. Sowohl bei den Männern wie bei den Frauen hat das lange Haar reliefartig herausgearbeitete, senkrecht gehende Längslinien zur Angabe der Strähnen. Nicht selten verlaufen zwischen den Längslinien tief eingegrabene Querstriche zur Angabe von Löckchen; vgl. Roeder § 446. Diese skulpturalen Löckchenfrisuren machen den Vergleich mit einer herabwallenden Ziegenherde durchaus begreiflich. Als ein Beispiel für viele könnte man auf das in einem Tempel auf dem Sinai gefundene und jetzt im Ägyptischen Museum in Kairo befindliche Köpfchen der Königin Teje verweisen (Abbildung bei WWolf, Die Welt der Ägypter, 1954, Taf. 77).

Eine andere Haarbeschreibung, die seit alters als eine schwierige crux gilt, ist in 7 6 zu finden: דלת ראשׁך כארגמן. Das Wort דלה kommt in Jes 38 12 vor, und zwar als Bezeichnung der Kettenfäden oder vielleicht des Einschlagfadens beim Weben. Sein Gebrauch vom Haupthaar scheint unnatürlich, zumal die normale Haarfarbe schwarz war; vgl. 4 1 6 5. Der purpurähnliche Faden bekommt seine Erklärung im Licht einer besonderen Technik der ägyptischen Gießer, die in die eingegrabenen Strähnenlinien Golddraht einhämmern konnten; Roeder § 604a. Nur dieser Golddraht hat Rotpurpurfarbe, das Haar der Geliebten ist schwarz.

Zweimal werden die Augen des Mädchens und einmal die des Jünglings mit Tauben verglichen (1 15 4 1 5 12). Es ist nicht ohne weiteres einzusehen, wo das tertium comparationis bei diesem Vergleich liegt. Nach GDalman, AuS VII 264 soll das Bild die frische Klarheit der Augen veranschaulichen. Man könnte auch an die liebäugelnden Blicke denken, die mit der heiteren Regsamkeit der Tauben vergleichbar wären (vgl. Jes 3 16, wo die Frauen von Jerusalem gerügt werden, weil sie „verführerische Blicke werfen", משׂקרות עינים). Eine bessere Erklärung geben aber m.E. auch hier die ägyptischen Kunstwerke. Sowohl die Maler wie die Bildhauer haben die Augen in einer Weise konturiert, die auffallenderweise an ein Vogelkörper erinnert und die den Taubenvergleich fast unausweichlich auf den Plan ruft.

Wo ist der Ursprung des Hohenliedes zu suchen? Die hier in aller Kürze umrissene Auffassung der Gedichte und besonders ihrer Bildsprache setzt bei ihren Urhebern eine erstaunliche Vertrautheit mit ägyptischer Kultur voraus. Gibt es in der Geschichte Israels eine zeitliche Epoche, und gibt es eine soziale Schicht, von denen wir eine derartige, eingehende Kenntnis von ägyptischer Bildung erwarten können? Diese

Frage ist m.E. zu bejahen. In der älteren Königszeit, vor allem in der sogenannten salomonischen Aufklärung, waren die politischen und kulturellen Beziehungen zu Ägypten überaus lebendig (GvRad, TheolAT I 56ff.). Besonders in höfischen Kreisen hat ägyptische Bildung sehr wahrscheinlich eine große Rolle gespielt und sogar als höchste Mode gegolten. Man könnte daran erinnern, daß die Spruchweisheit ein aristokratisches Menschenideal erkennen läßt, das mit der Bildung und Erziehung des pharaonischen Hofes sehr viel gemeinsam hat (GvRad a.a.O. 427ff.). Das gleiche gilt mutatis mutandis auch von der Liebeslyrik. Daß wir es im Hohenlied keinesfalls mit Volksdichtung zu tun haben, liegt m.E. klar zutage. Sprache und Vorstellungen der Gedichte verraten ein Bildungsniveau, das nur in den oberen Ständen vorstellbar ist.

§ 5. LIEBE UND SCHÖNHEIT IM ALTEN TESTAMENT

Die in früher Zeit bezeugte allegorische Deutung des Hohenliedes zeigt zur Genüge, welche großen Schwierigkeiten einem wortgetreuen Verständnis dieser Dichtung von Anfang an im Weg gestanden haben. Es kann kaum bestritten werden, daß in diesen Gedichten das Liebesleben in einer Weise dargestellt worden ist, die ziemlich einzigartig im Alten Testament dasteht. Die unbefangene Kühnheit und Ausgesprochenheit, mit denen Liebesgenuß und sinnliche Schönheit hier gepriesen werden, finden nirgends ein ganz ebenbürtiges Gegenstück. Was vor allem auffällt, ist das völlige Fehlen aller moralisierenden Gesichtspunkte und Vorbehalte. Hier spricht nur die freudige Hingabe und Lust aller Sinne, die naiv sorglose Liebessehnsucht und der Schönheitsdurst.

Sonst wird im Alten Testament ziemlich selten und meist nur unter bestimmten Vorbehalten von der Frauenschönheit gesprochen. Ohne „Zartgefühl" ist Schönheit wie ein goldener Ring im Rüssel des Schweines (Prv 11 22). Anmut und Schönheit sind nur Täuschung und Nichtigkeit (Prv 31 30). Eine schöne Frau ist fast immer eine Ehefrau. Nur eine Ehefrau kann eine „liebliche Hirschkuh" oder ein „schönes Steinbockweibchen" genannt werden und wird zu einer „fremden" Frau ausdrücklich in Gegensatz gestellt (Prv 5 19f.). Bei Sirach sind die Aussagen über Frauenschönheit noch zurückhaltender und machen bisweilen sogar den Eindruck, eine polemische Spitze gegen die Sinnenlust des Hohenliedes zu enthalten (z.B. 9 8); nie wird die Frau allein wegen ihrer Schönheit gepriesen, sondern daneben werden andere, moralisch qualifizierende Eigenschaften gleichsam balancierend erwähnt, guter Verstand, Schweigsamkeit, Zucht, Keuschheit (26 13ff.), Freundlichkeit, Frömmigkeit (36 27f.). Nicht anders wird im Buch Tobit die weibliche Schönheit beurteilt. Sara, die Braut des Tobias, ist vor allem fromm und züchtig; für ihr Aussehen oder für die Liebe der beiden jungen Menschen opfert der Erzähler kein Wort. Besonders bezeichnend ist die Versicherung des Tobias in der Hochzeitskammer, er habe nicht wegen böser Lust Sara zum Weib genommen (8 7). Ebensowenig hat das Beschreibungslied des Genesis-Apokryphons von Qumran sich mit einer Schilderung von der körperlichen Schönheit Saras begnügt, sondern muß außerdem ihre Weisheit erwähnen: „und bei all dieser Schönheit ist auch viel Weisheit in ihr" (XX 7).

Es gibt aber alttestamentliche Texte, die in ihrer Art von erotischen Dingen zu sprechen mindestens eine gewisse Verwandtschaft mit dem Hohenlied aufweisen können, Texte, die ohne Moralisierung und Frömmelei von Frauenschönheit und Liebe sprechen. Die Erzählung von der Brautwerbung Rebekkas macht sich keine Mühe, bei dem jungen Mädchen andere Qualifikationen zu finden als ihre Schönheit und Jungfräulichkeit (Gn 24 16). Die Schlußszene der zarten Erzählung hat ein überraschend lyrisch-romantisches Gepräge: „Und Isaak gewann sie lieb und wurde getröstet über den Verlust seiner Mutter" (V. 67). Eine idyllisch erotische Szene aus der Geschichte von Isaak und Rebekka ist in Gn 26 8f. geschildert worden: „Nun geschah es, als er dort lange Zeit geblieben war, daß Abimelech, der König der Philister, einmal durchs Fenster guckte; da sah er, wie Isaak mit seinem Weib Rebekka koste" (מצחק). Die Worte Abimelechs geben zu erkennen, daß die Liebkosung als eine solche zu deuten ist, „aus der das eheliche Verhältnis der beiden unzweifelhaft hervorgeht" (Gunkel). Die gleiche Lyrisierung der Liebe charakterisiert die Erzählung von dem Zusammentreffen Jakobs mit Rachel am Brunnen und von seinem Dienst bei Laban: „So diente Jakob um Rachel sieben Jahre; und sie dünkten ihm als wenige Tage, so lieb hatte er sie" (Gn 29 20).

In der Geschichte von David und Michal findet sich die einzige Erwähnung im Alten Testament außerhalb des Hohenliedes, daß eine Frau einen Mann geliebt habe; zweimal wird gesagt, daß Michal David liebhatte (1 S 18 20. 28). Eine hohe Schätzung der Frauenliebe findet man im sogenannten Bogenlied Davids; Jonathans Liebe sei ihm wunderbarer gewesen denn die Liebe der Frauen (2 S 1 26). Von der Liebe als einer Krankheit spricht die Erzählung von Amnon und Thamar (2 S 13 2), was außer hier nur im Hohenlied vorkommt (2 5 und 5 8). Mit psychologischem Scharfblick wird dann der weitere, komplizierte seelische Vorgang dargestellt, in dem Amnons Liebe sich plötzlich in Haß verwandelt. Nachdem er seine schöne Halbschwester vergewaltigt hatte, „faßte Amnon ein überaus tiefer Widerwille gegen sie, so daß der Widerwille gegen sie größer war als die Liebe, die er zu ihr gehabt hatte" (13 15).

Es ist kein Zufall und beruht nicht auf einer willkürlichen Auswahl, daß die hier angeführten Stellen sämtlich aus einem sehr beschränkten

Textbefund geholt sind, dem Jahwisten und den beiden aus ziemlich gleicher Zeit herrührenden Erzählungswerken in den Samuelisbüchern, der Geschichte von Davids Aufstieg und der Thronnachfolgegeschichte. Es sind nämlich gerade diese Texte, die durch ihre Stimmungslage und Geistigkeit am meisten an das Hohelied erinnern. Wollen wir ein annäherndes Gegenstück zur erotischen Offenheit und freudigen Sinneslust des Hohenliedes finden, treten diese Texte sogleich in den Vordergrund. Das geht schon aus dem sprachlichen Befund hervor. Es mag aufschlußreich sein, dem Vorkommen einiger erotischer Schlüsselworte im Alten Testament nachzugehen. Das Wort יפה, „schön" wird in den folgenden Stellen vom menschlichen Aussehen gebraucht:

Gn	12 11	Sara
	14	Sara
	29 17	Rachel
	39 6	Joseph
Dt	21 11	eine Sklavin
1 S	16 12	David
	17 42	David
	25 3	Abigail
2 S	13 1	Thamar
	14 25	Absalom
	27	Thamar (Tochter Absaloms)
1 Kö	1 3	Abisag
	4	Abisag
Am	8 13	die jungen Frauen in Israel
Hi	42 15	die Töchter Hiobs
Prv	11 22	eine Frau
Cant	1 8	das Mädchen
	15	der Jüngling
	16	„ „
	2 10	das Mädchen
	13	„ „
	4 1	„ „
	7	„ „
	5 9	„ „
	6 1	„ „
	4	„ „
	10	„ „
Est	2 7	Esther

Wie aus dieser Zusammenstellung hervorgeht, kommt יפה im Alten Testament an 28 Stellen vor als Bezeichnung des menschlichen Aussehens. 11 Stellen fallen auf das Hohelied, während 12 in dem Jahwisten oder den beiden genannten Erzählungswerken in den Samuelisbüchern zu finden sind. An den übrigen 5 Stellen wird die Schönheit zweimal rügend erwähnt (Prv 11 22 Am 8 13).

Ein sehr ähnliches Ergebnis liefert eine Untersuchung über das Vorkommen des Wortes אהב als Ausdruck erotischer Liebe. Von rund 30 Stellen fallen 7 auf das Hohelied, 11 auf den Jahwisten und die beiden Erzählungswerke in den Samuelisbüchern.

Die Darstellung der Liebe und des Sexuellen ist in dieser Literatur nicht nur von Offenheit und Ausgesprochenheit geprägt. Nicht zu überhören ist, besonders im Hohenlied, eine ganz besondere Geistigkeit, wodurch diese Lieder sich von den Vorstellungen, die in Israels Umgebung gängig waren, scharf unterscheiden. Bei den Kanaanäern gehörte das Geschlechtsleben zur religiösen Sphäre, ja war geradezu ein Kernstück der Baalsreligion. „Paarung und Zeugung wurden im kanaanäischen Kulturkreis als ein gottheitliches Geschehen mythisch angeschaut; demgemäß war die religiöse Atmosphäre geradezu gesättigt mit mythischsexuellen Vorstellungen" (GvRad, TheolAT I 36). Von diesen Vorstellungen ist im Hohenlied nichts zu finden. Was den Liebesgedichten ihr Gepräge gibt, ist die Lyrisierung der sinnlichen Liebe, das Persönliche und Einmalige der Erlebnisse. Es sind dies Züge, die dem Hohenlied und den ältesten Erzählungswerken Israels gemeinsam sind. Für die zeitliche Ansetzung des Hohenliedes scheint dieser Tatbestand einen nicht belanglosen Hinweis zu geben.

§ 6. ENTSTEHUNGSZEIT

Für die zeitliche Ansetzung des Hohenliedes hat man hauptsächlich sprachliche Indizien in Erwägung gezogen. Besonders auf Grund des lexikalischen Befundes hat man gemeint, eine späte Entstehungszeit annehmen zu müssen. Der häufige Gebrauch von שֶׁ – 32mal im Hohenlied von insgesamt 139 Stellen im Alten Testament – hat dabei wenig zu bedeuten, da diese Partikel offenbar seit ältester Zeit im Hebräischen existiert hat; vgl. PJoüon, Grammaire de l'hébreux biblique (1947) § 38. Sie ist schon im Deboralied belegt (Ri 5 7). Nach GBergsträsser, ZAW 29 (1909) 40–56 ist שֶׁ ursprünglich ein Demonstrativ und nordisraelitischer Herkunft; vgl. auch BrSynt § 150c.

Schwerer wiegt ohne Zweifel das Vorkommen eines persischen Fremdworts, פרדס in 4 13; für das nach vielen aus dem Griechischen entlehnte אפריון (φορεῖον) in 3 9 siehe unten z. St. Wegen dieser Fremdwörter sind die meisten geneigt, nicht nur in die persische Zeit herunterzugehen, sondern darüber hinaus in die griechische, d.h. ins 3. Jh. v. Chr.

Für eine Beurteilung der Fremdwörter im Hohenlied scheinen vor allem zwei Erwägungen wichtig. Erstens haben wir es hier mit einer Literaturart zu tun, für die ein ganz adäquates Vergleichsmaterial im Alten Testament fehlt und deren Eigenart auch lexikalisch zum Vorschein kommt. Die kühne Phantasie des Hohenliedes hat eine unverkennbare Neigung zu Exotismen. Die verschiedenen Salben und Gewürze, wie Myrrhe und Narde, Zimt und Aloe, sind aus fernen Wunderländern herbeigebracht worden. Die häufigen fremdklingenden geographischen Namen, wie Kedar, Salma, Amana, Senir usw., geben die gleiche Vorliebe für das Exotische zu erkennen.

Auch in der altägyptischen Liebesdichtung sind die Exotismen ein hervorstechendes Merkmal. Eine starke Anregung für die dichterische Phantasie bedeutete hier die von Königin Hatschepsut veranstaltete große Handelsexpedition nach Punt, dem wunderbaren Land der Wohlgerüche und Salben. Immer wieder klingen in der erotischen Dichtung sowie in der bildenden Kunst Motive und Stoffe auf, die mit dem fernen Wunderland zusammenhängen; vgl. Hermann, Altäg. Liebesdichtung 39. 43–45. In dieser Literaturart scheinen die Fremdwörter zum Stil zu gehören.

Es ist weiter sehr fraglich, ob das Vorkommen persischer (oder griechischer) Lehnwörter als ein sicheres Indizium später Herkunft eines alttestamentlichen Schriftstücks anzusehen ist. Eine Einfuhr fremder Wörter in ziemlich früher Zeit sollte nicht im voraus geleugnet werden. Besonders zu erwägen ist die Rolle, die die Phöniker als Kulturvermittler gespielt haben. Ihre weitreichenden Handelsverbindungen und ihre Kolonisation, die sich schon in den ersten eisenzeitlichen Jahrhunderten über das ganze Mittelmeer ausdehnten, lassen vermuten, daß Israel schon in der ältesten Königszeit oder noch früher mit der Kultur sowohl der Perser wie der Griechen zusammentraf.

Ist somit eine Spätdatierung des Hohenliedes wegen sprachlicher Gründe nicht zwingend, scheinen inhaltliche und literarische Indizien sehr bestimmt auf eine frühe Ansetzung zu weisen. Die Lyrisierung der erotischen Liebe und der Frauenschönheit läßt sich, wie wir gesehen haben, mit der Spätzeit Israels schwerlich in Einklang bringen, erinnert dagegen an die alten Geschichtswerke aus der frühen Königszeit, vgl. o. S. 73f. In der Geschichte Israels ist die ältere Königszeit immer klarer als eine Epoche intensiver Aufklärung und eines allgemeinen geistigen Aufbruches hervorgetreten. Wichtig ist vor allem ein neu erwachter Sinn für das Psychologische, für das Humanum (vgl. GvRad, TheolAT I 63). Eine neue Geistigkeit kommt plötzlich zum Vorschein, ein gefühlvoller Lebensstil vergeistigter Weltlichkeit, wo der Mensch in den Mittelpunkt des Interesses gerückt wird. Es mag in der Tat schwer sein, eine Periode der Geschichte Israels zu finden, die für die Entstehung einer erotischen Dichtung hätte förderlicher sein können als die des salomonischen Humanismus.

In die gleiche Richtung weist ein anderer Tatbestand, die gerade in der frühen Königszeit besonders regen Beziehungen zu Ägypten, wo eine Liebeslyrik zu finden ist, mit der das Hohelied inhaltlich und formell sehr viel gemeinsam hat. Die Dichtung des Hohenliedes macht, wie wir gesehen haben, den Eindruck einer ziemlich isolierten literarischen Erscheinung, die im Alten Testament kein Gegenstück hat und ohne die Annahme ausländischer Vorbilder kaum begreiflich ist. Als die nächstbenachbarte alte Kulturmacht tritt dann Ägypten von selbst ins Blickfeld. Eine reich entwickelte ägyptische Liebesdichtung, besonders aus der Zeit der Königin Hatschepsut und der Amarnaepoche, ist auf uns zugekommen. AHermann hat die Amarnazeit als ein Idyll bezeichnet, das von einer gesteigerten Gefühlsentfaltung und einem kühnen Vorstoß ins Persönliche geprägt ist (Altäg. Liebesdichtung 54ff.). In der Literatur und der bildenden Kunst dieser Zeit begegnet uns eine Geistigkeit und ein Lebensstil, die an die frühisraelitische Königszeit sehr stark erinnern und die wir ohne Zweifel als eine wichtige Quelle des salomonischen Humanismus betrachten dürfen. Ganz besonders scheint der ägyptische Einfluß sich in höfischen Kreisen geltend gemacht zu haben. Man könnte daran erinnern, daß die altisraelitische Spruchweisheit ein aristokratisches Bildungsideal zeichnet, das mit der ägyptischen höfischen Beamtenethik sehr viel gemeinsam hat (vgl. GvRad, TheolAT I 427). Schon ein Blick auf die Sprache und die Vorstellungswelt des Hohenliedes macht klar, daß diese Gedichte keinesfalls als naive Volkslieder zu bewerten sind, sondern als Kunstdichtung im eigentlichen Sinn des Wortes, und nur als Leistung einer sozialen und kulturellen Oberschicht begreiflich.

§ 7. DIE GRIECHISCHE ÜBERSETZUNG DES HOHENLIEDES

Eine fast sklavische Treue gegen den hebräischen Text scheint die griechische Übersetzung durchgehend zu prägen. Die vorauszusetzende Vorlage steht allem Anschein nach dem massoretischen Text sehr nahe. An einigen wenigen Stellen hat die griechische Version geringfügige Erweiterungen, die fast immer anderwärts im Hohenlied wiederzufinden sind und wahrscheinlich schon in der Vorlage standen.

2 9   ἐπὶ τὰ ὄρη Βαιθήλ; vgl. 2 17 ἐπὶ τὰ ὄρη κοιλωμάτων.

2 10.13 περιστερά μου.

3 1   ἐκάλεσα αὐτὸν καὶ οὐχ ὑπήκουσέν μου; vgl. 5 6. 𝕲^{AC} haben die Worte auch in 3 2.

5 2   ἐπὶ τὴν θύραν.

5 8   ἐν ταῖς δυνάμεσιν καὶ ἐν ταῖς ἰσχύσεσιν τοῦ ἀγροῦ; vgl. 2 7 8 4.

6 6   ὡς σπαρτίον τὸ κόκκινον χείλη σου, καὶ ἡ λαλιά σου ὡραία; vgl. 4 3. Auch in 𝕲.

611 ἐκεῖ δώσω τοὺς μαστούς μου σοί; vgl. 713.

82 καὶ εἰς ταμεῖον τῆς συλλαβούσης με; vgl. 34. Auch in Ꚍ.

Ziemlich selten ist ein Minus im Vergleich mit 𝔐.

210 לכי־לך fehlt.

215 Das zweifache שׁועלים kommt nur einmal im Griechischen vor.

410 Die einleitenden Worte מה־יפו דדיך אחתי כלה fehlen in Codd. B und C.

413 רמונים fehlt in Ꚍ^BℵC + min.

56 חמק fehlt.

In einigen Fällen hat der Übersetzer auf eine Deutung verzichtet und gibt nur eine Transkription:

44 θαλπιωθ,   414 αλωθ,   511 φαζ,   514 θαρσεις.

In seltenen Fällen kann die griechische Version den Eindruck einer mechanischen Übertragung Wort für Wort geben, wobei der Sinn des Ganzen schwebend bleibt. Man kann z.B. in Zweifel sein, wie der Übersetzer θάμβος ὡς τεταγμέναι in 63 verstanden habe, wenn er überhaupt eine sinnvolle Deutung geben wollte. Das gleiche gilt von 612 οὐκ ἔγνω ἡ ψυχή μου. ἔθετό με ἅρματα ᾿Αμειναδάβ. Das sind aber Ausnahmen. Normalerweise liegt der beabsichtigte Sinn klar zutage, und bei den häufigen lexikalischen Schwierigkeiten des hebräischen Textes hat der Übersetzer in der Regel unmittelbar begreifliche, wenn auch nicht immer plausible Lösungen gegeben. Der Plural דדים ist vom Übersetzer nicht als ein Abstraktum verstanden („Liebe"), sondern als דַּדַּיִם gelesen und mit μαστοί übersetzt (12.4 410 713). Als Übersetzung von דַּדַּיִם ist μαστοί nur im Cant zu finden. Das Wort kommt in einigen Ezechielstellen und in Prv 519 vor. In Ez 23 3.8 ist das Wort in aramaisierender Weise als ein Relativum + דִּי verstanden worden: „was zu einer Jungfrau gehört". Daraus erklärt sich die griechische Übersetzung mit διαπαρθενεύειν. Auch in Prv 519 scheint der griechische Übersetzer aus דדיה eine Relativverbindung herausgelesen zu haben: ἡ δὲ ἰδία, „was ihr gehört". Ein aramaisierendes Verständnis anderer Art liegt wahrscheinlich der Übersetzung in Ez 23 21 zugrunde, wo ἐν τῷ καταλύματι auf ein דוריך, „deine Wohnung", zurückzugehen scheint.

Die Übersetzung μαστοί macht den erotischen Sinn derber, als er in 𝔐 ist.

In den Beschreibungen des Aussehens der beiden Liebenden kommen ungewöhnliche Wörter häufig vor. Unter den Schmucksachen des Mädchens werden 110.11 תורים genannt, offenbar eine Juwelierarbeit: „Gehänge" o.ä. Der griechische Übersetzer hat das Wort an der ersten Stelle als „Turteltaube" verstanden (ὡς τρυγόνες) und in 11 als „Bilder" (ὁμοιώματα = תָּאֳרִים). ❦ hat an beiden Stellen das gleiche Wort: *g⁽ʿ⁾dūlā*, eig. „Haarlocke", im Plural auch Bezeichnung verschiedener Schmuckgegenstände. 5 14 steht τορευταὶ χρυσαῖ, „aus getriebenem Gold", für hebr. גְּלִילֵי זָהָב; ❦ hat den Ausdruck als „eine Umrahmung aus Gold", *karkā d⁽ʿ⁾dahba* gedeutet. Für בַּאֲשִׁישׁוֹת in 2 5 hat der griechische Übersetzer ἐν μύροις vermutet; vgl. ❦, die das Wort ebensowenig erkannt hat: *pūnāk̄ē* = „deliciae".

Einige geographische Namen im Hohenlied sind dem griechischen Übersetzer nicht mehr geläufig gewesen. רֹאשׁ אֲמָנָה 4 8, wahrscheinlich = Anti-Libanon, ist in ❦ ἀρχὴ πίστεως geworden. Für den Stadtnamen תִּרְצָה in 6 4 steht εὐδοκία; ❦ *ṣebiānā* gibt die gleiche, auf einer leicht erkennbaren Etymologie beruhende Deutung. Als Zeichen einer beginnenden Allegorisierung sollte man sie nicht bewerten.

In 7 5 ist der Name eines nur hier erwähnten Tores erklärt worden: עַל־שַׁעַר בַּת־רַבִּים ‖ ἐν πύλαις θυγατρὸς πολλῶν. ❦ hat die gleiche Übersetzung: *bat sagiē*.

Eine kuriose Fehldeutung findet sich in 4 1: ὀφθαλμοί σου περιστεραὶ ἐκτὸς τῆς σιωπήσεώς σου. Desgleichen auch in 4 3 und 6 6, an der letzten Stelle ohne Gegenstück in 𝔐. Der Übersetzer hat das seltene Wort „Schleier" nicht verstanden und offenbar als ein Verb gedeutet: צמת, „zum Schweigen bringen"; vgl. Thr 3 53. Das Verb kommt sonst vor allem im hiph. vor. Es findet sich auch im Arabischen und Syrischen. Eine metaphorische Verwendung des Wortes σιώπησις (= Schleier), wie sie Liddell-Scott, Lex. vermutet, kommt also nicht in Frage. Das geht auch aus den Auslegungen der griechischen Kirchenväter hervor, die einen „Schleier" nicht nennen, vielmehr „das Schweigen" von ❦ mit Hilfe verschiedener spiritualisierender Deutungen zu bewältigen suchen. Nach Gregor von Nyssa († um 394) bezieht sich das „Schweigen" auf den inneren Menschen, der nur von Gott vollständig erkennbar ist: τοῦ γὰρ ἀγαθοῦ βίου, τὸ μέν τι πρόδηλόν ἐστιν, ὡς καὶ ἀνθρώποις γνώριμον εἶναι· τὸ δὲ κρύφιόν τε καὶ ἀπόρρητον, μόνῳ Θεῷ καθορώμενον (Migne PG 44, 920). Schon Origenes spricht von einem καιρὸς λαλιᾶς ὡραίας καὶ ἐπαινομένης σιγῆς, den der Fromme beobachten soll (Migne, PG 17, 272). Philo Carpasius (um 400) findet im Text ein äußeres und ein inneres Schweigen des Frommen angedeutet: πολλάκις γὰρ πολλοὶ τῶν εὐσεβῶν, στόματι σιωπῶντες, βοῶντες δὲ τῇ καρδίᾳ, ὑπήκοον τῷ Θεῷ ποιοῦντες τὴν εὐχήν (Migne, PG 40, 88). Theodoret († 458) findet wie Origenes in dem griechischen Ausdruck eine Lobpreisung des rechtzeitigen Schweigens, τὴν εὔκαιρον σιωπήν (Migne, PG 81, 128). Die merkwürdige Übersetzung des צמת mit „Schweigen" kommt auch in ❦ vor, und es ist zu fragen, ob die beiden Versionen hier unabhängig voneinander sein können. An den etwa 12 Stellen, wo √צמת im Alten Testament vorkommt, hat ❦ die Bedeutung „schweigen" bzw. „zum Schweigen bringen" nie herausgelesen, sondern übersetzt durchweg mit „töten", „verderben" o.ä. Dem syrischen

Übersetzer dagegen ist der Sinn „Schweigen" wohl vertraut: Thr 3 53
Hi 23 17 2 S 22 41 Ps 18 41 54 7 88 17 94 23 101 8 143 12. Es gibt also keinen
Grund anzunehmen, der syrische Übersetzer habe 𝔊 zu Hilfe genommen,
zumal der Stamm צמת im Syrischen beheimatet ist. In der Septuaginta
dagegen muß die Deutung der Hoheliedstelle überraschen, weil eine
derartige Erklärung des hebräischen צמת sonst fehlt.

Zahlreicher als die lexikalischen Irrtümer sind die Stellen, wo die
hebräische Syntax dem Übersetzer Schwierigkeiten bereitet hat. Das
emphatische ל am Anfang von 1 3 ist in 𝔊 καί geworden. Das adverbial
gebrauchte מישרים ist als Subjekt verstanden: εὐθύτης ἠγάπησέν σε (1 4). Das
chireq compaginis des לסוסתי in 1 9 ist als Possessivsuffix aufgefaßt worden:
τῇ ἵππῳ μου.

Mit der sklavischen Übersetzungsart hängt es zusammen, daß der beabsichtigte Sinn des hebräischen Textes nicht selten verlorengeht oder in
entstellter und vergröberter Gestalt erscheint. Einige Beispiele. Hebräi-
sches Perfekt drückt häufig den Zusammenfall zwischen Aussage und
Vollzug der Handlung aus und entspricht dann einem griechischen Prä-
sens. Der Übersetzer schreibt in solchen Fällen durchgehend Aorist. 1 9
דמיתיך || ὡμοίωσά σε; 2 3 חמדתי || ἐπεθύμησα; 2 7 השבעתי || ὥρκισα. Das he-
bräische Perfekt kann auch Eigenschaften (in verbal flektierten Adjektiven) sowie Gemütszustände und geistige Tätigkeiten konstatieren; vgl.
BrSynt § 41 b c. Auch dann kopiert der Übersetzer mechanisch die hebräische Ausdrucksweise und setzt Tempus der Vergangenheit.

1 3   על־כן עלמות אהבוך || διὰ τοῦτο νεάνιδες ἠγάπησάν σε.

1 7   שאהבה נפשי || ὃν ἠγάπησεν ἡ ψυχή μου (gleichfalls 3 1. 2. 3. 4).

1 10   נאוו לחייך || τί ὡραιώθησαν σιαγόνες σου.

4 10   מה־יפו || τί ἐκαλλιώθησαν.

7 2   מה־יפו || ὡραιώθησαν.

7 7   מה־יפית ומה־נעמת || τί ὡραιώθης, καὶ τί ἡδύνθης.

Die Neigung, der Vorlage auch syntaktisch sklavisch zu folgen, gibt
der griechischen Übersetzung ein hebraisierendes Gepräge, das den Sinn,
ohne Rückübersetzung ins Hebräische, bisweilen schwer verständlich
macht. 3 4 כמעט ש || ὡς μικρὸν ὅτε; 3 8 איש חרבו על־ירכו (zusammengesetzter
Nominalsatz mit איש als Subjekt und einem einfachen Nominalsatz als
Prädikat) || ἀνὴρ ῥομφαία αὐτοῦ ἐπὶ μηρὸν αὐτοῦ; 8 1 מי יתנך כאח לי || τίς δῴη
σε ἀδελφιδόν μου. Weniger ungriechisch wirken die Nachahmungen der
hebräischen st.-cstr.-Verbindungen mit indeterminiertem Regens. 4 3
כחוט השני || ὡς σπαρτίον τὸ κόκκινον (d.h. „wie ein Faden der karmesinro-
ten Sorte); 7 10 יין־הטוב || οἶνος ὁ ἀγαθός („Wein der guten Sorte").

Der hebräische Gebrauch der Präposition מן zur Angabe des quanti-
tativen Unterschiedes ist vom Übersetzer sklavisch nachgeahmt worden.
Besonders ungriechisch wirkt dabei die Präposition ἀπό (sonst nur im

Neugriechischen): 410 מה־טבו דדיך|מיין‎ || τί ἐκαλλιώθησαν μαστοί σου ἀπὸ οἴνου; 59 מה־דודך מדוד‎ || τί ἀδελφιδός σου ἀπὸ ἀδελφιδοῦ. Besser vereinbar mit altem Sprachgebrauch ist das komparativische ὑπέρ (mit Akk.): 410 ὀσμὴ ἱματίων σου ὑπὲρ πάντα τὰ ἀρώματα.

Als ein schroffer Hebraismus muß ἰδεῖν ἐν für ב ראה‎ betrachtet werden: 311 ראינה ~ ~ במלך שלמה‎ || ἴδετε ἐν τῷ βασιλεῖ Σαλωμων; 611 לראות באבי‎ הנחל‎ || ἰδεῖν ἐν γενήμασιν τοῦ χειμάρρου.

War eine sprachliche Hellenisierung dem Übersetzer fremd, so sind die Spuren einer sachlichen interpretatio graeca noch seltener. Nur an vereinzelten Stellen könnte man geneigt sein, hinter einer Formulierung griechisch-mythologische Vorstellungen zu ahnen. Wenn in 25 und 58 חולת אהבה‎ mit τετρωμένη ἀγάπης übersetzt wird, ist die mythologisch stark belastete Vokabel ἔρως freilich vermieden worden (in 𝕲 kommt sie nur zweimal vor: Prv 718 und 3016 = 𝔐 2451). Griechisch klingt dagegen der Gedanke an eine Verwundung durch die Liebe. Der mit Bogen ausgestattete Eros findet sich erstmals in Euripides, Hip. 531ff.; vgl. auch 392: ἐπεί μ'ἔρως ἔτρωσεν.

Mythologisch hintergründig und an hellenistische Kraftvorstellungen erinnernd wirkt ferner die Übersetzung der lyrisch bewegten Schwurformel in 27 58: השבעתי אתכם בצבאות או באילות השדה‎ || ὥρκισα ὑμᾶς ἐν ταῖς δυνάμεσιν καὶ ἐν ταῖς ἰσχύσεσιν τοῦ ἀγροῦ (mit leicht erkennbarer Verlesung der hebräischen Wörter); zur Sache vgl. ThW II 288ff. und MPNilsson, Geschichte der griechischen Religion (1961) 534ff. (Handbuch der Altertumswissenschaft V 2, 2).

Für eine Datierung der griechischen Hoheliedübersetzung gibt es keine festen Anhaltspunkte. PKatz hat eine Vermutung geäußert, sie habe „eher nach als vor Aquila" ihre jetzige Gestalt gewonnen (ZAW 69, 1957, 83f.). Als Gründe für eine Abhängigkeit von Aquila nennt er zwei Stellen, die seines Erachtens als Aquilazüge zu bewerten sind. Erstens 116 πρὸς κλίνη ἡμῶν σύσκιος, wo πρός (für אף‎) von Katz richtig als ein Adverb verstanden wird: „außerdem", „dazu noch". In diesem Sinn kommt πρός ohne stützende Partikeln wie τε ein paarmal bei Aquila vor, ist aber sonst nicht belegt. Den adverbiellen Gebrauch des πρός für ein Aquila-Charakteristikum zu halten, ist jedoch sehr fragwürdig. Schon bei Homer steht πρός δε adverbial, und es ist kaum einzusehen, warum man den Schritt von πρός δε zu πρός erst Aquila zutrauen sollte. Noch schwächer ist die zweite Stütze, die Katz ins Feld führt, um Aquilaeinfluß in der Hoheliedübersetzung wahrscheinlich zu machen: ἐκλεκτή für hebr. ברה‎ 610 (Katz falsch 620). Diese Übersetzung will er unter Verweisung auf eine Absonderlichkeit Aquilas erklären, nämlich „alle -br- enthaltenden Wurzeln mit der von בחר‎ (unter Ignorierung des Gutturals!) entnommenen Übersetzung ἐκλεκτός wiederzugeben". In Wirklichkeit ist בר‎ von den griechischen Übersetzern durchgehend mit ברר‎, „aussondern", in

Verbindung gebracht, und die gar nicht seltene Übersetzung ἐκλεκτός bedarf keiner weiteren Erklärung.

§ 8. DAS HOHELIED IN DER PESCHITTA

Wie die griechische Übersetzung des Hohenliedes strebt auch die syrische Version nach einer wortgetreuen Übertragung ihrer Vorlage, die offenbar dem massoretischen Text sehr nahe stand, näher sogar als die von der Septuaginta benutzte. Noch seltener als in 𝔊 kommen kleine Erweiterungen oder Ausfälle des Textes vor. Wie im griechischen Hohenlied sind die Erweiterungen fast immer Dubletten, die anderwärts im Text zu finden sind. 7 4 ist mit den beiden Schlußworten des gleichlautenden 4 5 erweitert worden: הרועים בשושנים. 8 2 hat – wie 𝔊 – über 𝔐 hinaus die Worte ואל־חדר הורתי = 3 4. Nach 6 6 folgen in 𝔊 wie in den meisten alten Versionen die Anfangsworte des parallelen 4 3: כחוט השני שפתתיך. Ohne Zweifel geht der vollere Text auf die Vorlage zurück.

Die Übereinstimmungen zwischen 𝔊 und 𝔖 gegen 𝔐 sind zahlreich. Meist handelt es sich aber nur um eine von den Massoreten abweichende gemeinsame Vokalisierung des gleichen Textes.

ודגלו. הֱבִיאַנִי‎ ‖ הֱבִיאָנִי 2 4. 2 4 ist in beiden Übersetzungen als eine Verbform, und zwar ein Imperativ, verstanden: וְדַגְלוּ. Beide haben aus dem hebräischen Wort die Bedeutung „ordnen" herausgelesen. 𝔊 hat den gleichen Sinn auch in dem part. ni. נדגלות 6 4. 10 gefunden: θάμβος ὡς τεταγμένοι, während 𝔖 diese Stellen anders versteht: 6 4 „wie eine Ausgewählte" und 6 10 „wie Zehntausende". Die beiden letztgenannten Peschittastellen scheinen unter dem Einfluß von 5 10 zu stehen, „ausgewählt aus Zehntausenden". Das seltene מדרגה in 2 14 haben die beiden Übersetzungen in sehr ähnlicher Weise verstanden: προτείχισμα und s⁽e⁾iāga, „Vormauer". 4 8 𝔐 אתי‎ ‖ 𝔊𝔖 ἀτί.

Aus dem hebräischen תשורי 4 8 haben sowohl 𝔊 wie 𝔖 offenbar die Wurzel אשר, „geradeaus gehen" herausgelesen. Statt מצורניך 4 9 scheinen beide Übersetzungen auf ein מצו(א)רך zurückzugehen. Für בשמיו 4 16 haben 𝔊 und 𝔖 suff. 1. pers. In 5 1 haben beide Übersetzungen vor שתו die Kopula: ושתו. כערוגת in 5 13 wird von beiden als Plural gelesen; vgl. 6 2, wo auch 𝔐 den Plural hat. Dem seltenen תשוקתו in 7 11 entspricht in beiden Versionen ein erleichterndes תשובתו: ἡ ἐπιστροφὴ αὐτοῦ p⁽e⁾nāiteh. טירת 8 9, 𝔊 und 𝔖 haben den Plural.

Einige kleine Erweiterungen über 𝔐 hinaus finden sich in beiden Übersetzungen. 6 6 hat ein Anhängsel = 4 3a. Vor כמחלת המחנים in 7 1 haben beide Übersetzungen eine Verbform: ἡ ἐρχομένη – d⁽e⁾nāḫ⁽e⁾ta, die einem היאצת in den Vorlagen entsprechen könnte, vielleicht wahrscheinlicher aber als eine Übersetzerfreiheit zu bewerten ist. In 8 2 haben beide Übersetzungen eine Erweiterung: ואל־חדר הורתי, vgl. 3 4.

Auffälliger sind einige andere Deutungen, die, ohne besonders naheliegend oder natürlich zu sein, in beiden Versionen erscheinen. In 4 1. 3
haben beide Versionen das hebräische צמתך („deine Schleier") mit dem
im Zusammenhang ziemlich unmöglichen „Schweigen" übersetzt; siehe
oben 79. Daß die syrische Übersetzung hier von der griechischen ab-
hängig sei, scheint unwahrscheinlich, zumal die Deutung in ᄃ geläufig
ist, in ᄃ dagegen nur hier vorkommt.

Der Stadtname תרצה ist von beiden mit Hilfe der gleichen Etymologie
übersetzt worden: εὐδοκία – ṣebiānā.

3 6 רוכל ist in der griechischen Übersetzung zu μυρεψός, „Salbenkoch",
geworden, ebenso Peschitta bassāmā.

Die Übersetzung des abstrakten Plurals דדים, „Liebe", mit „Brüste",
d.h. als דַּדַּיִם gelesen, findet sich in beiden Versionen an zwei Stellen,
4 10 und 7 13; in ᄃ außerdem in 1 2. 4 und 4 10.

Eine Abhängigkeit der Peschitta von der Septuaginta ist aus diesen
Stellen wenigstens nicht mit Sicherheit zu erschließen. Es kommt ferner
hinzu, daß die Versionen häufig verschiedene Wege gehen. Bemerkenswert ist, daß sie an vielen Stellen je in ihrer eigenen Weise von 𝔐 ab-
weichen. Ohne Anspruch auf Vollständigkeit können folgende Stellen
notiert werden.

2 5 באשישות ‖ ἐν μύροις | pūnākā (deliciae). 5 1 „der Honigwabe", יער,
entspricht in ᄃ ἄρτον, in ᄃ aber basīmūta, „Lieblichkeit". Der Ausdruck
כתם פז in 5 11 ist in den beiden Versionen verschieden aufgefaßt worden,
grammatisch und sachlich: ᄃ χρυσίον καὶ φάζ, ᄃ kēfā dᵉdahbā, „ein Stein
aus Gold". Für רקה, „Schläfe", hat ᄃ μῆλον, das gewöhnlich „Apfel"
bedeutet (hier wortspielartig mit λέπυρον ῥόας zusammengestellt), das aber
in den Papyri ziemlich häufig und sonst vereinzelt für „Wange" steht; ᄃ
hat hier qᵉḏālā, „Hals".

Gegen eine Abhängigkeit der syrischen Übersetzung von der griechischen sprechen gleichfalls die Stellen, wo 𝔐 und ᄃ gegen ᄃ zusammengehen. 2 9 חרכים, „Gitterfenster", = ᄃ δίκτυα, ᄃ dagegen ṣaiārṭā, „Tür-
angel". 4 11 כלה, „Braut", = ᄃ νύμφη, ᄃ aber kul, „alles". 5 11 תלתלים,
„Dattelrispen", = ᄃ ἐλάται, ᄃ mᵉfaštān, „ausgebreitet". In וכלו מחמדים
(5 16) hat ᄃ כלו richtig als „ganz" verstanden, während ᄃ seltsamerweise
darin eine Form von כְּלִי „Gefäß" sieht: mānau.

§ 9. THEOLOGISCHE BEDEUTUNG DES HOHENLIEDES

Wie ernsthaft man sich um eine theologische Legitimierung des Hohenliedes bemüht hat, beweist vor allem die allegorische Auslegung. Mit
ihrer Hilfe sucht man eine gewünschte Bezogenheit auf Jahwe oder Christus und die Heilsgeschichte zu entdecken. Aber auch hinter der kultmythologischen Deutung steckt ein Versuch, den Liedern einen religiö-

sen Hintergrund zu sichern, in diesem Fall allerdings keinen heilsgeschichtlichen, sondern einen fremdkultisch-mythologischen. In einer alle
Konturen verwischenden Weise spricht die kultmythologische Auslegung
gern vom Leben der Natur als Wirken göttlicher Kräfte und göttlicher
Liebe. Bisweilen scheint man sogar zu glauben, der behauptete religiös-
mythologische Ursprung sei für die Aufnahme des Hohenliedes in den
Kanon förderlich gewesen.

Wie aber stellt sich das theologische Problem, wenn man das Hohelied als profane Liebesdichtung betrachtet? Ist es dann überhaupt möglich, von einer theologischen Relevanz des Hohenliedes zu sprechen?
Die Profandeutung hat sich im allgemeinen damit begnügt, wenigstens
einen unmoralischen Sinn fernzuhalten: es handle sich nicht um Liebeslieder schlechthin, sondern um Gedichte auf die eheliche Liebe. Bisweilen
hat man darüber hinaus gemeint, das Hohelied habe die Erotik schlechthin als ein großes Geschenk des Schöpfers verstanden.

Dieser wohlmeinenden Auslegung fehlt jede Stütze in den Liedern
selbst. Eine religiöse Atmosphäre, in die die Liebesereignisse hineinversetzt wären, wird mit keinem Wort angedeutet oder nahegelegt. Im
Gegenteil, das ist gerade das Erstaunliche, daß die Figuren des Hohenliedes sich in einer völlig entsakralisierten und entmythisierten Profanität
bewegen und daß die Vorgänge durch und durch vom menschlich Einmaligen geprägt sind. Diese Tatsache muß eine theologische Bewertung
ernst nehmen, statt auf verschiedenen Umwegen an ihr vorbeizugehen.
In diesem rein Negativen, in dem Fehlen jeder Vergöttlichung des Sexuellen ist theologisch Relevantes von höchster Bedeutung enthalten. Klarer
und einfacher ist der Widerstand gegen die mythisch gesättigte Atmosphäre, in der Israel unter den Völkern lebte, nicht zum Ausdruck gebracht worden. Daß ein ganzer Lebensbereich, der von den Nachbar-
religionen als ein sakrales Mysterium und ein gottheitliches Geschehen
betrachtet wurde, hier in einer völlig entmythisierten Gestalt erscheint,
ist eine theologische Leistung von höchster Bedeutung. Die Liebesgedichte des Hohenliedes haben zur Voraussetzung ein sicheres Gefühl von
der Unvereinbarkeit des Jahweglaubens mit einer Divinierung des Sexuellen. Jahwe stand „jenseits der Polarität des Geschlechtlichen"
(GvRad, TheolAT I 36). Wollte man in Israel von der sexuellen Liebe
sprechen, dann nur in einer Atmosphäre vergeistigter Profanität, wie wir
sie im Hohenlied finden.

Die entsakralisierte und entmythisierte Auffassung der erotischen
Liebe erinnert sehr an die alttestamentlichen Vorstellungen vom Tod.
Der Jahweglaube hat zu dem Phänomen des Todes an sich nur sehr wenig
zu sagen. Israel hat darauf verzichtet, „des Todes ideologisch oder my-
thologisch Herr zu werden" (GvRad a.a.O. 388). Es ist eine vielsagende
Tatsache, daß in Israel jeder Versuch fehlt, die Sexualität und den Tod,

die großen Urkräfte der Natur, durch eine objektivierende Verselb-
ständigung mythologisch darzustellen.

§ 10. LITERATUR

1. Auslegungen und Kommentare (für die Zeit bis um 1200 werden
nur die oben in § 1 erwähnten Autoren berücksichtigt; für eine vollständi-
gere Bibliographie der älteren Zeit sei auf FOhly, Hoheliedstudien, 1958, verwiesen):
[Hippolytus] Kommentar zum Hohenlied, hrsg. von GNBonwetsch: Texte
und Untersuchungen 23 [NF 8] (1902). – [Origenes] Origenis Homiliae in
Canticum canticorum, hrsg. WABaehrens: GCS, Origenes VIII (1925). –
ORousseau, Origène, Homélies sur le Cantique des Cantiques (1954). – The
Song of Songs. Commentary and Homilies. Translated and annotated by
RPLawson (1957). – [Gregor von Elvira] Tractatus de Epithalamio seu Explanatio beati Gregorii Eliberritani in Cantica canticorum: Migne PL, Suppl.
I (1958) 473–514. – [Aponius] In Canticum canticorum explanatio: Migne PL,
Suppl. I (1958) 800–1031. – [Gregor der Große] Super Cantica canticorum
expositio: Migne PL 79, 471–548. – [Beda Venerabilis] In Cantica canticorum
allegorica expositio: Migne PL 91, 1065–1236. – [Bruno von Segni] S. Bru-
nonis Astensis episcopi Signiensis Expositio in Cantica canticorum: Migne PL
164, 1233–1288. – [Rupert von Deutz] In Cantica canticorum de incarnatione
Domini commentarii: Migne PL 168, 837–962. – [Bernhard von Clairvaux]
Sermones in Cantica canticorum: Migne PL 183, 785–1198. – [Wilhelm von
St. Thierry] Expositio super Cantica canticorum: Migne PL 180, 473–546. –
[Gilbert von Hoyland] Sermones in Canticum Salomonis: Migne PL 184,
11–252. – [Thomas Cisterciensis] In Cantica canticorum commentarii: Migne
PL 206, 21–862. – [Alanus ab Insulis] In Cantica canticorum ad laudem Dei-
parae Virginis Mariae elucidatio: Migne PL 210, 51–110. – [Philipp von Har-
vengt] Commentaria in Cantica canticorum: Migne PL 203, 181–490. –
[Honorius Augustodunensis] Expositio in Cantica canticorum: Migne PL 172,
347–496; [Ders.] Sigillum Beatae Mariae ubi exponuntur Cantica canticorum:
Migne PL 172, 495–518.
FLambert, In Cantica canticorum Salomonis – – – commentarii Witten-
bergae praelecti (1524). – JDove, The Conversion of Solomon. A Direction to
Holinesse of Life, handled by way of commentary upon the Whole Booke of
Canticles (1613). – GSanctius, In Canticum canticorum commentarii. Cum
expositione Ps. LXVII quem in Canticis respexisse videtur Salomon (1616). –
MGhislieri [Pius V.], Commentarii Michaelis Ghislerii in Canticum canticorum Salomonis iuxta lectiones vulgatam, hebraeam et graecas (1617). –
GLHeiland, Historische überauströstliche Erklärung des Hohenliedts Salomonis (1624). – JCoccejus, Cogitationes de Cantico Canticorum Salomonis
(1665); auch in Opera omnia theologica, exegetica, didactica, polemica II
(²1701). – JDurham, Clavis Cantici (1669). – ASennert, שיר השירים. Canticum
canticorum Salomonis, notis illustratum breviculis (1671). – PLyserus, Dispo-
sitiones und gründliche Erklärungen des Hohen Liedes Salomonis, aus dem
Grundtexte und Schriften der Kirchenväter bewähret (1691). – CaLapide,
Commentarius in Ecclesiasten, Canticum canticorum et Librum Sapientiae
(1725). – JFJacobi, Das durch eine leichte und ungekünstelte Erklärung von

seinen Vorwürfen gerettete Hohelied (1771). – IWFHezel, Neue Übersetzung und Erklärung des Hohenliedes (1777). –THarmer, Materialen zu einer neuen Erklärung des Hohenliedes, vom Verfasser der Beobachtungen über den Orient. Aus dem Englischen von JEFaber (1778). – JGvon Herder, Lieder der Liebe, die ältesten und schönsten aus dem Morgenlande (zuerst 1778). – KFUmbreit, Lied der Liebe, das älteste und schönste aus dem Morgenland (1820). – Ders., Erinnerung an das Hohelied (1839). – HEwald, Das Hohelied Salomos übersetzt mit Einleitung, Anmerkungen und einem Anhang (1826). – Ders., Die Dichter des Alten Bundes II (^{2}1867). – JCCDöpke, Philologisch-critischer Commentar zum Hohenliede Salomos (1829). – ABernstein, Das Lied der Lieder, oder das Hohe Lied Salomos (1834). – EIMagnus, Kritische Bearbeitung und Erklärung des Hohen Liedes Salomos (1842). – FDelitzsch, Das Hohelied untersucht und ausgelegt (1851). – HAHahn, Das Hohelied von Salomo übersetzt und erklärt (1852). – EWHengstenberg, Das Hohelied Salomonis ausgelegt (1853). – FHitzig, Das Hohe Lied: Kurzgef. exeg. Handbuch zum Alten Testament 16 (1855). – CDGinsburg, The Song of Songs with a Commentary, Historical and Critical (1857). – JGVaihinger, Der Prediger und das Hohe Lied (1858). – FWeißbach, Das Hohe Lied Salomos erklärt, übersetzt und in seiner kunstreichen poetischen Form dargestellt (1858). – ERenan, Le Cantique des Cantiques (^{5}1884). – JWordsworth, The Books of Proverbs, Ecclesiastes, and Song of Solomon, with Notes and Introductions (1868). – OZöckler, Das Hohelied und der Prediger: Langes Bibelwerk (1868). – HGraetz, Schir ha-Schirim (1871). – FDelitzsch, Biblischer Commentar über die poetischen Bücher des Alten Testaments IV: Hoheslied und Koheleth (1875). – EReuß, Le Cantique des Cantiques (1879). – TGeßner, Das Hohe Lied Salomonis erklärt und übersetzt (1881). – JGStickel, Das Hohe Lied in seiner Einheit und dramatischen Gliederung (1888). – SOettli, Das Hohelied und die Klagelieder: Kurzgefaßter Kommentar zu den Heiligen Schriften des Alten Testaments ed. HStrack und OZöckler VIII (1889) 153–198. – WEAdeney, The Song of Solomon and the Lamentations of Jeremiah: Expositor's Bible (1895). – EReuß, Das Alte Testament übersetzt, eingeleitet und erläutert (^{2}1895). – KBudde, Das Hohelied erklärt: Kurzer Hand-Commentar zum Alten Testament hrsg. von KMarti XVII (1898) IX–XXIV, 1–48. – Ders., Das Hohelied: HSAT II (^{4}1923). – SMinocchi, Il Cantico dei Cantici di Salomone (1898). – Ders., Le Perle della Bibbia. Il Cantico dei Cantici e l'Ecclesiaste (1924). – KSiegfried, Das Hohelied: HK I 4, 1 (1898). – AHarper, Song of Solomon: Camb. B. (1902). – PHaupt, Biblische Liebeslieder (1907). – JHontheim, Das Hohe Lied übersetzt und erklärt: BiblStudien [Freiburg] XIII 4 (1908). – GCMartin, Proverbs, Ecclesiastes and Song of Songs: The Century Bible (1908). – PJoüon, Le Cantique des Cantiques (^{2}1909). – LCicognani, Il Cantico dei Cantici (1911). – RBreuer, Die fünf Megilloth I (1912). – Ders., Lied der Lieder (1923). – RMunz, Die Allegorie des Hohen Liedes (1912). – MEhrlich, Das Hohe Lied (1912). – OFrGensichen, Das Hohelied (1912). – WWCannon, The Song of Songs edited as a Dramatic Poem (1913). – RDussaud, Le Cantique des Cantiques (1919). – SMowinckel, Sangenes Sang (1919). – WStaerk, Das Hohelied: Die Schriften des Alten Testaments in Auswahl übersetzt und erklärt von HGunkel u.a. III 1 (^{2}1920). – EDimmler, Das Hohelied Salomos (1921). – MJastrow, The Song of Songs (1921). – MThilo, Das Hohelied neu übersetzt und ästhetisch-sittlich beurteilt (1921). – The Song of Songs. A Symposium by Margolis, Montgomery, Hyde, Edgerton, Meek, Schoff (1924). – SLChristian, The Song of Mystery. A Devotional Study of the Canticle of Canticles (1926). – GKuhn, Erklärung des Hohen Liedes (1926). – AMiller, Das Hohe Lied: HS VI 3 (1927). – FToussaint, Le Cantique des Cantiques (²1927). – WWittekindt, Das Hohe Lied und seine Beziehungen zum Ištarkult (1927). – SAnema, Het Hooglied. Proeve eener nieuwe verklaring (1928). – WMForrest, King or Shepherd? The Song of Solomon newly Rendered and for the First Time Given as a Complete Drama (1928). – GRicciotti, Il Cantico dei Cantici (1928). – JCarlebach, Das Hohelied übertragen und gedeutet (1931). – AKaminka, in חמש מגלות, hrsg. von AKahana (1930) 3–69 (hebräisch). – CGebhardt, Das Lied der Lieder übertragen mit Einführung und Kommentar (1931). – BGemser, Spreuken II, Prediker en Hooglied van Salomo: Tekst en Uitleg hrsg. von FMThBoehl und AvanVeldhuizen (1931) 143–201. – EJunès, Le Cantique des Cantiques de Salomon (1932). – FRuffenach, Canticum canticorum exegetice enarratum (²1932). – EKalt, Das Hohelied (1933). – GPouget et JGuitton, Le Cantique des Cantiques (1934); engl. Übers. von JLLilly (1948). – GSChamberlain, The Song of Songs (1935). – AHazan, Le Cantique des Cantiques enfin expliqué (1936). – WOEOesterley, The Song of Songs (1936). – LGolding, The Song of Songs. Newly Interpreted and Rendered as a Masque (1938). – DdesPlanches, Il Cantico dei Cantici (1939). – MHaller, Das Hohe Lied: HAT I 18 (1940) 21–46. – FWutz, Das Hohelied: Eichstätter Studien 4 (1940). – JBValvekens, Het Hooglied (1942). – DBuzy, Le Cantique des Cantiques: La Sainte Bible VI (1943). – NHTorczyner, Šir hašširim (1943) (hebräisch). – TTyciak, Die Weisheitsbücher des Alten Testaments (1948). – LWaterman, The Song of Songs Translated and Interpreted as a Dramatic Poem (1948). – JFischer, Das Hohelied: Echter-Bibel X (1949). – GGeslin, Cantique des Cantiques. Trad. avec commentaire littéraire, moral et théologique (1949–1950). – ARobert, Le Cantique des Cantiques: La sainte Bible 18 (1951). – GCAalders, Het Hooglied (1952). – PdeAmbroggi, Cantico dei Cantici – dramma del amore sacro (1952). – ABea, Canticum canticorum (1953). – AChouraqui, Le Cantique des Cantiques (1953). – RGordis, The Song of Songs: Texts and Studies of the Jewish Theological Seminary of America XX (1954). – Ders., The Song of Songs (1956). – HRinggren, Das Hohe Lied: ATD XVI 2 (1958) 1–37. – GAFKnight, Esther. Song of Songs. Lamentations. Introduction and Commentary: The Torch Bible Commentaries (1955). – TJMeek and HTKerr, The Song of Songs: The Interpreter's Bible V (1956) 89–148. – MHalter, שיר השירים (1959; hebr.). – WRudolph, Das Buch Ruth. Das Hohe Lied. Die Klagelieder: Kommentar zum Alten Testament XVII 1–3 (1962) 73–186. – MAvdOudenrijn, Het Hooglied uit de grondtekst vertaald en uitgelegd (1962).

2. Zur Geschichte der Auslegung: JMeursius, Eusebii, Polychronii, Pselli in Canticum canticorum expositiones graecae (1617). – JFBreithaupt, R. Salomonis Jarchi commentarius hebraicus in librr. Josuae – – – et Canticum canticorum latine versus (1714). – ECunitz, Histoire critique de l'interprétation du Cantique des Cantiques (1834). – FUhlemann, De varia Cantici Canticorum interpretandi ratione (1839). – SSalfeld, Das Hohelied Salomos bei den jüdischen Erklärern des Mittelalters: Magazin für die Wissenschaft des Judentums V (1878) 110–178; VI (1879) 20–48. 129–209. – CBruston, Les principaux systèmes de l'interprétation du Cantique: Revue de théologie et des questions religieuses (1829) 3–27. 138–152. – WRiedel, Die älteste Auffassung des Hohenliedes (1898). – Ders., Die Auslegung des Hohen Liedes in der jüdischen Gemeinde und der griechischen Kirche (1898). – SEuringer, Die Auffassung des Hohenliedes bei den Abessiniern (1900). – Ders., Des Îšôdâd von Marku

Kommentar zum Hohenlied: Oriens Christianus, Dritte Serie, VII (1932) 49–74. – GDiettrich, Îsôdâdh's Stellung in der Auslegungsgeschichte des Alten Testaments: ZAWBeih VI (1902), bes. XVII–XIX. – VErmoni, Cantique des Cantiques: Vacant-Mangenots Dictionnaire de théologie catholique II 2 (1910) 1675–1680. – ThWitzel, Verschiedene Auffassungen des Hohenliedes: Lit. Handweiser 48 (1910) 449–456. 541–546. – MGoebel, Die Bearbeitungen des Hohen Liedes im 17. Jahrhundert nebst einem Überblick über die Beschäftigung mit dem Hohen Lied in früheren Jahrhunderten: Diss. Halle 1914. – JAMontgomery, The Song of Songs in Early and Mediaeval Christian Use: The Song of Songs. A Symposium ed. by WHSchoff (1924) 18–30. – KBurdach, Vorspiel. Gesammelte Schriften zur Geschichte des deutschen Geistes I 1 (1925) 59–76. 95–99. – ETobac, Une page d'histoire de l'exégèse: Revue d'histoire ecclésiastique XXVI (1925) 510–524. – PVulliaud, Le Cantique des Cantiques d'après la tradition juive (1925). – AVaccari, Il Cantico dei Cantici nelle recenti publicazioni: Bibl 9 (1928) 443–457. – ABeel, Interpretatio naturalistica: Collationes Brugenses XXXII (1932) 120–126; Interpretatio typica: ibd. 193–199; Interpretatio allegorica: ibd. 227–234. – JBonsirven, Exégèse allégorique chez les rabbins Tannaïtes: Recherches de science religieuse XXIV (1934) 35–46. – KHabersaat, Das Hohelied bei den Kirchenvätern und anderen christlichen Erklärern vom 2.–13. Jahrhundert (1934). – CACoates, Ein Überblick über das Lied der Lieder (1937). – CKuhl, Das Hohelied und seine Deutung: ThR NF 9 (1937) 137–167. – HHRowley, The Song of Songs. An Examination of Recent Theory: Journal of the Royal Asiatic Society (1938) 251–276. – Ders., The Interpretation of the Song of Songs: The Servant of the Lord and Other Essays on the Old Testament (1952) 187–234. – PPParente, The Canticle of Canticles in Mystical Theology: CBQ VI (1944) 142–158. – CSpicq, Esquisse d'une histoire de l'exégèse latine au moyen age (1944). – ARobert, Le genre littéraire du Cantique des Cantiques: Vivre et penser 3 (1945) 192–213. – ADrubbel, Het Hooglied in de Katholieke schriftverklaring van de laatste jaren. Bijdragen der Philosophische en Theologische Faculteiten der Noord- en Zuid-Nederlandse Jezuiten (1947) 113–150. – LWelsersheimb, Das Kirchenbild der griechischen Väterkommentare zum Hohen Lied: Zeitschrift für katholische Theologie 70 (1948) 393–449. – HBarré, Marie et l'Église du Vénérable Bède à Saint Albert le Grand: Marie et l'Église I (1951) [Bulletin de la Société Française d'Études Mariales IX] 59–125. – PSimon, Sponsa Cantici. Die Deutung der Braut des Hohenliedes in der vornizänischen griechischen Theologie und in der lateinischen Theologie des 3. und 4. Jahrhunderts: Diss. (Masch.) Bonn (1951). – BSmalley, The Study of the Bible in the Middle Ages (²1952). – ARivera, Sentido mariologico del Cantar de los cantares: Ephemerides Mariologicae I (1951) 437–468; II (1952) 25–42. – JBeumer, Die marianische Deutung des Hohen Liedes in der Frühscholastik: Zeitschrift für katholische Theologie 76 (1954) 411–439. – REMurphy, The Canticle of Canticles and the Virgin Mary: Carmelus I (1954) 18–28. – Ders., Recent Literature on the Canticle of Canticles: CBQ 16 (1954) 1–11. – AMlaBonnadière, Le Cantique dans l'oeuvre de Saint Augustin: Revue des Études Augustiniennes I (1955) 225–237. – HRiedlinger, Die Makellosigkeit der Kirche in den lateinischen Hoheliedkommentaren des Mittelalters: Beitrage zur Gesch. der Philosophie und Theologie des Mittelalters 38, 3 (1958.) – DLerch, Zur Geschichte der Auslegung des Hohenliedes: ZThK 54 (1957) 257–277. – FOhly, Hoheliedstudien. Grundzüge einer Geschichte der Hoheliedauslegung bis um 1200 (1958). – EEUrbach, Rabbinic Exegesis and Origenes' Commentaries on the Song of Songs and Jewish-Christian Polemics: Tarbiz 30 (1960–61) 148–170. – AFeuillet, La formule d'appartenance mutuelle (II 16) et les interprétations divergentes du Cantique des Cantiques: RB 68 (1961) 5–38.

3. Zum Text: LCappelli, Commentarii et notae criticae in Vetus Testamentum. Procuravit JCappellus (1689) 476–482. – WWhiston, A Supplement to Mr. Whiston's late Essay, Towards Restoring the True Text of the Old Testament, Proving that the Canticles is not a Sacred Book of the Old Testament (1723). – CFHoubigant, Notae criticae in universos Veteris Testamenti Libros II (1777) 147–154. – Anonymus (WFHufnagel) in: Eichhorns Repertorium für biblische und morgenländische Literatur VII (1780) 199–225; VIII (1781) 269–285; X (1782) 241–278; XI (1782) 112–168. – FBöttcher, Exegetisch-kritische Ährenlese zum Alten Testament III (1865) 76–200. – SChodowski, Observationes criticae in Midrasch Schir Haschirim: Diss. Halle (1877). – SEuringer, Die Bedeutung der Peschitto für die Textkritik des Hohen Liedes: Bibl. Studien, Freiburg i. Br. (1901) 115–128. – Ders., ,,Schöpferische Exegese" im äthiopischen Hohen Liede: Bibl 17 (1936) 327–344. 479–500; 20 (1939) 27–37. – JMSalkind, Die Peschitta zu Schir-Haschirim textkritisch und in ihrem Verhältnis zu MT und LXX untersucht: Diss. Bern (1905). – VZapletal, Das Hohelied kritisch und metrisch untersucht (1907). – AWilmart, L'ancienne version latine du Cantique I–III 4: Revue Bénédictine (1911) 11–36. – ABEhrlich, Randglossen zur hebräischen Bibel VII (1914) 1–18. – FJetzinger, Sprachliche Bemerkungen zum Hohen Lied: Theol.-Praktische Quartalschrift (1915) 303–314. – RHMelamed, The Targum of Canticles acc. to Six Jemen MSS compared with the Textus Receptus (ed. Lagarde): JQR (1919/20) 377–410; (1920/21) 1–20; (1921/22) 57–117. – JBloch, A Critical Examination of the Text of the Syriac Version of the Song of Songs: AJSL (1921–22) 103–109. – DdeBruyne, Les anciennes versions latines du Cantique des Cantiques: Revue Bénédictine XXXVIII (1926) 91–122. – CvandenEynde, La version syriaque du commentaire de Grégoire de Nysse sur le Cantique des Cantiques: Bibl. Muséon 10 (1939). – GRDriver, Hebrew Notes on ,,Song of Songs" and ,,Lamentations": Bertholet-Festschrift (1950) 134–146. – HCCleave, The Ethiopic Version of the Song of Songs (1951). – MAvanden Oudenrijn, Scholia in locos quosdam Cantici canticorum: Bibl 35 (1954) 268–270. – AVaccari, Latini Cantici canticorum versio a S. Hieronymo ad Graecam Hexaplarem emendata: Bibl 36 (1955) 258–260. – VHamp, Zur Textkritik am Hohenlied: BZ (1957) 197–214. – MHGoshen-Gottstein, Philologische Miszellen zu den Qumrantexten. Die Schönheit Saras (1 Q Genesis Midrasch) und der *wasf* im Hohenliede: Revue de Qumran 2 (1959–60) 46–48. – ARHulst, Old Testament Translation Problems (1960) 134–140.

4. Zur Kanonwerdung: KBudde, Der Kanon des Alten Testaments (1900). – SZeitlin, An Historical Study of the Canonization of the Hebrew Scriptures (1933). – WStaerk, Warum steht das Hohe Lied im Kanon?: ThBl (1937) 289–291. – WRudolph, Das Hohe Lied im Kanon: ZAW NF 18 (1942/43) 189–199. – ABentzen, Remarks on the Canonization of the Song of Solomon: Studia Orientalia Ioanni Pedersen (1953) 41–47. – AJepsen, Zur Kanongeschichte des Alten Testaments: ZAW 71 (1959) 114–136.

5. Zur altägyptischen Liebeslyrik: WMMüller, Die Liebespoesie der alten Ägypter (1899). – AErman, Die Literatur der Ägypter (1923). – ÉSuys, Les chants d'amour du Papyrus Chester Beatty I: Bibl 13 (1932) 209–227. – FDornseiff, Ägyptische Liebeslieder, Hoheslied, Sappho, Theokrit: ZDMG 90 (1936) 589–601 = Kleine Schriften I (1956) 189–202. – PGilbert,

Le grand poème d'amour du Papyrus Chester Beatty I: Chronique d'Egypte (1942) 185–198. – ARosenwasser, La poesia amatoria en el antiguo Egipto (1945). – SSchott, Altägyptische Liebeslieder, eingeleitet und übertragen (1950). – FRSchröder, Sakrale Grundlagen der altägyptischen Lyrik: Deutsche Vierteljahrschrift für Literaturwissenschaft und Geistesgeschichte (1951) 273–293. – AHermann, Beiträge zur Erklärung der ägyptischen Liebesdichtung: Ägyptologische Studien hrsg. von OFirchow [Deutsche Ak. der Wiss. Berlin, Inst. für Orientforschung. Veröffentl. 29] (1955) 118–139. – Ders., Altägyptische Liebesdichtung (1959).

6. Sonstige Einzelprobleme: EFCRosenmüller, Scholia in Vetus Testamentum IX 2 (1830). – EWLane, An Account of the Manners and Customs of the Modern Egyptians (1836). – JGWetzstein, Die syrische Dreschtafel: Zeitschrift für Ethnologie V (1873) 270–302. – Ders., Bemerkungen zum Hohenliede: Delitzsch, Biblischer Commentar IV 5 (1875) 162–177. – JWLethbridge, The Idyls of Solomon: The Hebrew Marriage Week (1878). – KBudde, Was ist das Hohelied?: Pr Jahrb 78 (1894) 92–117. – Ders., Neuestes zum Hohenliede: Christliche Welt 45 (1931) 957–960. – EKlostermann, Eine alte Rollenverteilung zum Hohenlied: ZAW 19 (1899) 158–162. – GDalman, Palästinischer Diwan (1901). – JHalévy, Les chants nuptiaux des Cantiques: Revue sémitique 9 (1901) 97–116. 193–219. 289–296. – GJacob, Das Hohelied auf Grund arabischer und anderer Parallelen untersucht (1902). – GWillisch, Chaldäisches Lied (1903). – PHaupt, The Book of Canticles: AJSL 18 (1902) 193–245; 19 (1903) 1–32. – Ders., Die Form der biblischen Liebeslieder: Verhandlungen des XIII. Intern. Orient. Kongr. Hamburg, Sept. 1902 (1904) 221–227. – Ders., Biblische Liebeslieder. Das sog. Hohelied Salomos (1907). – FScerbo, Note critiche sopra il Cantico dei Cantici: Giornale della Società Asiatica Italiana 17 (1904) 65–111. – WErbt, Die Hebräer (1906) 196–202. – EFelke, Das Hohe Lied Salomonis und der 27. Psalm (1908). – GMusil, Arabia Petraea III (1908). – AOppel, Das Hohelied Salomonis und die deutsche religiöse Liebeslyrik: Diss. Freiburg i. Br. (1911). – ChSigwalt, Das Lied der Lieder in seiner ursprünglichen Textordnung: Bibl. Zeitschrift [Freiburg] 9 (1911). – ONeuschotz de Jassy, Le Cantique des Cantiques et le mythe d'Osiris-Hotep (1914). – LWaterman, דודי in the Song of Songs: AJSL 35 (1918) 101–110. – Ders., The Rôle of Solomon in the Song of Songs: JBL 44 (1925) 171–187. – RDussaud, Le Cantique des Cantiques. Essai de réconstitution des sources du poème attribué à Salomon (1919). – PRießler, Zum Hohen Lied: Theol Quart (1919) 5–37. – MJastrow, The Song of Songs, being a Collection of Love Lyrics of Ancient Palestine (1921). – SHStephan, Modern Palestinian Parallels to the Song of Songs: JPOS 2 (1922) 199–278. – PSzczygiel, Zum Aufbau und Gedankengang des Hohen Liedes: Theologie und Glaube (1922) 35–47. – TJMeek, Canticles and the Tammuz Cult: AJSL 39 (1922) 1–14. – Ders., Babylonian Parallels to the Song of Songs: JBL 43 (1924) 245–252. – UCassuto, Il significato originario del Cantico dei Cantici: Giornale della Società Asiatica Italiana. Nuova Serie 1 (1925) 23–52. – WWittekindt, Das Hohe Lied und seine Beziehungen zum Ištarkult (1925). – NSchmidt, Is Canticles an Adonis Liturgy: JAOS 46 (1926) 154–164. – FDijkema, Het Hooglied: Nieuw Theologisch Tijdschrift (1927) 223–245. – HJohannsen, Die palästinisch-arabische Dichtkunst und die weltliche hebräische Poesie: Festgabe für Adolf Schlatter (1927) 53–72. – FXKugler, Vom Hohen Liede und seiner kriegerischen Braut: Scholastik 2 (1927) 38–52. – CGebhardt, Das Lied der Lieder. Der Morgen (1930) 447–457. – HGranqvist, Marriage Conditions

in a Palestinian Village I (1931); II (1935). – EJGoodspeed, The Sulammite: AJSL 50 (1933) 102–104. – NHSnaith, The Song of Songs. The Dances of the Virgins: AJSL 50 (1934) 129–142. – SKrauss, Die „Landschaft" im biblischen Hohenliede: MGWJ 78 (1934) 81–97. – Ders., Die Rechtslage im biblischen Hohenliede: MGWJ 80 (1936) 330–339. – Ders., The Archaeological Background of some Passages in the Song of Songs: JQR 32 (1941–42) 115–137; 33 (1942–43) 17–27; 35 (1944–45) 59–78. – FHorst, Die Formen des althebräischen Liebesliedes: Orientalistische Studien zum 60. Geburtstag von Enno Littmann (1935) 43–54. – Ders., Die Kennzeichen der hebräischen Poesie: ThR NF 21 (1953) 97–121. – FOgara, Novi in 'Canticum' commentarii recensio et brevis de sensu litterali et typico disceptatio: Gregorianum 17 (1936) 132–142. – GRichter, Zur Entstehungsgeschichte der altarabischen Qaside: ZDMG 92 (1938) 552–569. – GGeslin, L'amour selon la nature et dans le monde de la grâce. Le Cantique des Cantiques (1939). – DBuzy, Un chef-d'oeuvre de poésie pure. Le Cantique des Cantiques: Mémorial Lagrange (1940) 147–162. – Ders., La composition littéraire du Cantique des Cantiques: RB 49 (1940) 169–194. – Ders., L'allégorie matrimoniale de Jahvé et d'Israël et le Cantique des Cantiques: Vivre et Penser 3 (1945) 77–90. – Ders., Le Cantique des Cantiques. Exégèse allégorique ou parabolique?: RScR 39 (1951) 99–114. – IZolli, In margine al Cantico dei Cantici: Bibl 21 (1940) 273–282. – Ders., Visionen der Liebe im Hohenliede: WZKM 51 (1948) 34–37. – ARobert, Le genre littéraire du Cantique des Cantiques: RB 52 (1943–44) 192–213. – RGordis, A Wedding Song for Solomon: JBL 63 (1944) 263–270. – ThHRobinson, The Poetry of the Old Testament (1947) 192–294. – PdeAmbroggi, Il Cantico dei Cantici. Struttura e genere letterario: La Scuola Cattolica (1948) 113–130. – SAnema, Het Hooglied. Metrische bewerking met nieuwe verklaring (1950). – DCatarivas, Une nouvelle interprétation du Cantique des Cantiques (1950). – ThHGaster, Thespis. Ritual, Myth and Drama in the Ancient Near East (1950). – VGaiani, De argumento Cantici canticorum ceteris in libris Veteris Testamenti illustrato. Disquisitio biblico-theologica: Diss. Rom (1951). – AFeuillet, Le Cantique des Cantiques et la tradition biblique: Nouvelle Revue Théologique (1952) 706–733. – Ders., Le Cantique des Cantiques. Étude de théologie biblique et réflexions sur une méthode d'exégèse (1953). – SLinder, Palästinische Volksgesänge. Aufgezeichnet und gesammelt. Aus dem Nachlaß hrsg. und mit Anmerkungen versehen von HRinggren. 1. Mit einem Beitrag vom Herausgeber: Die Volksdichtung und das Hohe Lied: UUÅ 1952, 5 (1952). – HSchmökel, Zur kultischen Deutung des Hohenliedes: ZAW 64 (1952) 148–155. – Ders., Heilige Hochzeit und Hoheslied: Abhandlungen für die Kunde des Morgenlandes. Im Auftrag der Deutschen Morgenländ. Ges. hrsg. von HRRoemer XXXII 1 (1956). – MAvandenOudenrijn, Vom Sinne des Hohen Liedes: Divus Thomas 31 (1953) 257–280. – TPiatti, Il Cantico dei Cantici alla luce del libro Geremia. Un enigma biblico svelato?: Divus Thomas 56 (1953) 18–38. 179–210. – HRinggren, Hohes Lied und hieros gamos: ZAW 65 (1953) 300–302. – FLandsberger, Poetic Units within the Song of Songs: JBL 73 (1954) 203–216. – AMDubarle, L'amour humain dans le Cantique des Cantiques: RB 61 (1954) 67–86. – Ders., Le Cantique des Cantiques: RScPhTh 38 (1954) 92–102. – JPAudet, Le sens du Cantique des Cantiques: RB 62 (1955) 197–221. – Ders., Love and Marriage in the Old Testament: Scripture 10 (1958) 65–83. – ABruno, Das Hohe Lied. Das Buch Hiob. Eine rhythmische und textkritische Untersuchung nebst einer Einführung in das Hohe Lied (1956). – SSegert, Die Versform des Hohenliedes:

Charisteria Orientalia Ioanni Rypka (1956) 285–299. – DLys, Le plus beau chant de la création. Préliminaire à une exégèse du Cantique des Cantiques: Études Théologiques et Religieuses (1958) 87–117. – JWinandy, Le Cantique des Cantiques. Poème d'amour mué en écrit de sagesse (1960).

DIE ÜBERSCHRIFT
(11)

Das ſchönſte Lied von Salomo

שיר wird sehr oft von der religiös-kultischen Dichtung gebraucht, steht aber auch als Bezeichnung für allerlei profane Lieder, Trinklieder (Jes 24 9), Spottlieder (Jes 23 15f.), Sieges- und Triumphlieder (Ri 5 12), Lieder beim Geleit (Gn 31 27) usw. Ein שיר konnte von verschiedenen Musikinstrumenten begleitet werden: Am 6 5 1 Chr 15 16 16 42.

Die partitive Genitivverbindung hat superlativischen Sinn, wie קדש הקדשים, „das Allerheiligste", הבל הבלים, „nichtigste Nichtigkeit", usw. Vgl. BrSynt § 79b; für das Nachleben der Konstruktion auf griechischem und nordischem Sprachgebiet s. AWifstrand, Kvällarnas kväll: Septentrionalia et Orientalia. Studia Bernhardo Karlgren dedicata (Kungl. Vitterhets Historie och Antikvitets Akademiens Handlingar 91, Stockholm 1959) 474–482.

אשר ל, um eine doppelte Genitivverbindung zu vermeiden. אשר nur hier im Hohenlied, sonst überall שְׁ. Einen sicheren Beweis dafür, daß die Überschrift sekundärer Herkunft ist, sollte man das nicht nennen. Bemerkenswert ist jedenfalls, daß auch altägyptische Liebesliedersammlungen Überschriften tragen, die eine gewisse Ähnlichkeit mit der des Hohenliedes haben: „Sprüche der großen Herzensfreude", „Die schönen, erfreuenden Gesänge für deine Geliebte, die dein Herz liebt, wenn sie von der Flur kommt", „Die heiteren Lieder", „Die lieblichen, beim Schriftzeichnen gefundenen Sprüche, welche der Schreiber Nacht-Sobek von der Nekropole gemacht hat", usw.; vgl. SSchott, Altägyptische Liebeslieder (1950) S. 8ff.

WONNE DER LIEBE
1 2–4

Text   ² „Küsse gebe er mir von den Küssen seines Mundes;
denn besser ist deine Liebe ª als Wein.
³ Fürwahr ᵇ, der Duft deiner Salben ist köstlich ᶜ.
Eine frische ᵈ Salbe ist dein Name;
darum lieben dich die jungen Frauen.
⁴ Zieh mich ᵉ mit dir! Laßt uns eilen!
Der König hat mich in seine Kammer geführt ᶠ“.
„Wir wollen frohlocken und uns an dir freuen.
Wir wollen deine Liebe mehr als Wein rühmen ᵍ“.
„Mit Recht ʰ haben sie ⁱ dich lieb“.

1 2.3   a 𝕲 μαστοί σου = דַּדֶּיךָ; ebenso 4. – b 𝕲 hat das emphatische ל nicht verstanden: καί. – c 𝕲 ὑπὲρ πάντα τὰ ἀρώματα, vgl. 4 10. – d 𝕲 ἐκκενωθέν leitet
das hebräische Wort vom Stamm ריק her. Der Syrer versucht keine Etymo-
4 logie, sondern rät: „Myrrhenöl“. – e 𝕲 εἵλκυσάν σε = מְשָׁכֵךְ, erleichternd.
In der griechischen Übersetzung ist אחריך nicht zu משכני, sondern zum folgenden נרוצה gezogen worden, und der Text hat eine Erweiterung bekommen:
ὀπίσω σου εἰς ὀσμὴν μύρων σου δραμοῦμεν. – f 𝕲 hat das Wort als Imperativ
verstanden und das Suffix in חדריו mit der 2. pers. vertauscht: „führe mich in
deine Kammer“ (sing., so auch 𝕾). – g 𝕲 ἀγαπήσομεν, was für הזכיר nur hier
in 𝕲 vorkommt. Die ungenaue Übersetzung hängt wahrscheinlich mit dem
Mißverständnis des folgenden דדי zusammen: μαστούς σου, vgl. 2. – h 𝕲 scheint
den adverbiellen Sinn nicht verstanden zu haben: εὐθύτης (ἠγάπησέν σε), während 𝕾 das Präfix als Präposition auffaßt: mēn tᵉrîṣā, was den Sinn des hebräischen Wortes trifft. – i 𝕾: „er liebt dich“ (2. pers. fem. sing.).

Form   Durch ihren Inhalt grenzen sich 2–4 gegen das Folgende klar ab. Das
Liedchen handelt vom männlichen Liebespartner, dem Jüngling, der
teils direkt angeredet, teils in 3. pers. erwähnt wird. Die Formprobleme
des Gedichts hängen, wie es im Hohenlied oft der Fall ist, mit dem jähen
Personenwechsel zusammen. Das Lied fängt in der 3. pers. an, geht dann
plötzlich in eine Du-Anrede über. In 4a findet sich ein ähnlicher Wechsel,
zuerst direkte Anrede mit Du-Form, dann Aussagen über „den König“.
Direkte Anrede an den Liebespartner und Aussage über ihn stehen
auch in den ägyptischen Liebesliedern sehr oft unvermittelt nebeneinander. Der jähe Wechsel zwischen diesen Redeformen scheint sogar zum
Stil der Liebesdichtung zu gehören:

> „Ich küsse ihn vor den Seinen
> und schäme mich nicht vor den Menschen,
> sondern freue mich über ihren Neid,
> weil du mich erkennst“ (SSchott, Altäg. Liebeslieder 43).

„Nun sehe ich, die Geliebte ist gekommen.
Mein Herz jauchzt, meine Arme sind offen, sie zu umfangen.
Mein Herz frohlockt auf seinem Platz wie für immer.
Bleib nicht fern, komm zu mir, meine Gebieterin" (Schott 66,3).

Der sprunghafte Charakter des Liedes wird dadurch noch stärker markiert, daß die sprechende Person offensichtlich nicht immer die gleiche ist. Klar ist, daß in 2 und 4a das Mädchen spricht. Aber wer redet von den jungen Frauen in 3? Und welche sind die jubelnden Menschen, die zustimmend die Liebe des Jünglings rühmen, in 4b? Und erst recht, von wem rührt die Reflexion am Ende des Liedes her, die durch ihre besonnene Nüchternheit einen eigenen Ton hat? Normalerweise können wir ohne allzu große Schwierigkeiten das sprechende Subjekt mit einem der Liebespartner identifizieren, d.h., der Dichter ist mit je einem von ihnen identisch. Es kommt aber vor, daß der Dichter sich als Dritter zur Seite der Liebenden stellt und sich in direkter Rede an sie wendet, z.B. 5 1: „Esset, ihr Freunde, und trinkt und berauscht euch mit Liebe". Der Dichter hat aber auch eine Möglichkeit, Aussagen in den Mund anonymer Zwischenpersonen im Umkreis der Liebenden zu legen. Das scheint in 4b der Fall zu sein; die jungen Frauen, die den Jüngling liebhaben, freuen sich und stimmen den rühmenden Worten des Mädchens zu: „Wir wollen frohlocken und uns an dir freuen. Wir wollen deine Liebe mehr als Wein rühmen". Es ist nicht immer möglich, mit Bestimmtheit zu sagen, wann der Dichter als liebender Partner auftritt und wann als außerhalb der Liebesbeziehung stehender Dritter. Vers 3 kann vom Mädchen gesprochen sein. Ohne Zweifel ist aber die Distanz zwischen der sprechenden Person und dem Jüngling hier größer als in 2 und 4a, wo das Mädchen spricht. Der Dichter hat sich nicht so gänzlich mit dem Mädchen identifiziert, sondern steht ihr zur Seite, wenn auch in die Liebesbeziehung gewissermaßen eingeschaltet; vgl. AHermann, Altägyptische Liebesdichtung 72f. Der Ton ist ruhiger als in 2 und 4a. Die leidenschaftliche Liebeserklärung im vorhergehenden Vers wird hier bestätigt (ל emphaticum) und variiert. Der Dichter will erklären, warum der Jüngling bei allen so beliebt ist, während das Mädchen von ihrer eigenen Liebe spricht. Eine Dichteraussage beendet das Gedicht: „Mit Recht haben sie dich lieb". Das Oszillieren zwischen verschiedenen Sprechern ist also ein literarischer Kunstgriff und hat mit einer bühnenmäßigen Rollenverteilung oder Situationsveränderung nichts zu tun. Der Dichter hat hier eine Möglichkeit, die Liebesvorgänge von verschiedenen Aussichtspunkten aus zu sehen und mit größerer Profiliertheit zu schildern.
Der Vers ist dreitaktig; nur am Schluß des Gedichtes haben wir einen einzelnen Zweitakter.

In diesem überaus belebten und bewegten Stil paßt der synonyme Parallelismus nicht sehr gut. Nur in 4b findet er sich, wo der Ton ruhiger ist.

Ort   Der Jüngling und das Mädchen sind hier ebensowenig wie anderswo im Hohenlied ein Brautpaar oder gar Ehepaar, sondern einfach zwei Menschen, die einander lieben und beieinander sein wollen. Von einem Fest ist keine Rede. Das ist auch in 4 nicht anders, wo „der König" seine Geliebte in seine Kammer führt. Die Erwähnung des Königs ist für die Bestimmung des historischen Ortes ohne jeden Belang. „Der König" ist keine geschichtliche Größe, sondern eine literarische Fiktion, speziell eine literarische Travestie. Es ist für die Liebeslyrik aus verschiedenen Zeiten charakteristisch, die Liebesleute in allerlei Verkleidung auftreten zu lassen, geträumte Wunschsituationen zu schaffen, in denen die Partner in neuen gesellschaftlichen Sphären agieren können. Nur selten ist die Verkleidung ein ganzes Lied hindurch konsequent durchgeführt worden. Öfter kommen die Motive fragmentarisch ab und zu zum Vorschein, ohne nachhaltig festgehalten zu werden. Hier ist die Erwähnung des Königs und seiner Kammer als Ort des Stelldicheins ein Zeichen dafür, daß wir uns im Bereich der Königs-Travestie befinden. An eine Hochzeitskammer ist nicht zu denken. Ergiebiger ist es, diese Stelle mit 2 4 zu vergleichen, wo der Jüngling seine Geliebte in das „Weinhaus" führt, oder 1 17, wo der Ort des Rendez-vous nach Art und Weise der König-Travestie erhöht worden ist. Die Liebesbegegnungen und Liebeserlebnisse zweier junger Menschen sind auch in der altägyptischen erotischen Poesie ein zentrales Thema, und dort sind die äußeren Umstände oft mit etwas größerer Konkretion beschrieben.

Wort 12   Die vorgeschlagene Änderung des יֹשְׁקֵנִי in den Imperativ (und die Lesung פִּיךְ statt פִּיהוּ) ist unberechtigt, da der rasche Wechsel zwischen „er" und „du" zum Stil der altorientalischen Liebesdichtung gehört; vgl. zu „Form".

נְשִׁיקוֹת außer hier nur Prv 27 6. Im Altägyptischen wird das Wort für „küssen" mit zwei sich berührenden Nasen geschrieben. Doch haben die Ägypter auch den Lippenkuß gekannt. Im semitischen Orient hat das Küssen sich wahrscheinlich wie in Ägypten aus dem Beriechen entwickelt; vgl. BMeißner, Der Kuß im Alten Orient (Sitzungsbericht der Preuß. Akademie d. Wiss. Jahrg. 1934. Phil.-hist. Kl., Berlin 1934, 914–930); ferner AHermann, Altäg. Liebesdichtung 95 mit reichen Literaturangaben. – Der sing. דּוֹד ist im Hohenlied die häufigste Benennung des liebenden Jünglings. Im Plural meint das Wort „Liebe", „Liebesgenuß", so 1 4 4 10 5 1 7 13 Ez 16 8 23 17 Prv 7 18. ⅏ hat den Plural nirgends richtig übersetzt, auch nicht an der Proverbiastelle, wo φιλία nicht den erotischen Sinn hat, der dem hebräischen Wort innewohnt. Im Hohenlied steht überall μαστοί (דַּדַּיִם), außer 5 1, wo ein griechisches Äquiivalent fehlt.

An לריח שמניך טובים ist nichts zu ändern. Das *lamed emphaticum* dient 1 3 wie im Arabischen zur Hervorhebung oder Beteuerung: „fürwahr"; vgl. FNötscher, VT 3 (1953) 372ff. und BrSynt § 31a. Mit der Interjektion fängt eine neue Aussage an; der Dichter tritt aus seiner Anonymität ein bißchen hervor und bestätigt die Worte des Mädchens; vgl. מישרים in 4, das eine ähnliche Bestätigung gibt. – Die Pluralform טובים, weil das Prädikat hier wie oftmals sich nicht nach dem Regens, sondern nach dem Rectum der Genitivverbindung richtet; vgl. BrSynt § 124a. – Auch in den altägyptischen Gedichten wird unter den körperlichen Reizen des Liebespartners der Wohlgeruch häufig erwähnt: „Ach, mein Herr, du bist jetzt bei mir. Ich sehe dich heute. Der Duft an dir ist von Punt" (Schott 161 Nr. 131; vgl. ferner AHermann, Altäg. Liebesdichtung 93f. 129). – שמן תורק שמך. Der Name enthält immer etwas vom Wesen des Trägers und steht bisweilen fast wie sein Doppelgänger, z.B. 1 S 25 25. In der altägyptischen Liebesdichtung ist die Geliebte gleichfalls durch ihren Namen bei dem liebeskranken Partner gegenwärtig:

„Keinen Ausweg finden die Beschwörer.
Meine Krankheit wird nicht erkannt.
Wenn man mir sagt: Siehe, sie ist da! belebt es mich.
Ihr Name ist das, was mich erhebt" (Schott 43).

Schwierig ist תורק, das meist als eine Verbform von ריק erklärt wird (3. pers. impf. hoph), was aber syntaktisch fraglich ist. μύρον ἐκκενωθέν von Ⓖ setzt ein gelesenes oder konjiziertes part. hoph. des gleichen Stammes voraus, מורק. Vielleicht steckt in תורק eine seltene Nominalform. Grätz hat תַּמְרוּק = „Massage" vorgeschlagen; vgl. Est 2 12. Möglich wäre vielleicht, תורק von dem Stamm ירק, „gelblich", „grün", herzuleiten. Sachlich vergleichbar wäre etwa שמן רענן (Ps 92 11), eine besondere Art des Öls mit angenehm erfrischender Einwirkung auf den Körper. שמן תורק könnte wie שמן רענן eine spezielle Art der Salbe bezeichnen. שמן ist das fertige Öl, das in der Medizin und als Genußmittel eine vielfältige Verwendung fand, letzteres besonders, wenn mit Wohlgeräuchen gemischt.

Die Assonanz שמך – שמן ist ohne Zweifel ein beabsichtigtes Kunstmittel.

Die „jungen Frauen" gehören zu den anonymen Zwischenfiguren, die nicht als reale Bühnenfiguren anzusehen sind, sondern einen literarischen Topos darstellen, der für die dichterische Ökonomie wichtig ist. Genannt werden Menschen, vor allem Frauen, welche die Schönheit des Mädchens oder des Jünglings rühmen oder als Liebesboten, Störenfriede usw. auftreten.

14   Im ersten Halbvers spricht das Mädchen von einem Rendez-vous mit
dem Geliebten, der hier in der Verkleidung eines Königs erwähnt wird.
Der jähe Personenwechsel, den wir schon in 2 fanden, gehört zum Stil
der Liebesdichtung. Die Du-Anrede geht plötzlich in Er-Stil über. Ebenso unvermittelt wechseln verschiedene Verbformen: Imperativ (מָשְׁכֵנִי),
Kohortativ (נָרוּצָה) und Perfekt (הֱבִיאַנִי). Das Stelldichein wird nur flüchtig angedeutet. חדר ist der dunkle Innenraum, wo die Liebenden allein
sein können; vgl. 3 4 Ri 15 1 2 S 13 10 2 Kö 9 2. Im zweiten Halbvers hören
wir den Dichter, der sich mit den rühmenden Zwischenfiguren, den jungen Frauen, identifiziert oder – vielleicht richtiger – sie als Mittel verwendet, seinen lyrischen Aussagen Ausdruck zu geben.

DIE SCHWARZE GÄRTNERIN
(1 5–6)

⁵ Schwarz bin ich, aber doch schön,
ihr Töchter Jerusalems ᵃ,
wie die Zelte Kedars,
wie die Zeltdecken Salmas ᵇ.
⁶ Seht nicht auf mich, weil ich schwärzlich bin,
weil die Sonne mich gebräunt hat.
Die Söhne meiner Mutter schnaubten ᶜ gegen mich.
Sie setzten mich zur Hüterin der Weingärten.
Meinen eigenen Weingarten habe ich nicht hüten können.

a ϑυγατέρες Ἰσραήλ. – b Die Massoreten haben das Wort als „Salomo" **1 5**
verstanden, was sich aus der mißverstandenen Erwähnung des „Königs" im
Hohenlied erklärt. – c Piel von נחר, vgl. Akk. *naḫāru*, „schnauben". **6**

Der Inhalt zeigt klar, daß diese beiden Verse als eine selbständige **Form**
Einheit zu beurteilen sind. Man könnte geneigt sein, die „Selbstvorstellung des Mädchens" als eine besondere, mit dem Beschreibungslied verwandte Gattung der Liebeslyrik zu betrachten, deren Entfaltung indessen
wir wegen der Spärlichkeit des Materials nicht genauer verfolgen können; vgl. FHorst, Die Formen des althebr. Liebesliedes 49. Zu verweisen
wäre auf 2 1 und 8 10. An unserer hiesigen Stelle hat die Selbstvorstellung
einen spielerischen, halb kokettierenden Zug, der an das Aschenbrödel-
motiv erinnert. In der Verkleidung einer Gärtnerin spricht das Mädchen
zu den „Töchtern Jerusalems". Das Lied gehört zum Motivgefüge der
„Gärtner"-Travestie. Spielerisch wird der Weingarten, den sie hüten
sollte, dem „eigenen Weingarten", d.h. dem Mädchen selbst, gegenübergestellt. Zu der Vergleichung des Mädchens mit einem Garten vgl. 4 12
und 8 11f..
Der Rhythmus ist beweglich mit abwechselnd Zwei- und Dreitaktern.
Das Lied hat seinen Platz hinter dem vorangehenden Lobgesang über
den Jüngling vielleicht um des Kontrastes willen bekommen; nach dem
Gedicht vom herrlichen, in der „Königs"-Travestie dargestellten Jüngling handelt es sich jetzt um das unansehnliche, als Gärtnerin kostümierte
Mädchen.

Ebensowenig wie das vorangehende Lied von einem wirklichen König **Ort**
spricht, handelt es sich hier um eine Gärtnerin. Der Dichter hat mit Hilfe
einer literarischen Travestie eine reizende Wunschsituation gezeichnet,
in der es ihm möglich wird, das Mädchen mit neuen, unkonventionellen

Zügen sichtbar werden zu lassen. Der Hintergrund ist also eine literarische Fiktion, und es lohnt sich nicht, einer tatsächlichen Situation im wirklichen Leben nachzugehen, die dem Lied als Umrahmung gedient hätte.

Wort 15 Die schwarze Hautfarbe ist gerade das Gegenteil eines schönen Aussehens, das gern als „weiß" oder „rot" beschrieben wird; 5 10, Thr 4 7f. נאוה als rühmendes Epitheton des Mädchens auch 2 14 4 3 6 4. Vom menschlichen Aussehen kommt das Wort sonst im AT nicht vor.

Kedar ist ein Beduinenstamm der syrisch-arabischen Wüste. Die Berichte Assurbanipals über seine Feldzüge gegen die Araber erwähnen unter anderen unterjochten Wüstenfürsten auch einen König von *ḳi-id-ri* oder *ḳi-da-ri* (Pritchard, ANET 298ff.). – יריעה steht oft parallel mit אהל als eine allgemeine Bezeichnung des Zeltes (Jer 4 20 10 20 49 29 Hab 3 7). Eigentlich sind יריעות die Tücher, die zu einem Zelt zusammengenäht wurden. In der Priesterschrift steht יריעות für die aus kostbaren, schönfarbigen Stoffen hergestellten Zelttücher oder Matten der Stiftshütte (Ex 26 und 36), deren Vorbild offenbar im salomonischen Tempel zu suchen ist. Demnach hat man den Ausdruck יריעות שלמה in Gegensatz zu den primitiven Nomadenzelten setzen wollen und als Inventar des salomonischen Prachtbaus verstanden; das Mädchen ist zwar schwarz wie die Beduinenzelte, aber gleichzeitig schön wie die kostbaren Tücher und Decken Salomos. Diese Distinktion ist aber schwerlich aus dem Text herauszulesen und macht einen sehr gekünstelten Eindruck, wie auch der Ausdruck „Zelttücher Salomos" recht unwahrscheinlich bleibt. Faßt man, wie natürlich ist, יריעות שלמה als annähernd synonym mit den „Zelten Kedars", empfiehlt sich, auch שלמה als einen Volksnamen zu verstehen und שַׁלְמָה oder שְׁלֵמָה zu lesen. Die „Salmäer" sind im Targum und Midrasch Name eines arabischen Nomadenvolkes, gewöhnlich mit den Kenitern oder den Kenissitern gleichgestellt (Targ. O. Gn 15 19 Nu 24 21 Ri 4 17).

6 שֶׁ hat hier seine ursprüngliche syntaktische Funktion als Konjunktion. Das Wort findet sich im AT 139mal, sowohl in alten Texten (Deboralied, Ri 5 7) wie in jungen. Auffallend ist das häufige Vorkommen in Qoh (68mal) und Cant (32mal). כרמי שלי (= 8 12): die zweifach determinierte Besitzbezeichnung (mit Nominal-Suffix und שֶׁלִּי) ist sehr selten (vgl. 3 7). Hier soll der „eigene Weingarten" (das Mädchen) dem Weingarten draußen emphatisch gegenübergestellt werden. Ebensowenig wie in den altägyptischen Gedichten ist das Mädchen des Hohenliedes eine wirkliche Gärtnerin. Nicht ohne Koketterie spricht sie vom Landleben und dessen Mühen. Ihr aufgezwungener Dienst im Weingarten hat ihr keine Möglichkeit gegeben, ihren „eigenen Weingarten", d.h. sich selbst, zu pflegen und vor der Sonne zu schützen. Der

Vergleich des Mädchens mit einem Weingarten hat ein Gegenstück in 4 12 und 8 11f. Wahrscheinlich steckt in dieser Bezeichnung auch eine erotische Anspielung. Ein ägyptischer Text aus der Ramessidenzeit schildert das Liebesabenteuer eines Militärbeamten, der ein schönes Mädchen trifft, „das die Weinberge bewacht"; s. Hermann, Altäg. Liebesdichtung 165. Ein ähnlicher Ausdruck in einem altägyptischen Lied läßt die Erotisierung derber hervortreten, indem das Mädchen sich ein „Grundstück" nennt, worin der Jüngling einen „Kanal" grub (Schott, Altäg. Liebeslieder 56, 2; vgl. Hermann, Altäg. Liebesdichtung 153). Eine ähnliche Metaphorik findet sich auf klassischem Sprachgebiet, wo sowohl κῆπος wie *hortus* als Bezeichnung der weiblichen Scham vorkommen.

DER VERSCHWUNDENE HIRT
(1 7–8)

Text ⁷„Erzähl mir, du, den meine Seele liebt,
    wo du deine Herde weiden läßt,
    wo du sie lagern läßt zur Mittagszeit,
    damit ich nicht wie eine Herumirrende ᵃ
    bei den Herden deiner Genossen ᵇ zu sein brauche".
  ⁸„Wenn du das nicht weißt,
    du Schönste unter den Frauen,
    geh nur in den Spuren der Herde
    und weide deine Zicklein
    bei den Stätten der Hirten".

1 7   a Lies mit ⑤ טעיה, „wie eine Herumirrende", statt 𝔐 „wie eine sich Verhüllende". – b ⑤ hat „(bei den Herden) deiner Schafe", ῾erbajk.

Form   Das kurze Gedicht enthält eine Frage und eine Antwort. Die Fragen-
de ist natürlich das Mädchen, das sich in Du-Form an den Jüngling
wendet. Sie will wissen, wo sie ihn finden kann. Aber wer antwortet?
Im Mund des Jünglings wirkt die Antwort merkwürdig ausweichend und
fast spöttisch. Der gemessene Ton, in dem eine gewisse Distanz zum Ausdruck kommt, wird natürlicher, wenn nicht der Jüngling, der offensichtlich nicht als gegenwärtig gedacht ist, sondern der Dichter hier spricht.
Schon die Anredeform „du Schönste unter den Frauen" führt nicht auf den
Liebespartner, sondern auf einen Außenstehenden; vgl. 5 9 und 6 1, wo die
gleiche Anredeformel in den Mund der Töchter Jerusalems gelegt wird.
    Für das Verständnis des Gedichtes sind zwei Beobachtungen wesent-
lich. Erstens hat der Dichter sich, wie in den beiden vorhergehenden
Liedern, einer literarischen Travestie bedient. Die Liebespartner befinden sich in der Sphäre der Hirtentravestie, werden als Hirt und Hirtin
dargestellt, und alles, wovon gesprochen wird, gehört zur Hirtenwelt, die
Herden, das Weiden, die Zicklein.
    Die Hirtentravestie ist aber mit einem anderen literarischen Motiv
der Liebeslyrik verknüpft worden, dem der Liebestrennung. Als lyrischer
Ausdruck der Liebesspannung gehört dieses Motiv zu den häufigsten
und vielgestaltigsten in der Liebesdichtung aller Zeiten; nicht das glück-
liche Beisammensein der Liebesleute, sondern die Gefährdung und Unge-
sichertheit des Liebesverhältnisses und der Schmerz der Trennung steigern die lyrische Spannung und geben den Liedern einen Zug des Persönlichen und Einmaligen. In der altägyptischen Liebesdichtung kommt
das Trennungsmotiv häufig vor.

102

„Sieben Tage sah ich die Geliebte nicht.
Krankheit hat mich befallen.
Mein Herz wird schwer.
Ich habe mich selbst vergessen" (Schott 43).

„Gehst du fort, weil dir das Essen einfällt?
Bist du ein Mann, der seinem Bauche folgt?
[Erhebst du] dich wegen der Kleider?
Ich bin die Herrin eines Lakens.

Gehst du fort, weil dich hungert?

[Entfernst du dich, weil du Durst hast?]
Nimm dir meine Brüste!
Ihr Inhalt flutet dir über" (Schott 46; vgl. ferner Hermann, Altäg.
Liebesdichtung 130ff. und Äg. Studien 118ff.).

Bemerkenswert ist, daß es fast immer das Mädchen ist, das den Jüngling bei sich zurückzuhalten sucht und über die schmerzliche Trennung
klagt. Das ist eine literarische Konvention und hat mit dem Suchen Isch-
tars nach dem toten Tammuz nichts zu tun.
Dreitakter wechseln mit Zweitaktern.

Die Formanalyse macht durchaus klar, daß das Gedicht als Frucht   Ort
einer bewußten dichterischen Kunst entstanden ist. Die kleine Szene ist
nicht als ein naives Volkslied zu bewerten. Im Gegenteil, sie ist gemäß
den Regeln literarischer Konventionen gestaltet und kann an einem tatsächlichen „Sitz im Leben" nur mit großen Vorbehalten lokalisiert werden. Die Hirtenumrahmung ist dichterische Fiktion, eine literarische
Travestie, die in einer einfachen Hirtenkultur keine Wurzeln hat. Höchstens könnte man meinen, die Entstehung dieser Travestie sei in einer
urbanisierten Kulturstufe am leichtesten zu erklären, die von einem gewissen Überdruß an der Stadtzivilisation geprägt ist. Dabei muß man
aber in Betracht ziehen, daß die israelitische Liebeslyrik viele Zeichen
einer direkten literarischen Beeinflussung von Ägypten her aufweist und
auch ohne adäquate einheimische soziale Voraussetzungen vorstellbar ist

Zur Mittagszeit sucht der Hirt einen Lagerplatz auf, um mit der   Wort 17
Herde auszuruhen. Das wäre für ein Stelldichein eine passende Gelegenheit. Das Mädchen fragt, wo sie den Ruheplatz finden soll, damit sie
nicht wie eine עטיה zu sein brauche. עטה על bedeutet „verhüllen", „zu-
decken" und hat sonst immer das gleiche Objekt שפם „Lippenbart" (als
Zeichen der Trauer). Nach dem Akkadischen bedeutet das Verb „sich
in etwas hüllen"; vgl. ⅏ ὡς περιβαλλομένη, „wie eine sich verhüllende".

103

Ob der griechische Übersetzer damit eine Dirne gemeint hat (vgl. Gn 38 14), ist sehr fraglich. Die von Delitzsch vorgeschlagene Deutung „liebesschmachtende" gäbe einen guten Sinn, ruht aber auf einer sehr unsicheren Etymologie (arab. *ǵaḍā*). Die wahrscheinlichste Besserung des Textes bleibt wohl die von ⑤ bezeugte Lesung טעיה, „wie eine Herumirrende". Der Satz ist ein negierter Absichtssatz; zu שַׁלָּמָה s. BrSynt § 173.

18   אם־לֹא תדעי לך, „wenn du es nicht zu wissen bekommst", d.h. „keinen Bescheid bekommst". – היפה בנשים (= 5 9 6 1), determiniertes Adjektiv im Sinn eines Superlativs (BrSynt § 25a). – צאי לך, zum Dat. ethicus bei Verben der Bewegung s. BrSynt. § 107 f.; Joüon, Gr. § 133 d.

DIE KÖNIGLICHE STUTE
(1 9–11)

Text

⁹ „Einer Stute ᵃ an dem Wagen ᵇ des Pharao
vergleiche ich dich, meine Geliebte.
¹⁰ Schön ᶜ sind deine Wangen mit Gehängen ᵈ,
dein Hals mit Muschelketten ᵉ".
¹¹ „Gehänge aus Gold ᶠ wollen wir dir machen,
mit Silberperlen ᵍ".

a לססתי: die Endung ist nicht Personalsuffix, wie ⑥ sie verstanden hat 1 9
(τῇ ἵππῳ μου), sondern sog. chireq campaginis, eine überwiegend poetische
Endung, zuerst um den Stat. cstr. auszudrücken, später ein rein rhythmischer
Vokal; vgl. רבתי בגוים Thr 11 (wie hier vor einer Präposition); s. Joüon, Gr.
§ 93 l. – b ברכבי, zum generalisierenden Plural in der Poesie s. Joüon, Gr.
§ 136 j. – c τί ὡραιώθησαν (admirative Stilform). – d תרים, von ⑥ als „Turtel- 10
tauben" (τρυγόνες) mißverstanden; richtiger ⑥ gᵉdūlē, murenulae. – e ⑥ ὡς
ὁρμίσκοι = 'כת. – f ⑥ ὁμοιώματα χρυσίου; der griechische Übersetzer hat 11
wahrscheinlich wie im vorigen Vers תור als „Taube" verstanden, gibt aber aus
stilistischen Gründen (variatio sermonis) eine freie Übersetzung. Möglich ist
aber, daß er die Vorlage als תארי gedeutet hat, vgl. die Übersetzung von
Ri 8 18. – g ⑥ μετὰ στιγμάτων τοῦ ἀργυρίου; vielleicht denkt der Übersetzer an
die weißen oder hellgrauen Flecken der Turteltaube, s. Bodenheimer, Animal
Life in Palestine (1935) 171. ⑥ zᵉlīhē dᵉsimā, „Silberplatten". – Die st.–cstr.–
Verbindung ist indeterminiert, obwohl das nomen rectum den Artikel hat, s.
BrSynt, § 73a; Joüon, Gr. 139c.

Das kurze, waṣf-artige Gedicht vergleicht das Mädchen mit einer Form
edlen Stute vor dem Wagen des Pharao. Erwähnt werden die Wangen
und der Hals, wobei jedoch nicht die menschlichen Körperteile, sondern
deren Ausschmückung im Vordergrund steht. Es wird eine Schönheit
geschildert, die am Schmuckhaft-Stofflichen haftet, an Gehängen und
Ketten.

In 9 und 10 spricht offensichtlich der Jüngling, wie aus der Anredeform רעיתי hervorgeht, die überall im Hohenlied als eine vom Jüngling
gebrauchte Bezeichnung des Mädchens steht (1 15 2 2. 10. 13 4 1. 7 5 2 6 4).

In 11 geht das sing.-Subjekt plötzlich in ein plurales über (נעשה). Hier
spricht nicht mehr der Jüngling, sondern der Dichter, der als sprach-
mächtiges Subjekt auftritt und sich mit den immer gegenwärtigen, anonymen Zwischenfiguren identifiziert. Diese Zwischenfiguren sind als eine
dichterische Fiktion zu bewerten, mit deren Hilfe die Liebesvorgänge mit
größerer Profiliertheit ausgestaltet werden können, als wenn die Szene
nur von den beiden Hauptpersonen bevölkert würde. Vielleicht hat das

Lied seinen Platz nach den beiden vorhergehenden Gedichten um des Kontrastes willen bekommen; dort handelte es sich um eine unansehnliche Gärtnerin bzw. eine einsame Hirtin, hier wird sie einer schönen, königlichen Stute verglichen.

Ort Der Vergleich mit einer Stute des Pharao ist für die allgemeine Orientierung der israelitischen Liebeslyrik vielsagend. Ihr Vorbild hat sie, wie überall bestätigt wird, aus Ägypten geholt. Gleichzeitig scheint aus der Schilderung der vornehmen Dame hervorzugehen, daß wir es nicht mit einem naiven Volkslied zu tun haben, sondern mit raffinierter Kunstdichtung, die ohne Zweifel in den höheren Schichten am besten vorstellbar ist.

Wort 9 סוס kommt im AT ziemlich häufig vor (138mal), wogegen jedoch die Fem.-Form sich nur hier findet. Bei den Ägyptern – wie bei den Griechen – wurde das Pferd zunächst nur als Zugtier verwendet, und zwar am zweirädrigen Wagen, besonders am Streitwagen. Das Reiten auf dem Pferd wird nur in einer späten Inschrift aus der Zeit des Äthiopenkönigs Pianchi (25. Dynastie) erwähnt. Im Gegensatz zum Esel und Ochsen scheint das Pferd nicht zum Ziehen von Lasten gebraucht worden zu sein, sondern wird als ein herrschaftliches, namentlich königliches Tier betrachtet. Die ägyptischen Könige haben den mit Pferden bespannten Wagen auch zur Jagd und bei feierlichen Ausfahrten und Spazierfahrten benutzt, wie aus zahlreichen Abbildungen hervorgeht. Bildliche Darstellungen lassen sogar vermuten, daß man der Wagenfahrt die Bedeutung eines lyrischen-erotischen Motivs zugeschrieben hat. Die Freude am Pferd spiegelt sich an einer Stelle der großen Inschrift Amenophis' II: „Als er noch ein Knabe war, liebte er seine Pferde, er freute sich über sie, er war ausdauernd bei ihrer Pflege, indem er ihre Art kennenlernte, verständig war in ihrer Behandlung (?) und eindrang in ihr Wesen... Seine Majestät sagte zu seiner Umgebung: Gebet ihm eine sehr schöne Stute (*śśm.t nfr.t wr.t*) aus dem Stall meiner Majestät in Memphis und saget ihm: Hüte sie, lasse sie stark werden, lasse sie traben, behandle sie gut, sonst wird man mit dir zanken (?). Darauf wurde dem Königssohn aufgetragen: ‚Hüte die Stute des königlichen Stalles'. Und er tat, was ihm aufgetragen war" (zit. nach HvonDeines, Die Nachrichten über das Pferd und den Wagen in den ägyptischen Texten [Mitteilungen des Instituts für Orientforschung: Deutsche Akademie der Wiss. zu Berlin I, 1953, 3–15]). In den ägyptischen Liebesgedichten wird der zu seiner Geliebten eilende Jüngling mit einem Pferd oder Zweigespann verglichen:

> „Ach kämest du zu mir
> wie ein Roß des Königs,
> das aus allen Gestüten ausgewählt wurde,
> das beste der Ställe.

Bevorzugt wird es mit seinem Futter.
Sein Herr kennt seine Füße.
Wenn es den Knall der Peitsche hört,
kann es nicht gehalten werden.

Auch der beste von den Wagenlenkern
kann es nicht überholen.
Das Herz der Geliebten weiß genau,
daß es nicht fern ist von der Geliebten"
     (Schott, Altäg. Liebeslieder 44, 2).

„[Ach mögest] du eilen,
deine Geliebte zu sehen,
wie ein Pferd auf dem Schlachtfeld,
wie ein Stier, [der zu] seinem Futter [läuft]"
     (Schott 46, 2).

In der griechischen Lyrik findet man den auf ein Mädchen übertra-
genen Pferdevergleich bei Alkman, der die Chorführerin Hagesichora
mit einem edlen Rennpferd vergleicht. „Der Renner ist von venetischer
Zucht. Wie lauteres Gold schimmert die Mähne meiner Base Hagesichora,
und ihr silbernes Antlitz (schimmert) in klarem Glanz" (1, 50ff.), zur
Deutung vgl. HFränkel, Dichtung und Philosophie des frühen Grie-
chentums (Philological Monographs publ. by the Am. Philological Association, 1951, 225). Bei Anakreon findet man πῶλε θρηϰίη als Anrede an
eine Frau (75, 1).
 Tertium comparationis scheint in den ägyptischen Liedern die
Schnelligkeit zu sein, während der Vergleich im Hohenlied wie bei den
Griechen vor allem die Schönheit und den herrschaftlichen Charakter
des Pferdes ins Gedächtnis ruft. רעיתי, eigentlich „meine Gefährtin",
„Freundin", nur im Hohenlied (9mal). Das Wort wird immer vom
Mädchen und nur in dieser suffigierten Form gebraucht. Das entspre-
chende männliche Kosewort ist דודי (1 16 2 3. 10 5 2).

לחייך: das Beschreibungslied in Kap. 5 erwähnt unter den verschiede- 1 10
nen Körperteilen des Jünglings auch seine Kinnbacken, 13. – בתרים: der
Zusammenhang zeigt, daß hier nicht „Tauben", gemeint sind (𝕲),
sondern ein Schmuck. Wie oft in den ägyptischen Liebesliedern sind auch
hier die Vergleichsgegenstände aus der Juwelierwerkstatt geholt (vgl.
AHermann, Altäg. Liebeslieder 126). Der Zusammenhang läßt an ein
Ohrgehänge oder einen Ohrring denken. – צואר, „Hals", sowohl von
Menschen wie von Tieren. In den Beschreibungsliedern wird der Hals
des Mädchens noch zweimal erwähnt, 4 4 mit dem „Davidsturm" und 7 5

mit einem „Elfenbeinturm" verglichen. Hier wird nur von dem Schmuck des Halses gesprochen. – חרוזים ist ein hapax legomenon, dessen Sinn mit Hilfe einer arabischen Etymologie feststeht: eine Halskette aus durch-

1 11 gebohrten Steinen oder Kaurimuscheln. – Der abschließende Dichter-spruch scheint eine Steigerung zu bedeuten: goldene Gehänge mit silber-nen Perlen. Die anonymen Bewunderer des Mädchens, mit denen der Dichter sich identifiziert, sind als eine künstlerische Fiktion im Bereich der Liebeslyrik zu bewerten. Nicht ganz klar ist das hapax legomenon נקדות, vielleicht kugelrunde oder tropfenförmige (vgl. arabisch *naḳt*) An-hänger des Ohrringes (s. BRL 398ff.).

SALBE DES WOHLGERUCHS
(1 12–14)

Text

¹²„Solange ᵃ der König im festlichen Kreis ᵇ bleibt,
gibt meine Narde ihren Duft".
¹³„Ein Myrrhenbeutelchen ist mein Geliebter für mich,
ᶜ das zwischen meinen Brüsten ruht.
¹⁴Eine Cypernblumenrispe ist mein Geliebter für mich ᶜ,
in den Weingärten von En-Gedi".

a עד bedeutet hier nicht „bis", sondern „solange", lat. dum (BrSynt 1 12
§ 163b). – b מסב (von סבב „umgeben") meint das festliche Mahl im heiteren
Kreis; vgl. die adverbielle Verwendung des Wortes, „rundum", 1 Kö 6 29,
und den Plural 2 Kö 23 5, „Umgebung", „was sich geographisch rundum
befindet". – c–c fehlt in 𝔊ᴮ.

13

Die drei Verse haben ein gemeinsames, zusammenhaltendes Thema, Form
wodurch sie sich als ein selbständiges Lied abgrenzen: „Wohlgeruch des
Geliebten". In der altägyptischen Liebeslyrik erscheint dieses Thema als
ein fester literarischer Topos. Sowohl in den ägyptischen wie in den alttestamentlichen Liebesgedichten wird der Duftsinn sehr häufig in Anspruch genommen, um den psychischen Vorgängen Konkretion und eine
fast leibliche Fixierung zu geben. Die Wonne des Liebespartners ist wie
der Duft kostbarer Salben und Öle; vgl. zu 1 3. Die beiden Vergleiche in
13 und 14 sind bis in die Einzelheiten analog gestaltet. Sie sind Nominalsätze mit der Wortfolge: Prädikat-Subjekt-Bestimmungen zum Prädikat,
in 13 in der Form eines asyndetischen Relativsatzes, in 14 eines präpo-
sitionalen Ausdrucks. Auch die rhythmische Struktur ist mit ihren Dop-
pel-Dreiern einheitlich.

Unter dem zusammenhaltenden Thema „Wohlgeruch" preist das Ort
Mädchen ihren Geliebten (13 und 14). Er ist für sie ein Beutelchen mit
duftender Myrrhe und eine Rispe der aromatischen Cypernblumen. Befremdlich wirken nur die einleitenden Worte in 12, vom König, der „bei
seiner Tafelrunde" sitzt und dem „meine Narde ihren Geruch gibt".
Wer spricht, und wer ist der König? Eine denkbare Erklärung könnte
man in den zahlreichen Gedichten und Abbildungen aus Ägypten finden, die von dem heiteren Leben, das sich bei den Festen am Königshof
und anderswo entwickelte, eine sehr anschauliche Vorstellung geben
(vgl. AHermann, Altäg. Liebesdichtung 54ff.). Schön gekleidete Menschen kommen zusammen, um beim festlichen Mahl „einen schönen Tag"
zu feiern. Der König oder Hausherr und seine Gäste werden mit Lotus-

blüten und Kränzen geschmückt. Salben und Wein werden ihnen in kostbaren Schalen gereicht, wobei die Hausfrau oft ihren Gemahl persönlich bedient. Die festfeiernden Menschen können auch als „Geliebter" und „Geliebte" gelten, und Liebeslieder werden gelesen oder gesungen. In diese Welt allgemeiner Festlichkeit könnte die in 12 angedeutete Szene recht gut passen. Der Dichter läßt die Liebespartner in einer höfischen oder herrschaftlichen Umrahmung auftreten, von der wir in Israel sehr wenig wissen, die aber in Ägypten eine höchst bedeutende Rolle gespielt hat. Die Sprechende ist dann das Mädchen. Ihre Worte gelten dem Geliebten, der „König" genannt wird (Königs-Travestie) und dem sie beim Fest eine duftende Salbe reicht.

Einzuräumen ist freilich, daß bei dieser Erklärung der schroffe Übergang zwischen 12 und den folgenden Versen schwierig bleibt. Die Worte „solange der König im festlichen Kreis bleibt, gibt meine Narde ihren Duft" machen am ehesten den Eindruck eines Zitats, das dem Dichter die Anregung zum Liedchen gegeben hätte und dessen Thema mottoartig anschlägt. Es liegt nahe, an die vielen ägyptischen Toilettengeräte in Gestalt von männlichen oder weiblichen Figuren, die ein Salbgefäß tragen, zu denken (vgl. WWolf, Die Kunst Ägyptens, 1957, 447ff., mit Abbildungen). Nicht selten waren die Schalen, Gefäße und die anderen Gebrauchsgegenstände mit Inschriften versehen (z.B. auf einer getriebenen Schale aus Gold und Silber für eine Sängerin der Neit):

> „Dir als Geschenk mit Jahren,
> die du in Freude verbringen sollst,
> deine Lebenszeit verdoppelt in Gesundheit und Leben,
> dein Schritt weit, wenn der Morgen kommt.
> Mögen dir Lob und Schätze zuteil werden,
> Güter und Nahrung,
> und du trunken sein von Wein und Süßwein
> im Hof der Göttin Neit" (Schott, Altäg. Liebeslieder 122 Nr. 70)

Oder (auf einer Alabaster-Amphora für einen Heerführer des späten Neuen Reiches):

> „Es kommt Wein zusammen mit dem Golde.
> Er füllt dein Haus mit Freude.
> Berausche dich Tag und Nacht und höre nicht auf.
> Sei froh ohne Kummer,
> während Sänger und Sängerinnen jubeln und tanzen,
> dir einen schönen Tag zu machen" (Schott 130, 93).

Diese und andere Gefäßinschriften erinnern durch ihren Ton an 12, und es scheint wenigstens denkbar zu sein, daß diese Worte von einem Salbgefäß genommen sind und dem Dichter die Anregung zu seinem „Geruch-Lied" gegeben haben. Die scheinbare Einfachheit kann darüber nicht hinwegtäuschen, daß das kleine Gedicht als Frucht einer höchst exklusiven Kunst zu betrachten ist. Die unbestreitbare Verwandtschaft mit der ägyptischen erotischen Poesie weist auf einen schöngeistigen Schreiberstand als die wahrscheinlichste Herkunft des Hohenliedes.

מֵסַב, von סבב, „umgeben". Der plur. des Nomens bedeutet in 2 Kö **Wort I 12** 23 5 „Umgebung", „was sich geographisch rundum befindet". In sing. hat das Wort bisweilen adverbielle Verwendung, „rundum", 1 Kö 6 29. Hier ist wahrscheinlich das festliche Mahl im heiteren Kreis, die Tafelrunde gemeint. Die Worte vom festfeiernden König lassen sich vielleicht als ein Zitat erklären, das der Dichter auf einem Salbgefäß gesehen hat und das seiner dichterischen Phantasie einen Einfall gegeben hat.

נֵרְדְּ, außer hier nur Cant 4 13f. Die Narde ist ein parfümiertes Fett, das ursprünglich aus dem im Himalayagebiete einheimischen Nardostachys Jatamansi de Candolle (Fam. Valeriana) hergestellt wurde. Sein eigenartiger Geruch erinnert „schwach an Moschus, stärker an Patchouli" (Löw, Flora III 482). Später kamen andere aromatische Pflanzen zum Ersatz der indischen Narde in Gebrauch. In jedem Falle galt die Narde als ein sehr kostbares Parfüm.

צרור ist ein Säckchen oder Beutel, wahrscheinlich aus Leder, Web- **13** stoff oder Rohrgeflecht, der als Behälter für wertvolle Gegenstände aller Art verwendet wurde, z.B. Geld (Gn 42 35 Hag 1 6 Prv 7 20), oder für Rechensteine zur Registrierung von Tieren und Waren (vgl. OEißfeldt, Der Beutel des Lebendigen. Alttestamentliche Erzählungs- und Dichtungsmotive im Lichte neuer Nuzi-Texte: Ber. über die Verhandl. der Sächs. Ak. d. Wiss. zu Leipzig. Phil.-hist. Kl. B. 105. H. 6, 1960). Bildhaft wird der Beutel auch zur Aufbewahrung abstrakter Größen erwähnt, so wenn Hiob sagt, seine Missetat sei in einem Beutel versiegelt (14 17), und wohl auch, wenn Jesaja von Gott den Befehl erhält, die Bezeugung zu verschnüren (צור) in seinen Jüngern, 8 16 (vgl. Eißfeldt a.a.O. 26f.). Aus unserer Stelle scheint hervorzugehen, daß die Frauen ein Beutelchen mit Myrrhe zwischen den Brüsten zu tragen pflegten. Myrrhe ist das aromatisch duftende Harz von Commiphora abessinica, das als kostbares Gewürzpulver vermutlich aus Südarabien nach Palästina importiert wurde; für kulturgeschichtlich interessante Notizen vgl. GWvan Beek, Frankincense and Myrrh (BiblArch 23, 1960, 70–95).

אשכל bezeichnet gewöhnlich das Gerüst, an dem die Weinbeeren **14** sitzen, die Traube, so z.B. Cant 7 8. 9, hier zusammen mit כפר die aufwärts gekehrte, duftende Rispe der Cyper- oder Hennablume, Lawsonia alba (Löw, Flora II 218ff.; Dalman, AuS V 353). Der wohl ausführlichste

Bericht über Kultur und Verwendung des Hennabäumchens oder -strauchs ist durch HSchäfer von dem Nubier Samuêl Alî Hissein (geb. 1863) auf uns gekommen: „Diese Henna, die die Häßliche schön macht, treibt unzählige Blüten. Und ihre Blüten sind gelb und dicht. Aber was sie mehr als dies wertvoll macht und die Menschen zu ihr hinzieht, das ist ihr Duft, der das obere Ufer und den Raum vor den Palmen durchzieht. Und manchmal stecken die Frauen sie unter ihre Flechten oder legen sie in die Achselhöhle, um den Bocksgeruch zu vertreiben" (Nubische Texte im Dialekte der Kunuzi: AAB 1917, Phil.-hist. Kl 5, 29ff.; vgl. auch LKeimer, Die Gartenpflanzen im Alten Ägypten I, 1924, 51ff.).

En-Gedi („Ziegenquelle"), Oase in der judäischen Wüste, am Westufer des Toten Meeres, das heutige *tell ed-dschurn* (BASOR 18, 1925, 14 f.). Bewässerung und warmes Klima geben dem Ort eine außerordentliche, fast sprichwörtliche Fruchtbarkeit. Sir 24 14 und Plin., Nat. hist. V 17 erwähnen seinen Reichtum an Palmen, und Hieronymus spricht von dem Balsam und Weinbau (Onomastica Sacra ed. PdeLagarde, 1887, 119, 14f.). Nach Plinius war En-Gedi ein Mittelpunkt der Essener.

BAUMGARTENLIED

(115–17)

¹⁵ „Wahrlichᵃ, du bift ſchön, meine Geliebte,
ja, du bift ſchön;
deine Augen ſind Tauben ᵇ“.
¹⁶ „Auch du bift ſchön, mein Geliebter,
und lieblich.
Und laubreichᶜ iſt unſer Ruhelager.
¹⁷ Die Balken unſeres Hauſesᵈ ſind Zedern,
unſere Dachſparren ſind Zypreſſen“.

a הנה affirmativum, vgl. arabisch *'inna* (Joüon, Gram. § 164 a). – b 𝔊
scheint דְּיוֹנָה gelesen oder konjiziert zu haben: „deine Augen sind die einer
Taube". An 𝔐 ist nichts zu ändern. – c 𝔊 hat רענן mit σύσκιος übersetzt;
so auch 1 Kö 14 23 Ez 6 13. 𝔊 hat *rᵉṣif*, spissus, condensatus. – d In der Verbindung קרות בתינו ist der Plural des Regens auf das Rectum übertragen; s.
BrSynt § 72 a.

Das Liedchen ist als ein Gespräch zwischen den Liebenden gestaltet,
die einander in Du-Form anreden und ihr schönes Beisammensein preisen. Als bewußte Stilform ist die Wiederholung verwendet.

Höchstens die letzten Zeilen könnten Hinweise auf die Situation
geben, die den äußeren Rahmen dieses lyrischen Gedichts bildet. Diese
Hinweise sind aber sehr flüchtig und kaum eindeutig. Mit dem „laub-
reichen Ruhelager" scheint eine Liebesbegegnung im Baumgarten angedeutet zu sein. In den ägyptischen Gedichten ist die „Liebe unter den
Bäumen" ein häufiges und reich entfaltetes Motiv. Der Garten hat „als
naheliegender Ort des Stelldicheins eine natürliche Beziehung zur Liebe,
auch ohne daß die Liebesleute die Verkleidung des Gärtners anzunehmen
brauchen" (AHermann, Altäg. Liebesdichtung 121). 17 indessen spricht
von „unserem Haus", von „Zedernbalken" und „Zypressenläufern". Dabei scheint wohl doch an einen königliche Palast gedacht zu sein. Ein
derartiges Oszillieren wäre unerträglich, wenn das Lied eine kultische
Situation spiegelte, ist aber begreiflich, wenn wir es als Frucht einer
Kunstdichtung betrachten, die mit verschiedenen literarischen Topoi und
Themata arbeitet. Die Zedern und Zypressen sind herrschaftliche und
königliche Bäume (vgl. 2 Kö 14 9), deren Holz nur für die vornehmsten
Häuser in Frage kam. Die Vermutung liegt nahe, daß wir uns bei diesem
Gedicht im Bereich der König-Travestie befinden. Ohne daß wir von einer
vollendeten Königsverkleidung sprechen können, ist das Bestreben des

Dichters deutlich zu spüren, die Liebesleute in eine höhere soziale Sphäre zu erheben und in eine neue Umgebung zu versetzen.

Wort 1 15 „Deine Augen sind Tauben". Der Vergleich ist als ein nominaler Identitätssatz gestaltet, also ohne Verwendung einer Vergleichspartikel (s.o.S. 58). Die Taube wird bisweilen wegen ihres Gurrens erwähnt, das als Bild für das Klagen steht (Jes 38 14 59 11 Ez 7 16), oder als Bild der Unbesonnenheit und Unerfahrenheit (Hos 7 11). Nur im Cant wird יונה als Kosewort für die Geliebte gebraucht (2 14 5 2 6 9). In 4 1 werden wie hier in einem Identitätssatz die Augen des Mädchens mit Tauben verglichen. 5 12 vergleicht die Augen des Jünglings mit Tauben an Wasserbächen, die sich in Milch baden (Vergleichspartikel כ). Es ist nicht ohne weiteres einzusehen, wo das tertium comparationis bei diesem Vergleich liegt. Nach GDalman soll das Bild die frische Klarheit der Augen veranschaulichen (AuS VII 264). Näher läge vielleicht, an die liebäugelnden Blicke zu denken, die mit der heiteren Regsamkeit der Tauben verglichen wären; vgl. Jes 3 16, wo die Frauen Jerusalems mit Strafe bedroht werden, weil sie „verführerische Blicke werfen".

Es gibt aber eine andere Möglichkeit, den Vergleich zu erklären. Wenn man die menschlichen Porträts betrachtet, die uns in zahlreichen Bildnissen aus den Bildhauerwerkstätten, in den Reliefs der Gräber und den Malereien der Paläste eindrucksvoll entgegentreten, fallen bei allem Reichtum an individuell charakterisierenden Zügen bestimmte, konstant wiederkehrende Merkmale auf, die als künstlerische Konventionen gelten und den Darstellungen eine gewisse Typik geben. Zu diesen konventionell gestalteten Einzelheiten gehört das Auge, das durchgehend in einer Form konturiert ist, die an einen Vogelkörper sehr stark erinnert. Wie wir besonders in den sogenannten Beschreibungsliedern sehen werden, weist die Bildsprache des Hohenliedes viele Einzelheiten auf, die am besten begreiflich werden, wenn wir mit der bildenden Kunst als Inspirationsquelle rechnen dürfen (s.o. S. 69ff.). Der Vergleich des Auges mit einer Taube ist m.E. mit Hilfe der linearen Verdeutlichung der ägyptischen Kunst zustande gekommen.

16 ערש ist eine besonders vornehme und prachtvolle Art des Lagers (Ps 6 7
17 41 4 Hi 7 13 Prv 7 16; vgl. GDalman, AuS VII 185ff.). – רענן „laubreich, üppig", fast immer von Bäumen. Die Balken und die quer über sie gelegten Dachsparren sind nicht aus dem gebräuchlichen Eichen- oder Sykomorenholz gemacht, sondern aus den kostbaren Zedern und Zypressen, die im Palast des Königs gebräuchlich waren.

WIE LILIE UND APFELBAUM
(2 1–3)

¹Ich bin eine Narzisse des Saron^a,   Text
eine Lilie der Täler.
²Wie eine Lilie unter^b den Disteln,
so ist meine Freundin unter^b den Mädchen.
³Wie ein Apfelbaum unter den Bäumen des Waldes,
so ist mein Liebster unter den Jünglingen;
in seinem Schatten liebe ich zu sitzen,
und seine Frucht ist süß für^c meinen Gaumen.

a 𝕲 (verallgemeinernd) ἄνθος τοῦ πεδίου. 𝕲 hat in beiden Halbversen   2 1
šōšanā. – b 𝕲 strebt nach variatio sermonis: für die zwei בין steht ἐν μέσῳ,   2
dann aber ἀνὰ μέσον. – c 𝕲 ἐν.   3

Mit 2 1 fängt ein neues Gedicht an, das thematisch an das unmittelbar   Form
vorhergehende Beschreibungslied erinnert, formell aber als eine selbständige Einheit dasteht. Beide sind Bewunderungslieder, in denen die
Liebesleute einander mit rühmenden Vergleichen beschreiben. Statt der
direkten Anrede sprechen sie hier abwechselnd voneinander in 3. Person.
Während 1 17 Zedern und Zypressen erwähnt, wird in 2 1 von zarten
Frühlingsblumen gesprochen. Vielleicht darf man hier gerade die Kon-
trastwirkung als Anordnungsprinzip wirksam sehen. Der Vergleich des
Jünglings mit einem Apfelbaum ist zuerst in genauer Konformität mit
dem vorhergehenden gestaltet, wird in 3b in lyrischer Bildsprache weiter
ausgeführt: Schatten und Frucht.

Es lohnt sich nicht, bei einem lyrischen Gedicht wie diesem nach   Ort
einem konkreten Sitz im Leben zu fragen. Die Dialogform weist natürlich nicht auf eine dramatische Gestaltung hin, sondern ist ein stilistisches
Mittel der lyrischen Aussage. Erscheinungen der Natur und Landschaft
sind in dichterischer Freiheit als Bilder der Liebessprache in Anspruch genommen. Der Dichter tritt nicht selbst hervor, sondern legt die Rede in
den Mund des Mädchens bzw. des Jünglings. A Hermann hat ohne Zweifel darin recht, daß Lieder mit unter sich allein redenden Liebesleuten
gegenüber solchen, die den redenden Dichter einführen, dem eigentlichen
Ursprung der Liebeslyrik näherliegen. Wo ein Dichter sprechend hervor-
tritt, ist die sprachliche Verlautbarung schon weniger spontan, es liegt
eine künstlich geschaffene literarische Situation vor (Altäg. Liebesdichtung 75).

Wort 21 Das Mädchen spricht zuerst von sich selbst. Ohne eine besondere Vergleichsformel zu verwenden, nennt sie sich „eine Blume vom Saron". חבצלת außer hier nur Jes 35 1. Die genaue Bedeutung bleibt unsicher. Holma will das Wort aus dem assyrischen ḫabaṣillatu, „Rohrstengel" = Asphodelus microcorpus, herleiten (Beitr. zum Ass. Lex., 1912, 66), während Löw mit Hilfe einer hebräischen Etymologie (Zusammensetzung von חצי und בצל = „halbe Zwiebel") die Pflanze mit einer Lilie identifiziert: Colchicum, die Zeitlose (Flora II 156). Dalman denkt an Meerzwiebel oder Narzisse (Marti-Festschrift, 1925, 62ff.). Jedenfalls handelt es sich um eine Blume, die für die fruchtbare Küstenebene besonders charakteristisch war und wahrscheinlich in großer Menge vorkam. שושנה meint gleichfalls eine häufig vorkommende Blume, gewöhnlich mit „Lilie" identifiziert, ist wahrscheinlich aber eine etwas umfassendere Bezeichnung aller kelchförmigen Blüten (Dalman, AuS I 360).

Diese Selbstschilderung erinnert an das Lied von der schwarzen Gärtnerin in 1 5-6 und hat denselben, zugleich bescheidenen und kokettierenden Ton: „Ich bin eine unter vielen".

2 Der Jüngling nimmt den Vergleich auf, führt ihn aber in komplimentierender Weise aus. Seine Geliebte ist nicht eine Blume unter tausend anderen. Sie hebt sich über alle anderen hinaus wie eine schöne Blume unter den Disteln. In der Fabel, mit der Joas den judäischen König Amasja verhöhnt, stellt er die Distel als eine wertlose, verächtliche Pflanze der mächtigen und schönen Zeder gegenüber (2 Kö 14 9). Hi 31 40 wird die Distel als Unkraut erwähnt und mit dem nützlichen Weizen kontrastiert.

3 Das Mädchen antwortet mit einem erneuten Vergleich, der dem vorausgehenden formell und inhaltlich genau parallel ist. Der Jüngling ist ein Baum, aber kein beliebiger Baum. Hebt sich das Mädchen unter allen Blumen des Feldes hervor, so unterscheidet sich der Jüngling unter den Bäumen des Waldes. Die eingebürgerte, von den alten Versionen überlieferte Übersetzung „Apfel", „Apfelbaum" wird von Löw energisch verteidigt und ist wahrscheinlich richtig. Der Versuch תפוח auf eine Citrusart zu beziehen, spiegelt einen späteren Sprachgebrauch; vgl. lat. malum, das, als die Citrone sich in der griechischen Welt einbürgerte, auch für diese verwendet wurde (s. Pauly-Wissowa I 2704). Wenn auch mehrere mit תפוח zusammengesetzte Ortsnamen vermuten lassen, daß der Apfelbaum im alten Palästina weniger selten war als heutzutage, war er natürlich ebensowenig wie jetzt ein Waldbaum, und sein Vorkommen im Wald war eine beglückende Seltenheit.

בצלו חמדתי וישבתי : im Hebräischen werden oft zwei Verben (asyndetisch oder wie hier mit ו verbunden) zusammengestellt, von denen das zweite die Haupthandlung enthält, das erste dagegen einen speziellen Aspekt ausdrücken soll; vgl. Gn 24 18 ותמהר ותרד כדה, „und sie nahm eilig ihren Krug herunter"; andere Beispiele bei Joüon, Gr. § 177.

116

⁴Er hat mich ins Weinhaus gebracht ᵃ,   Text
dessen Zeichen ᵇ über mir heißt „Liebe".
⁵Stärket mich mit Rosinenkuchen ᶜ,
erfrischet ᵈ mich mit Äpfeln,
denn ich bin krank aus Liebe ᵉ.
⁶Seine Linke ist unter ᶠ meinem Kopf,
und seine Rechte umfängt mich.
⁷Ich beschwöre euch, ihr Töchter Jerusalems,
bei den Gazellen oder den Hinden des Feldes ᵍ:
weckt nicht auf und stört nicht die Liebe,
bis ihr's gefällt.

a 𝕲 𝕷 𝚺 𝕾 „bringt mich" erklärt sich leicht als falsche Angleichung an 24
die Imperative in 5. – b Von den alten Übersetzern fälschlich als Imperativ verstanden: וְדִגְלוֹ. 𝕲 τάξατε ἐπ' ἐμὲ ἀγάπην, „setzt die Liebe über mich",
d.h. um über mich zu herrschen; vgl. die griechische Übersetzung des part.
nif. נדגלות in 64 mit τεταγμέναι. 𝕾 hat das Verb tᵉkas, das lautlich an das
griechische Wort auffallenderweise erinnert, von dessen Sinn aber gänzlich
abweicht: „hemmen", „zurückdrängen". – c 𝕲 ἐν μύροις „mit Salben"; 𝕾 5
pūnākē, deliciae, voluptas. Beide sind erratene Übersetzungen, die veränderte
Kulturverhältnisse spiegeln. – d 𝕲 στοιβάσατέ με, sonst für ערך „aufhäufen",
hier aber in der Bedeutung „stopfen", „ausfüttern". – e 𝕲 an antike Mythologie erinnernd: τετρωμένη ἀγάπης ἐγώ; vgl. oben S. 81. – f תחת ל, wo- 6
gegen in 83 ל fehlt; Angleichung würde Willkür sein. – g 𝕲 wieder mit An- 7
lehnung an mythologische Vorstellungen und den lyrischen Stil verkennend:
ἐν δυνάμεσιν καὶ ἐν ἰσχύσεσιν τοῦ ἀγροῦ.

Das kleine Lied erscheint formell und inhaltlich als eine geschlossene Form
Einheit. Wie häufig im Hohenlied ist das Gedicht im „Ich"-„Er"-Stil
gehalten. Das Mädchen spricht von „ihm" in 3. pers. In den zwei Anreden 5 und 7 wendet sie sich an außenstehende Zwischenfiguren, die
Töchter Jerusalems. Die Verse 6 und 7 erscheinen auch, in der gleichen
Folge, in 83f., der Vers 7 außerdem in 35; vgl. auch 58. Sie sind offenbar
selbständige Lieder oder Liedfragmente, die als eine Art Kehrvers dem
Gedicht angehängt worden sind.
     Der im Hohenlied ziemlich seltene synonyme Parallelismus findet
sich in 5 und 6. Die rhythmische Struktur ist überwiegend zwei- oder
dreitaktig. Der Schlußvers bietet ein etwas erweitertes Satzgebilde ohne
klare metrische Gliederung.
     Seinen Platz nach dem vorhergehenden Gedicht verdankt das Lied
ohne Zweifel dem Stichwort תפוח, das in beiden vorkommt, 3 und 5, aber
in sehr verschiedenen Zusammenhängen.

Ort Die Situation, die im Gedicht zum Ausdruck kommt, ist eine Liebesbegegnung zwischen den Liebenden, die im „Weinhaus" stattfindet. Ihr
besonderes Kolorit bekommt die Rendezvous-Schilderung durch zwei
literarische Topoi, die für die Liebesdichtung aller Zeiten charakteristisch
sind: die Liebeskrankheit (5) und die gefährdete Liebe (7).

Wort 24 Der Vers erinnert an 1 4, wo wie hier von einem Stelldichein die Rede
ist. „Das Weinhaus", בית היין (vgl. בית משתה היין Est 7 8 und בית־משתה Jer
16 8 Qoh 7 2), ist nach Dalman, AuS IV 390 „der für Trinkgelage einge-
richtete Raum im vornehmen Hause". Man könnte auch an ein frei-
stehendes Häuschen denken. Ägyptische Darstellungen zeigen eine Art
ephemerer Hütten oder Lauben, die verschiedenen Zwecken gedient
haben und vor allem bei festlichen Anlässen aufgeschlagen wurden; ferner
s. EBrunner-Traut, Die Wochenlaube: Mitteilungen des Instituts für
Orientforschung (Berlin) III (1955) 11–30.
Rätselvoll ist der zweite Halbvers: „und sein Banner über mir ist
Liebe", wo דגלו עלי als Subjekt anzusehen ist. דֶּגֶל kommt außer hier nur
an einigen Numeristellen vor, und zwar in der priesterschriftlichen Beschreibung des Wüstenlagers (1 52 2 2f. 10. 17f. 25. 31. 34 10 14. 18. 22. 25). An
allen diesen Stellen bezeichnet דגל ohne Zweifel eine Abteilung des militä-
risch organisierten Stämmelagers. Den Sinn einer militärischen Abteilung
hat דגל auch in den Elephantinepapyri (vgl. Cowley, ArPap 12) und in
der Kriegsrolle aus Qumran, 1QM V 3 (vielleicht = 1000 Mann, vgl.
JvdPloeg, VT 5, 1955, 402). In allen erwähnten Stellen hat דגל einen
klar sekundären Sinn, der als Ergebnis einer metonymischen Weiter-
entwicklung erscheint. Die ursprüngliche Bedeutung, die, wenn auch etwas abgeändert, sich noch im Hohenlied findet, ist ohne Zweifel „Fahne",
„Feldzeichen"; vgl. den gleichen semasiologischen Prozeß beim lateinischen vexillum und deutschen „Fähnlein". Dürfen wir aus der Hoheliedg-
stelle eine militärische Metaphorik herauslesen, wäre der Jüngling als
ein kriegerischer Eroberer gedacht, der mit fliegenden Fahnen das Mädchen im Triumph wegführt. Wahrscheinlich hat aber דגל hier wohl doch
einen nicht-militärischen Sinn. In der altarabischen Trink- und Liebeslyrik erscheint bisweilen eine „Fahne", ǧāya, d.h. ein Aushängeschild, das
auf einem Haus angebracht wurde, um kundzugeben, daß dort ein
Trinkgelage gefeiert wurde. Das Weinhaus, in das der Jüngling seine
Geliebte bringt, ist aber – so wäre die Meinung – nicht für ein Trinkgelage bestimmt, sondern für eine Liebesbegegnung.
אהבה steht ohne Artikel, was nicht ohne stilistische Bedeutung ist.
Durch das Fehlen des Artikels wird das Wort begrifflich verdichtet, bekommt fast den Sinn eines Eigennamens. Die Lyrik aus moderner Zeit
kennt diese Wirkung der Artikellosigkeit sehr gut, z.B.

118

„Frühling läßt sein blaues Band
wieder flattern durch die Lüfte"
(Mörike, Er ist's).

Die beiden Piel-Formen סמך und רפד sind Synonyme und haben beide 25
die Grundbedeutung „stützen". אשישה „Rosinenkuchen" hat kultische
Verwendung, wird aber auch als eine kostbare Speise erwähnt (Jes 16 7
2 S 6 19).

Von der Liebe als einer Krankheit, die sowohl den Jüngling als das
Mädchen befallen kann, wird in den altägyptischen Liedern häufig gesprochen:

„Der Geliebte verführt mein Herz mit seiner Stimme
und läßt mich Krankheit befallen" (Schott 39).

„Ich werde mich drinnen niederlegen
und so tun, als wäre ich krank.
Dann treten meine Nachbarn ein, nachzusehen.
Dann kommt meine Geliebte mit ihnen.
Sie wird die Ärzte überflüssig machen,
denn sie kennt meine Krankheit" (Schott 48).

Bisweilen wird die Liebeskrankheit mit einer speziellen Heilpraxis
behandelt:

„Sieben Tage sah ich die Geliebte nicht.
Krankheit hat mich befallen.
Mein Herz wird schwer.
Ich habe mich selbst vergessen.

Wenn die Ärzte zu mir kommen,
bin ich mit ihren Mitteln nicht zufrieden.
Keinen Ausweg finden die Beschwörer.
Meine Krankheit wird nicht erkannt" (Schott 43).

Ein anderes Lied erwähnt unter den zu probierenden Heilmitteln
„süße Kuchen" und „süßen Wein" (Schott 51); ferner zum Thema s.
Hermann, Altägyptische Liebesdichtung 98ff.

Die gleichen Worte finden sich auch in 8 3, nur mit dem kleinen Un- 6
terschied, daß dort תחת ראשי steht statt תחת לראשי. Die Wortfolge des Verbalsatzes וימינו תחבקני (S-P) steht unter Einfluß des Nominalsatzes im
vorhergehenden Halbvers.

Das Mädchen schildert das intime Beisammensein der beiden Liebesleute. Daß die Szene uns auf Hochzeit und Brautgemach unausweichlich

119

verweisen (Budde), ist ein voreiliger Schluß. Im Gegenteil, die Worte des Mädchens im folgenden Vers wollen die Ungeschütztheit der Liebesbegegnung betonen. Das Rendezvous ist von keiner gesellschaftlichen Legalisierung geschützt, steht nur unter der Schirmherrschaft der Liebe und muß nach gemeinsam verbrachter Nacht mit dem schmerzlichen Abschied rechnen.

2 7   Die Anrede an „die Töchter Jerusalems" ist ein literarischer Topos, ein artistisches Mittel, die Gedanken der liebenden Person auszudrücken. Ebensowenig wie die übrigen Zwischenfiguren des Hohenliedes sind die „Töchter Jerusalems" als Bühnenfiguren gedacht, sondern verdanken ihr Dasein einer stilistischen Gestaltungsweise. Auch die altägyptische Liebesdichtung arbeitet mit dem gleichen artistischen Mittel, literarischen Zwischenfiguren, die als Helfer oder Feinde der Liebenden auftreten: Nebenbuhler, Familienangehörige, Prinz Mehi (vgl. unten zu 6 12), aber auch gefährliche Tiere, trennendes Wasser usw.; s. Hermann, Altäg. Liebesdichtung 100 ff. Als ein besonderer Störenfried erscheint in einem ägyptischen Lied der Morgenvogel, der mit seiner Stimme den Morgen und damit die notwendige Trennung verkündet:

> „Die Stimme der Schwalbe spricht. Sie sagt:
> 'Das Land tagt. Was ist dein Weg?'
> Nicht doch, Vogel, du schiltst mich.
> Ich habe den 'Bruder' in seinem Gemach gefunden.
> Mein Herz ist glücklich darüber hinaus.
>
> (Denn) wir sagen:
> Ich werde nicht weggehen,
> wo meine Hand in deiner Hand ist,
> an jedem schönen Platze"

(zit. nach Hermann, der das Motiv des „Tageliedes" in der ägyptischen Liebeslyrik sehr interessant behandelt, Altäg. Liebesdichtung 130ff.). Ferner siehe ATHatto, Das Tagelied in der Weltliteratur: Deutsche Vierteljahrsschrift für Literaturwissenschaft und Geistesgeschichte 36 (1962) 489–506.

Die Beschwörung bei den „Gazellen und Hinden des Feldes" (Lyrisierung der Schwurformel!) soll die Aufforderung recht eindringlich machen; vgl. 1 S 20 17, wo Jonathan David „bei seiner Liebe" beschwört.

AN DER TÜR DER GELIEBTEN
(2 8–14)

Text

8 Horch![a] Mein Geliebter!
Sieh, da[b] kommt er,
kletternd über die Berge,
hüpfend über die Hügel.
9 [c]Mein Geliebter gleicht einer Gazelle
oder einem jungen Hirsch[d].
Siehe, da[e] steht[f] er vor[g] unserer Wand,
er schaut durch[h] die Fenster, er blickt durch[h] die Gitter[i].
10 Mein Geliebter hob an[k] und sprach zu mir:
„Steh auf[l], meine Liebste,
meine Schöne[m], und komm heraus!
11 Denn sieh, der Winter[n] ist vergangen,
der Regen [o]zieht ab und geht vorüber[o].
12 Die Blumen sind erschienen am Boden,
die Zeit des Schneitelns[p] ist da,
und die Stimme der Turteltaube läßt sich hören in unserem Lande.
13 Der Feigenbaum hat seine Früchte gefärbt,
und die blühenden[q] Reben duften.
Steh auf[r], meine Geliebte,
meine Schöne[s], und komm heraus!
14 Meine Taube in den Schlupfwinkeln[t] des Felsens,
im Versteck des Felsensteiges[u]!
Laß mich deine Gestalt sehen,
laß mich deine Stimme hören.
Denn deine Stimme ist angenehm,
und deine Gestalt ist lieblich.

a קול mit folgendem Genitiv wird hier als eine Interjektion gebraucht; 2 8
vgl. Joüon, Gr. 162 e. Weder 𝔊 noch 𝔖 haben das Wort als einen Ausruf verstanden. – b Das Demonstrativpronomen זֶה hat hier seine ursprüngliche deiktische Kraft und steht fast als Adverb; vgl. Ges-K 136 d; Kö 42; BrSynt 23 a. –
c Es besteht kein Grund, die erste Zeile zu streichen, zumal sie die Stich- 9
wörter צבי und אילים enthält, um derentwillen das Gedicht gerade hier seinen Platz bekam; so mit Recht Rudolph. 𝔊 hat über 𝔐 hinaus ἐπὶ τὰ ὄρη βαιθήλ, was den Schlußworten von 17 entspricht: על־הרי בתר, die dort aber anders übersetzt sind: ἐπὶ ὄρη κοιλωμάτων. Offenbar hat die Vorlage des griechischen Übersetzers die Worte auch in 9 gehabt. – d עפר האילים mit generalisierendem Plural; Joüon, Gr. 136 j. 𝔊 hat den Plural übernommen: νεβρῷ ἐλάφων, 𝔖 dagegen schreibt Singular: *ailā*. – e deiktisches זֶה; vgl. zu 8b. – f עומד, fehlt in 𝔊^{B}, jedoch 𝔊^{AC} ἕστηκεν. – g אַחַר, d.h. vom Standpunkt des Mädchens gesehen; 𝔊 und 𝔖 wörtlich. – h מִן gleichfalls vom Standpunkt des Mädchens gesehen; so auch 𝔖. 𝔊 dagegen διά. – i חרכים, Gitterfenster, nur hier. 𝔊 hat δίχτυα, das sonst Fischer- oder Jagdnetz bedeutet; vgl. jedoch αἱ θυρίδες δικτυωταί Ez 41 16. 𝔖 *ṣaiārātā*, *cardines ianuae*. Demgemäß bekommt

auch das Partizip einen anderen Sinn; für מֵצִיץ hat 𝔊 das Part. pass. *markan,*
2 10 *inclinatus.* – k עָנָה. Die vorgeschlagene Änderung in עֹנָה ist voreilig. Das Perfekt bricht die lange Reihe der Partizipien ab. Damit soll gekennzeichnet
werden, daß die Rede des Jünglings sich nicht als gleichwertiges Glied in die
zusammenhängende Kette der Beschreibung fügt. Die Beschreibung des Rendezvous ist abgeschlossen, es wird etwas Neues angekündigt: die Schilderung,
wie der Frühling kommt. – l Für קוּמִי לָךְ (mit sog. Dativus ethicus) hat 𝔊 zwei
Imperative: ἀνάστα ἐλθέ. Damit hängt es zusammen, daß die beiden letzten
Worte des Verses: וּלְכִי־לָךְ unübersetzt geblieben sind, um einer unschönen
Wiederholung zu entgehen. – m 𝔊 + περιστερά μου; vgl. 14. Der gleiche
11 Zusatz in 𝔅, aber dort vor רַעְיָתִי. – n Q סְתָיו zur Sicherstellung der richtigen
Aussprache statt eines möglicherweise zu lesenden סְתֹו. – o–o חָלַף הָלַךְ; zur
asyndetischen Aneinanderreihung zweier Verba, die einen einheitlichen Vor-
12 gang schildern, s. BrSynt § 133b; in 𝔊 und 𝔅 mit „und" verbunden. – p Zur
13 Übersetzung s. unter „Wort". – q Zur Bedeutung des סְמָדַר s. unter „Wort". Es
steht hier appositionell: „Reben die Knospenhülle sind." 𝔊 hat ἄμπελοι
κυπρίζουσιν, während 𝔖 die Worte syndetisch verbindet: *gūfnē ṷasᵉmadrā.* –
r Q 𝔖 לָךְ. 𝔊 dagegen mit K und wie 2 10 ἀνάστα ἐλθέ. – s 𝔊 + περιστερά μου.
14 – t חַגְוֵי Plur. von חָגוּ. Zum generalisierenden Plur. s. Joüon, Gr. 136 j N. –
u בְּסֵתֶר הַמַּדְרֵגָה, wofür 𝔊 ἐχόμενα τοῦ προτειχίσματος schreibt, d.h. „dicht an
der Vormauer." Das adverbiell versteinerte ἐχόμενα vertritt hier, wie öfter in
LXX, eine Präposition, s. Helbing, Die Kasussyntax bei den Septuaginta
(1928) 129f. Ein wenig überraschend ist προτείχισμα für מַדְרֵגָה. Der Übersetzer
hat aus dem hebr. Wort etwas Stufenförmiges herausgelesen; vgl. syr. *dᵉrag:
per gradus ascendere;* eine Art Urbanisierung der Vorlage.

Form   Das Hauptstück des Gedichts enthält die Worte des vor dem Fenster
der Geliebten stehenden Jünglings (10b–14). Er spricht das Mädchen direkt an („du") und bittet es herauszukommen. Dann folgt eine lyrisch
bewegte Schilderung des Frühlings. In den einleitenden Versen, die die
Situation genau beschreiben, spricht aber das Mädchen („ich") von
„ihm" in der 3. Person. Es ist auch das Mädchen, das die Worte des
Jünglings vermittelt: „Er spricht zu mir".
        In der Naturschilderung überwiegen charakteristischerweise die Ver-
balsätze; die Ankunft des Frühlings ist als ein Vorgang geschildert. In den
Verbalsätzen fällt auf, daß die Wortfolge S–P fast durchgehend die habituelle (P–S) verdrängt hat. Die bevorzugte Stellung S–P scheint gegenüber der habituellen Wortfolge keinen starken Bedeutungsunterschied zu
enthalten. Ihre Häufigkeit ist wahrscheinlich dem Einfluß der im Hohenlied (wie in Prv, vgl. Bloch, Vers und Sprache im Altarabischen, 1946,
99f.) mit den Verbalsätzen abwechselnden Nominalsätze zuzuschreiben.
        Neben dem ausführlichen Parallelismus membrorum (11. 12. 13. 14b c)
finden sich Beispiele eines unvollständigen Parallelismus mit einem beiden
Gliedern gemeinsamen Verbum (9a) oder Subjekt (9b c. 14a).
        Dreitakter wechseln ziemlich regellos mit Zweitaktern. Der unvoll-
ständige Parallelismus kann eine Veränderung der rhythmischen Struktur bewirken (14a).

Inhaltlich hat das Gedicht nicht sehr viel, was an das unmittelbar vorhergehende Lied erinnert, und sachliche Gründe, warum es hierher gesetzt worden ist, sind kaum zu entdecken. Offenbar sind Stichwortgründe
für die Einreihung bestimmend gewesen: 9a spricht von der Gazelle und
dem jungen Hirsch, die auch in 7a erwähnt werden.

Das Gedicht läßt eine konkrete Situation klar hervortreten, ein Stell- Ort
dichein; der Jüngling kommt in der Morgenfrühe zum Haus seiner Geliebten. Er geht nicht hinein, bittet auch nicht um Eintritt, sondern bleibt
draußen und sucht das Mädchen zu sich herauszulocken. Die Szene erinnert sehr stark an ein vor allem in der klassisch-antiken und hellenisti-
schen Liebespoesie beheimatetes Motiv, das der Türklage (Paraklausithyron). In ihrer klassischen Ausformung setzen die Türklagelieder eine
nächtliche Szene vor der Tür der Geliebten voraus, wo der Einlaß begeh-
rende Jüngling seine Liebesklage anstimmt; s. EBurck, Das Paraklausithyron. Die Entwicklungsgeschichte eines Motivs der antiken Liebesdichtung: Das humanistische Gymnasium 6 (1932) 186–200 und FO
Copley, Exclusus amator. A Study in Latin Love Poetry: American Philological Association, Monogr. 17 (1956). Wichtig ist, daß die Gattung
schon in der altägyptischen Liebespoesie vorkommt, wie Hermann gezeigt hat (Beiträge 134–138 und Altäg. Liebesdichtung 132–135). In dem
einzigen auf uns gekommenen vollständigen altägyptischen Türklagelied klopft der Jüngling an die Tür der Geliebten. Er wird nicht vom
Mädchen abgewiesen; aber die Tür ist geschlossen und von einem Tür-
hüter bewacht. Sein Lied richtet der Jüngling nicht an das Mädchen,
sondern an die geschlossene Tür, die er mit Beschwörungen und Vorwürfen bestürmt, ihn einzulassen. Das Hoheliedgedicht schildert eine Situation, die ganz zur Gattung gehört, die aber nicht zur „Türklage" führt,
sondern in eine Beschreibung des Frühlings und eine Lobrede auf die
Schönheit des Mädchens ausmündet.

Das Gedicht hebt mit zwei Interjektionen an, womit das Mädchen Wort 28
die Aufmerksamkeit auf den Jüngling lenkt. Ähnliche Gedichtanfänge
finden sich auch in der altägyptischen Liebesdichtung, z.B.:

> „Ich wende mein Gesicht nach dem Außentor.
> Sieh, der Geliebte kommt!
> Meine Augen sind auf dem Wege.
> Meine Ohren hören" (Schott 53, 7).

Der Vergleich mit einer Gazelle oder einem Hirsch im folgenden Vers
wird durch die Partizipien vorbereitet:

דלג (pi.) wird auch in Jes 35 6 von אַיָּל gebraucht und

קפץ, das im pi nur hier vorkommt, scheint sich gleichfalls auf ein Tier

123

zu beziehen; vgl. arab. *ḳafaza*, das u.a. von Antilopen und Pferden gesagt wird.

2 9   Der Jüngling eilt schnell wie eine Gazelle dem Mädchen entgegen. In 2 Sam 2 18 wird die Gazelle wegen der Schnellfüßigkeit erwähnt, und in einem ägyptischen Liebesgedicht wünscht das Mädchen den Jüngling herbei mit den Worten:

> „Ach, kämest du eilends zu der Geliebten
> wie eine Gazelle, die über die Wüste jagt" (Schott 44, 3).

עֹפֶר, „Jungtier", findet sich nur in Ct (5 Stellen) und immer in Verbindung mit Gazelle oder Reh.

כֹּתֶל, hap. leg., dessen Bedeutung aber durch bibelaram. כְּתַל außer Zweifel steht: „Wand"; Pluralsuff., weil das Mädchen bei seinen Eltern wohnt.

10   Jetzt hebt der Jüngling sein Liebeslied an. Aber statt der zu erwartenden Beschwörung des *amator exclusus*, eingelassen zu werden, folgt eine Aufforderung an das Mädchen, herauszukommen, und vor allem eine lyrisch bewegte Beschreibung der frühjährlichen Landschaft.

11   Das Frühlingslied hat einen merkwürdig modern anmutenden Ton. Die Naturerscheinungen werden hier nicht etwa im Rahmen eines Vergleichs beschrieben, sondern gehören zu einer lyrischen, gefühlsbetonten Naturbetrachtung um ihrer selbst willen, die wir sonst weder im Alten Testament noch in der altägyptischen Liebeslyrik finden. Das Wachsen und Blühen in der Natur und die Freude darüber werden in einer Weise geschildert, die man wohl lyrisch bewegt nennen darf, die aber mit einer mythisch gefärbten Naturbelebung nichts zu tun hat.

12   Blumen verschiedenster Art erscheinen „am Boden"; zu dieser Bedeutung des הארץ s. LRost, Die Bezeichnungen für Land und Volk im AT: Festschrift Otto Procksch (1934), 125–148, bes. 132f.

Umstritten ist der Sinn des עת הזמיר, „Zeit des Gesanges" oder „Zeit der Weinrebenbeschneidung". Nur mit der letztgenannten, von den alten Versionen bezeugten Übersetzung bekommt der Ausdruck den erwünschten Sinn einer konkreten, mit dem Frühling verknüpften Begebenheit; vgl. den Bauernkalender von Geser, der in seiner Aufzählung der in den einzelnen Monaten fälligen landwirtschaftlichen Tätigkeiten auch eine zweimonatliche Zeit des זמיר erwähnt, Lidzbarski, Ephemeris für semitische Epigraphik III 6, 6. Morphologisch analog sind andere Benennungen ackerbäuerlicher Beschäftigungen, wie חריש, בציר, אסיף קציר. Der Geserkalender spricht offenbar vom Beschneiden, das zwischen Ernte und Fruchtlese fällt. Es fand aber ein Rebenbeschneiden auch im Frühling vor der Blüte statt, was hier ziemlich gut passen würde; vgl. 13, der von Knospen, סמדר spricht. Nach Dalman könnte auch die Hoheliedstelle das zweite Beschneiden meinen, das also „zu den fröhlichen Beschäftigungen der mit der Blüte beginnenden Zeit" gerechnet wäre (AuS IV, 331). Überdies soll man aber nicht vergessen, daß wir es nicht mit einem Wirtschaftskalender zu tun haben, der über die verschiedenen Betätigungen und Erscheinungen belehren will, sondern mit einem Liebesgedicht.

Ein drittes Frühlingszeichen ist das Gurren der Turteltauben, die jetzt in „unser Land" zurückgekehrt sind. Als ein Zugvogel, der immer zur bestimmten Zeit kommt, wird die Turteltaube auch in Jer 8 7 erwähnt.

„Der Feigenbaum hat seine Feigen gefärbt". Das dunkle Verb חנט 2 13 kommt außer hier nur in Gn 50 2. 26 vor, wo es für das Einbalsamieren Jakobs und Josephs steht. Die gleiche Bedeutung hat im II. St. das arab. ḥannaṭa, während der I. St. von reifenden Früchten verwendet wird: weiß oder rot werden. Das scheint auch für unsere Stelle einen guten Sinn zu geben: „Der Feigenbaum färbt seine Jungfrüchte". Damit sollte verglichen werden, daß antike Schriftsteller die verschiedenen Farben der Feigen als etwas sehr Auffallendes nachdrücklich erwähnen. Nach Theophrastos konnte die helle Farbe sich spontan in eine dunkle und umgekehrt verwandeln, und dieser merkwürdige Farbenwechsel galt bei manchen für ein Mirakel; näher s. Pauly-Wissowa, Real-Enc. VI (1909) Sp. 2116.

Eine andere Übersetzung schlägt Böttcher vor: „der Feigenbaum knollt seine Härtlinge, d.h. setzt in Knollenform seine jungen, noch harten Früchte an" (Exeg.-kritische Aehrenlese zum AT, 1849, 86). Etymologisch erscheint diese Übersetzung als sehr fraglich. Böttcher will einen Sinnzusammenhang zwischen den harten Frühfeigen und dem härtenden Balsamieren der Leichen finden. ⅏ hat eine sehr allgemeine Übersetzung: ἐξήνεγκε, das ebensowenig wie das syrische *iab*, „geben", den exakten Sinn des hebräischen Wortes trifft.

Umstritten ist auch der Sinn des Wortes סמדר. Nach RDuval sind damit nicht die Blumen gemeint, sondern das Beerenbüschel mit den Herlingen, die sich gleich nach dem Ende der Blüte an der Rebe zeigen (Notes sur la Peschitto III: REJ XIV, 1887, 277–281). 7 13, wo סמדר mit פתח, „öffnen", steht, spricht aber dafür, daß „Blüte" oder vielleicht eher „Blumenknospe" gemeint ist; s. Löw, Flora I 72 f.

Das Gedicht endet mit einer erneuten Bitte an das Mädchen, zum 14 Jüngling herauszukommen. „Meine Taube" als Kosename ist auch bei den antiken Autoren belegt; s. Pauly-Wissowa, Real-Enc. IV 2.R., 1932, 24 95.

125

FANGET UNS DIE KLEINEN FÜCHSE
(2 15–17)

Literatur   AFeuillet, La formule d'appartenance mutuelle (II, 16) et les interprétations divergentes du Cantique des Cantiques: RB 68 (1961) 5–38.

Text   ¹⁵Fanget uns die Füchse,
die kleinen Füchse ᵃ,
die Weinbergverwüster,
denn unsere Weinberge blühen.
¹⁶Mein Geliebter ist mein, und ich bin sein,
der weidet unter den Lilien.
¹⁷Wenn der Tag weht ᵇ und die Schatten fliehen ᶜ,
Komm her, gleiche, mein Geliebter, einer
Gazelle oder einem jungen Hirsch auf den Bether-Bergen ᵈ.

2 15.17   a fehlt in 5 MSS 𝕾 𝕷 𝕭 𝔄. – b 𝕾 nᵉfug: frigidus factus est, sachlich richtige Übersetzung; auch 4 6. – c 𝕾 κινηϑῶσιν und 𝕾 narkᵉnōn („hinneigen") geben keinen Grund, mit abweichenden Vorlagen zu rechnen. – d 𝕾 ὄρη κοιλωμάτων „durchhöhlte Berge". Einige Handschriften haben κυκλωμάτων, das offenbar eine innergriechische Verschreibung ist und kaum mit dem בתר einer de Rossi-Handschrift zusammenhängt. 𝔄 Σ geben eine Transkription: βα(ι)ϑηρ, ebenso 𝕭: montes Bether; 𝕾 hat ṭūrai besmāne, montes aromatum; vgl. 8 14: gleichfalls Theodotion: ὄρη ϑυμιαμάτων. Hex sexta hat in בתר eine aus Indien stammende, aber nach Plinius auch in Ägypten und Syrien vorkommende aromatische Pflanze erkennen wollen, μαλάβαϑρον; s. Pauly-Wissowa, Real-Enc XIV (1930) 818ff.

Form   15 wird meistens als ein selbständiges Lied oder Liedfragment verstanden. Scheinbar handelt es sich um eine landwirtschaftliche Schutzmaßnahme, die Weinberge vor den Füchsen zu schützen. Den traubenfressenden Fuchs kennen auch die klassischen Autoren; s. Pauly-Wissowa, Real-Enc VII (1912) 190. Recht begreiflich wird der Vers jedoch erst, wenn man den erotischen Hintersinn wahrnimmt. Daß der Weinberg dieser erotischen Metaphorik gemäß für das junge Mädchen steht, haben wir schon in 1 6 gesehen. In ähnlicher Weise soll man hinter den schädlichen Füchsen, die in den Weingarten hereinschleichen und Unfug anstiften, die jungen Burschen erkennen, die um das junge Mädchen werben. Aber wer spricht in 15? Betrachtet man den Vers als ein selbständiges Liedchen, muß man ihn wohl mit Budde und Rudolph den jungen Mädchen zuschreiben, die schelmenhaft sich gegenseitig vor der Liebe warnen. Eine andere Deutung ergibt sich, wenn wir den Vers mit den beiden folgenden zusammennehmen und die unfugstiftenden Füchse als eine Drohung gegen das Beisammensein der beiden jun-

gen Liebenden auffassen. Dann werden die folgenden Verse gut begreiflich. Das Mädchen stellt seinen Hirten, „der unter den Lilien weidet",
den bösen Füchsen gegenüber und ladet ihn zu den „Bether-Bergen",
d.h. zur Liebschaft ein.

Das Lied ist nach dem vorhergehenden eingereiht worden, weil in
beiden von Weinbergen und Reben die Rede ist, und vor allem wegen des
Stichwortes סמדר in 13 und 16.

Der Vers besteht durchgehend aus Zweitaktern. **Wort 2 15**

In schlichter Prosa würde dieser Vers etwa lauten: אחזו־לנו שועלים קטנים
אשר חבלו כרמינו והמה סמדר. Die geschlossene Wortfügung der Prosa ist
in der dichterischen Fassung gesprengt worden. Die Vorstellungen des
Dichters werden nacheinander wahrgenommen und in Worte gefaßt,
und zwar so, daß die Hauptvorstellungen (שועלים, כרמים), durch Beiwörter ergänzt und bereichert, aufs neue vergegenwärtigt werden. Die
ästhetische Wirkung dieses Satzbaues liegt vor allem darin, daß die Beiwörter eine gewisse Selbständigkeit und zugleich einen stärkeren Nachdruck bekommen.

Daß der „Weinberg" ein beliebter Ausdruck der erotischen Metaphersprache des Hohenliedes ist, geht aus Stellen wie 1 6 und 4 12 hervor.
Damit ist außer Zweifel gestellt, daß die landwirtschaftliche Schutzmaßnahme, die die empörten Weinberghüter vorbereiten, nicht buchstäb-
lich zu begreifen ist, sondern einen erotischen Hintersinn hat; die unfugstiftenden Füchse, die in die Weingärten hereinschleichen, sind die Kava-
liere des jungen Mädchens. Daß Menschen den Füchsen verglichen werden, kommt auch sonst vor, z.B. Ez 13 4 (die falschen Propheten) und
Lk 13 32 (Herodes). Nimmt man zum Vergleich noch Neh 3 35 hinzu,
läßt sich vermuten, daß die Füchse, die sich in den eingerissenen Wein-
bergmauern tummeln und die Reben schädigen, einen sprichwörtlichen
Charakter haben; vgl. Zimmerli, BK zu Ez 13 4.

In bewußtem Gegensatz zu den Füchsen und deren bösem Benehmen 16
spricht das Mädchen von seinem Geliebten und der Hingabe und Zusammengehörigkeit, die sie vereinen. Er ist als ein Hirt dargestellt („Hirten"-
Travestie), der „unter den Lilien weidet"; vom Jüngling auch in 6 3 gebraucht, außerdem in 4 5 von Gazellenzwillingen, d.h. in der Bedeutung
pasci, nicht wie hier *pascere*. Je stärker man den äußeren Realismus betont,
desto befremdlicher wird der Ausdruck: „ce n'est pas habituellement
dans un parterre de lis qu'on mène paitre un tropeau" (Feuillet, RB 68,
1961, 9). Mehrere Ausleger haben die Lilien bildlich verstanden, d.h.
als Deckwort für die Lippen oder die Brüste des Mädchens. Dann würde
רעה auch hier *pasci* bedeuten. Diese Deutung verkennt aber den lyrischen
Stil des Gedichts. „Unter den Lilien" hat nicht charakterisierende oder
individualisierende Funktion, sondern steht als abgezogene Formel zu

bloßer Ausschmückung und Stimmungserregung, eine Arabeske, spielerische Fiktion eines Dichters, der das Hirtenleben als eine unwirkliche Idylle betrachtet.

217 „Wenn der Tag weht und die Schatten fliehen" – die ungenaue, poetische Ausdrucksweise gibt nicht unmittelbar zu erkennen, welche die betreffende Tageszeit ist. Besonders strittig ist der zweite Ausdruck. Nach einigen Auslegern (Budde, Haller, Gordis u.a.) ist der Morgen gemeint, wenn die Sonne die Schatten verjagt. Aber der Ausdruck paßt mindestens ebensogut von dem Abend, wenn die Schatten immer länger werden und gleichsam zu fliehen scheinen (so Joüon, Thilo, Rudolph); vgl. Jes 30 16 (von den schnell dahinfliegenden Reitern). Die letztere Deutung scheint dadurch bestätigt zu werden, daß die andere Zeitangabe einen ziemlich klaren Bezug auf den Abend hat: „wenn der Tag weht". Damit ist offenbar der am Nachmittag aufkommende, kühlend erfrischende Westwind gemeint; s. Dalman, AuS I 616; Noth, WAT⁴ (1962) 29. – סב דמה־לך, asyndetische Verbindung zweier Imperative; s. Joüon, Gr. 177 e. Im Vergleich des Jünglings mit einer Gazelle oder einem Junghirsch ist eine Tendenz zur Formverfestigung deutlich merkbar. Die häufige Wiederkehr dieses Tiervergleichs (2 9 4 5 7 4 8 14 sowie in den Beschwörungen 2 7 3 5) läßt den Charakter des Typischen erkennen und sollte uns davor warnen, allzu konkret-realistische Vorstellungen mit ihm zu verknüpfen. Die artistische Seite des Dichterprodukts tritt in diesem und ähnlichen Topoi klar zutage.

Rätselvoll ist die Ortsangabe על־הרי בתר, die nicht zum Verbum gehört, sondern sich auf das Bild von der Gazelle bezieht. Schon die alten Übersetzer haben בתר nicht mehr verstanden, und ihre Lösungsvorschläge gehen weit auseinander; s. zum Text. Auch nicht die späteren Versuche, mit Hilfe einer plausiblen Etymologie dem Ausdruck einen Sinn abzugewinnen, können befriedigen: „Berge der Trennung", d.h. die uns trennenden Berge (בתר = „abgeschnittenes Stück") oder Bettir, ein von 𝔊ᴬ Jos 15 59 erwähnter Ortsname; vgl. ’A Σ 𝔙 zu unserer Stelle. Wichtiger als alle Etymologien scheint zu sein, daß die Berge in der Parallelstelle 8 14 הרי בשמים, „Balsamberge", heißen und die annähernd ähnlich lautende Stelle 4 6 von הר המור, „Myrrhenberg", und גבעת הלבונה, „Weihrauchhügel", spricht. Daraus geht wohl doch hervor, daß auch die „Bether-Berge" als ein Ort des Wohlgeruchs zu verstehen sind. Hier soll daran erinnert werden, daß auch die altägyptischen Liebesgedichte ein fernes, geheimnisvolles „Duftland" erwähnen, das auf die dichterische Phantasie eine große Anziehungskraft ausübte. Das ist das Weihrauchland Punt. Berühmt und bedeutungsvoll für das künstlerische und geistige Leben wurde die große Handelsexpedition nach Punt, die Königin Hatschepsut unternahm. Die geographische Lage von Punt ist nicht mit Sicherheit festzustellen. Zu den Puntfahrten s. HKees, Kulturgeschichte des Alten Orients 1 (1933) 121 ff.: Handbuch der Altertumswissenschaft, hrsg.v. WOtto III. 1.3.1. Wichtiger ist, daß Punt in Kunst und Literatur bald von einem sagenhaften Glanz umstrahlt wurde und besonders in der Liebesdichtung den Charakter eines lyrischen Topos erhielt. In einem Lied, in dem das Mädchen als Vogelfängerin auftritt, spricht sie:

> „Vielerlei Vögel von Punt lassen sich nieder
> auf Ägypten, mit Myrrhen gesalbt.
> Der als erster kam, packt meinen Köder.
> Sein Duft ist aus Punt gebracht,
> seine Krallen sind voller Balsam" (Schott 50. 1).

In einem anderen Gedicht, in dem der Jüngling von seiner Geliebten spricht, heißt es:

> „Wenn ich sie umarme.
> und ihre Arme um mich gebreitet sind,
> ist es wie in Punt.
> Es ist wie [ein Salben mit] Öl"
> (Schott 66, 4); Näheres über Punt in der
> Liebeslyrik s. Hermann, Altäg. Liebes-
> dichtung 43ff. 94. 143.

Die Bether-Berge, alias Balsamberge, des Hohenliedes scheinen den gleichen, halb märchenhaften Charakter eines poetischen Wunderlandes zu haben wie das myrrhenduftende Punt in der ägyptischen Liebeslyrik. Als Stoff der literarischen Artistik haben sie ihren konkret-realistischen Sinn eingebüßt und sind zum stimmungserregenden Topos geworden. Die Aufforderung, einer Gazelle oder einem Hirsch auf den Bether-Bergen zu gleichen, ist in verhüllender Sprache eine Einladung zur Liebesbegegnung.

SUCHEN UND FINDEN
(3 1–5)

Text ¹Auf meinem Lager in der Nacht ᵃ suchte ich ihn,
den meine Seele liebt,
ich suchte ihn und fand ihn nicht ᵇ.
²„Ich will aufstehen und die Stadt durchwandern,
die Straßen ᶜ und Plätze,
ich will suchen ihn, den meine Seele liebt".
Ich suchte ihn und fand ihn nicht ᵈ.
³Mich fanden ᵉ die Wächter, welche die Stadt durchstreifen: ᶠ
„Den meine Seele liebt, habt ihr ihn gesehen?"
⁴ᵍKaum war ich an ihnen vorüber,
da ᵍ fand ich ihn, den meine Seele liebt.
ʰIch faßte ihn und ließ ihn nicht los ʰ,
bis ich ihn in das Haus meiner Mutter gebracht hatte ᶦ,
und in das Gemach ᵏ derer, die mich gebar.
⁵ᶦIch beschwöre euch, ihr Töchter Jerusalems,
bei den Gazellen oder den Hinden des Feldes:
Weckt nicht auf und stört nicht die Liebe,
bis ihr's gefällt.

3 1   a בלילות, „in den nächtlichen Stunden"; plur. compositionis. Ebenso
wie Orte und Flächen können auch Zeitabschnitte durch den Plural bezeichnet werden, weil man sie als Mehrzahl von Punkten oder Teilen auffaßt; vgl.
BrSynt § 19 d; Joüon, Gr. 136b. – b 𝔊 𝔏 + ἐκάλεσα αὐτὸν καὶ οὐχ ὑπήκουσέν μου;
2 Zusatz nach 5 6. – c שְׁוָקִים, plur. von שׁוּק. Ein zweisilbiger Stamm im plur.
auch von שׁוֹר (שְׁוָרִים Hos 12 12) und דּוּד, „Topf" (דְּוָדִים); s. Joüon, Gr. 96 A 1.
3 𝔊 ἐν ταῖς ἀγοραῖς. – d 𝔊ᴬᶜ + ἐκάλεσα αὐτὸν καὶ οὐχ ὑπήκουσέν μου. – e
מצא bedeutet sowohl „zufällig antreffen" (1 S 9 11) wie „etwas Gesuchtes
finden" (1 S 20 21). Die vorgeschlagene Änderung in מצאתי ist keine Verbesse-
rung. – f Das Fehlen der Fragepartikel gibt der Frage einen lebendigeren Charakter, der durch die Voranstellung des betonten Objekts noch stärker hervor-
4 tritt. 𝔊 und 𝔖 haben Fragepartikel: μή und lᵉmā. – g-g Wörtlich: „Wie ein
weniges (war), was ich an ihnen vorüber war, bis ich…" In der stark hebrai-
sierenden Übersetzung der 𝔊 ὡς μικρὸν ὅτε παρῆλθον ἀπ' αὐτῶν, ἕως οὗ hätte
man ὅ τι statt ὅτε erwartet. – h-h אחזתיו ולא ארפנו; besonders in der Poesie
ist das mit einem perf. abwechselnde imperf. oft zeitlich unbestimmt, und sein
Tempus richtet sich nach dem perf.; Joüon, Gr. 113 o. 𝔊 hat das richtig verstanden: ἀφῆκα (A ἀφήσω), ebenso 𝔖 arpītēh. – i הביאתי mit Bindevokal; die
zu erwartende Lesung wäre also הֲבִיאֹתִיו; s. Joüon, Gr. 80 r. – k חֶדֶר, als st.
5 cstr. statt חֲדַר nur hier. – l in 𝔐 wörtlich = 2 7; in den Übersetzungen nur
sehr geringfügige Abweichungen von 2 7

Form Das Stück hebt sich thematisch als eine Liedeinheit sehr klar heraus.
Das Mädchen erzählt von einem nächtlichen Rendezvous: sie steht von
ihrem Bett auf, um nach dem Geliebten zu suchen; sie durchwandert die

Stadt, fragt die Wächter, ob sie ihn gesehen haben. Dann findet sie ihn
plötzlich und führt ihn in das Haus ihrer Mutter. Mit der Schwurformel,
die wir aus 2 7 kennen, endet das Gedicht.

Das als eine rückschauende Ich-Erzählung stilisierte Lied wird dreimal von direkter Rede unterbrochen, die jedesmal ohne Einleitungsformel
steht: 2ab (Monologe), 3b (Anrede an die Stadtwächter), 5 (Anrede an
die Töchter Jerusalems).

Als wirksames Stilmittel erscheint die Wiederholung, die vor allem
mit dem Thema „suchen – finden" arbeitet; die Schlüsselworte בקש und
מצא kommen jeweils viermal vor.

Als ein poetisches Klischee findet sich das viermal wiederholte Objekt
שאהבה נפשי; außer hier nur 1 7, wo der Ausdruck jedoch als Anrede steht.

Die Wiederholung wird bisweilen als Nachtrag adverbialer Bestimmungen gestaltet. 2: „Ich will aufstehen und in die Stadt wandern" –
diesem syntaktisch und dem Sinn nach abgeschlossenen Satz werden
zwei adverbiale Ergänzungen angehängt – „auf den Straßen und auf den
Plätzen"; 4b: „bis ich ihn in das Haus meiner Mutter gebracht hatte
und in das Gemach derer, die mich gebar". Diese Sätze können auch
als unvollständige Parallelismen betrachtet werden.

Die meisten Ausleger betrachten das Gedicht als eine Traumerzäh-   Ort
lung. Das für ein anständiges Mädchen unpassende nächtliche Herumtreiben auf der Straße, die sinnlose Frage an die Stadtwächter, ob sie den
Geliebten gesehen haben, sein plötzliches Erscheinen und Hingeführt-
werden „in das Haus meiner Mutter", all das soll derart unwahrscheinlich und bizarr sein, daß es nur im Traum begreiflich wäre, wo die Hem-
mungen fehlen und das Seltsame selbstverständlich wird.

Die kultmythologische Deutung löst die Schwierigkeit dadurch, daß
sie den Vorgang in eine zeitlose, mythische Vergangenheit verlegt. Die
Grundlage des Gedichts soll ein ursprüngliches Kultlied gewesen sein, in
dem erzählt wurde, wie Ischtar ihren entschwundenen Gemahl Tammuz-
Marduk sucht, ihn findet und in ihr Brautgemach führt. Gegen diese
Deutung hat Rudolph (KAT z. St.) das Nötige gesagt: „Aber Tammuz
ist doch tot, und Finden bedeutet seine Rückkehr ins Leben; wo läßt
unser Text das ahnen? Das Suchen des Tammuz geschieht unter Weinen
und Klagen (vgl. Wittekindt, S. 124f.); warum wäre dieser stereotype
Zug hier weggefallen? Die Wächter sollen die Wächter der Unterwelt
sein, die der suchenden Göttin den Weg verlegen (Wittekindt, S. 125f.);
aber nach dem nicht zurechtgestutzten Text sind sie höchst unmythische
Stadtpolizisten."

Aber auch der von Rudolph verteidigten Auffassung, daß es sich um
einen Traum handle, scheinen unklare Vorstellungen vom literarischen
Charakter des Gedichts zugrunde zu liegen. Was der Dichter dem Mäd-

chen in den Mund legt, darf nicht als ein unreflektierter Bericht von
einem persönlichen Erlebnis betrachtet werden. Das Gedicht stellt eine
künstlich geschaffene Wunschsituation dar, die mit Zuhilfenahme fest ge-
prägter Topoi und Motive aufgebaut ist. Das Gedicht erinnert an das
Lied 5 2–8. Beide schildern die Versuche, ein nächtliches Rendezvous zu
arrangieren. In beiden finden sich das nächtliche Herumtreiben und
Suchen nach dem verschwundenen Geliebten, die nichtshelfenden oder
feindseligen Stadtwächter. Das sind Zeichen einer literarischen Formverfestigung, traditionelle Züge, die auf persönliche Empfindungen und
Erfahrungen keinen unmittelbaren Bezug haben.

Wort 31   Das Gedicht hebt mit zwei inszenierenden Adverbialbestimmungen
an, die das Wo und das Wann des zu erzählenden Vorgangs feststellen.
In der Nacht liegt das Mädchen auf seinem Lager und bekommt den Einfall, seinen Geliebten aufzusuchen. Der eigentliche Vorgang hat noch nicht
angefangen. Es handelt sich in diesem Vers nicht um ein erstes Suchen
in der allernächsten Umgebung, sondern um eine vorausnehmende Zusammenfassung der folgenden Erzählung, also etwa: „Jetzt will ich erzählen, was mir geschah, als ich eines Nachts auf meinem Bett lag und
meinen Geliebten treffen wollte, ihn aber nicht finden konnte".

2   Jetzt erst fängt die Erzählung an, und zwar mit dem allerersten;
dem tollkühnen Einfall des Mädchens, mitten in der Nacht in die Stadt
hinauszuwandern, um den Geliebten aufzusuchen. Als Erzählung von
einem Vorgang ist das Lied flüchtig, ohne großes Bedürfnis nach Verbindung und Zusammenhang. Der Stil spiegelt vortrefflich die erregte
Stimmung des Mädchens.

3   Ganz kurz wird eine kleine Episode während der Wanderung erzählt
„die Wächter, die die Stadt durchstreifen", treffen das Mädchen und
werden von ihm befragt, ob sie den Jüngling gesehen haben. Die Stadtwächter, die während der Nacht für Ordnung und Sicherheit verantwort-
lich waren, werden auch sonst erwähnt, ohne daß wir Genaueres über
sie erfahren (Ps 127 1 130 6 Jes 21 11). Ihr Vorkommen in 5 7 zeigt, daß
sie den Charakter des Typischen haben und zu den wiederkehrenden
Topoi der Liebeslyrik gehören. Nach G Jacob scheinen sie „zum Inventar
der orientalischen Erotik zu gehören" (Das Hohelied 38).

4   Ohne die Antwort der Wächter abzuwarten, eilt das Mädchen weiter
und findet plötzlich den Jüngling, den sie in das Haus ihrer Mutter führt.
Als Ort des Stelldicheins erscheint das Haus der Mutter auch in 8 2. Ein
fester Platz als einer wichtigen, meistens förderlichen Zwischenfigur unter
den Liebenden fällt auch in den ägyptischen Gedichten der Mutter zu:

„Er ist ein Nachbar des Hauses meiner Mutter,
und doch weiß ich nicht, wie ich zu ihm gehen kann.
Gut wäre in meiner Sache vielleicht meine Mutter.
Ach laß es, sie zu sehen" (Schott 40).

Etwa synonym mit dem „Haus der Mutter" steht das parallele „Ge- 35
mach derer, die mich gebar". Die „Verletzung der Sitte" (Rudolph) ist
bei diesem Ausdruck kaum größer als bei jenem. Die beiden Zeilen als
Zusatz aus 82 anzusehen (Budde, Ricciotti, Rudolph u.a.) heißt die
Tendenz zur Formverfestigung verkennen, die gerade in der Wiederkehr
bestimmter Motive und Topoi zum Vorschein kommt.

Ebenso verfehlt wäre es, die abschließende Schwurformel als einen
Zusatz zu betrachten. Ihr Vorkommen in 27 scheint zu zeigen, daß sie
als Abschluß einer Rendezvousschilderung literarisch traditionell ist.

FESTZUG AUS DER WÜSTE
(3 6–8)

Literatur RGordis, A Wedding Song for Solomon: JBL 63 (1944) 263–270. – SKrauss, Der richtige Sinn von „Schrecken in der Nacht" HL III. 8: Gaster Anniversary Volume (1936) 323–330.

Text ⁶ᵃWer ist sie ᵃ, die da heraufkommt
aus der Wüste, wie Rauchsäulen ᵇ,
durchduftet von Myrrhe und Weihrauch,
von allen Gewürzpulvern des Kaufmannes ᶜ?
⁷Siehe, ᵈes ist Salomos Sänfte ᵈ.
ᵉSechzig Helden sind rings um sie her
von den Helden Israels ᵉ.
⁸Sie sind alle Schwertträger ᶠ,
Kampfgeübte,
jeder hat sein Schwert an der Hüfte
gegen das Schrecknis ᵍ zur Nachtzeit ʰ.

3 6 a–a So 𝔐: מִי זֹאת; mit Budde, Siegfried und anderen wird meist מַה־זֹּאת gelesen. Was Erstaunen erregt und beschrieben wird, ist die Erscheinung des Festzuges. – b Das syrische 'eṭra, „Dampf", „Rauch" ist eine sachlich richtige Übersetzung des 𝔐; es entspricht also nicht einem hebräischen עֲטָרָה (gegen BHK³ und JBloch in AJSL 38, 1922, 116;) sinnlos ist Blochs Bemerkung, der Ausdruck sei „equivalent to the targumic rendering of the phrase והר סיני עשׁ, in Ex 19 18". Der Targum zur Stelle hat טורא, „Berg". – c 𝔊 hat für רוֹכֵל nicht die zu erwartende genaue Entsprechung μυροπώλης, „Salbenhändler", sondern μυρεψός, „Salbenkoch", das sonst öfter für רֹקַח steht. Auch bassāmā in 𝔊 entspricht nicht genau רוֹכֵל, sondern רֹקַח. Zum Salbenkochen in der Antike
7 s. Pauly-W Art. „Salben". – d–d מטּת שׁלשׁלמה (mit suffigiertem Nomen und darauf folgendem Relativum): emphatischer Ausdruck für מטּת שׁלמה, Joüon, Gr 146f; ähnlich in 1 6 8 12. – e–e Durch die Umschreibung mit Paronomasie zwischen Leitwort und Dependenz wird die an sich ausgeschlossene Verbindung eines indeterminierten Nomens mit einem Genitiv ermöglicht, BrSynt
8 § 82e. – f אֲחֻזֵי חֶרֶב zum aktiven Sinn des Passiv-Partizips s. Joüon, Gr 50e. – g 𝔊 θάμβος „Staunen"; für פַּחַד nur hier. – h בלילות plur. compositionis, vgl. 3 1; 𝔊 ἐν νυξίν.

Form Daß nach der Schlußformel in 5 ein neuer Abschnitt folgt, steht ohne jeden Zweifel fest. Dagegen ist es nicht ohne weiteres klar, wie man 6–11 gliedern soll. Meistens betrachtet man diese Verse als ein zusammenhängendes Stück, und zwar, auf Grund von 11, als ein Hochzeitsgedicht. Gegen diese Gliederung sprechen inhaltliche Gründe. 9 bringt einen deutlichen Neuansatz: während 6–8 einen Festzug schildern, handelt es sich in 10f. um die Beschreibung des אפריון Salomos. Ein organischer Zusammenhang zwischen den beiden Teilen ist nicht ersichtlich, und die inhaltliche Verschiedenheit zwingt zur Annahme, daß wir es mit zwei selbständigen Liedern oder Liedfragmenten zu tun haben. Keines von ihnen ist ein Liebesgedicht. Der Dichter spricht selber, und ein Liebespaar wird nicht erwähnt.

Den beiden Liedern gemeinsam ist ein Dreifaches: 1) Gegenstand der Schilderungen sind sinnlich faßbare Erscheinungen, jedoch nicht wie in den eigentlichen sog. Beschreibungsliedern Menschen, sondern dingliche Objekte. 2) Die geschilderten Erscheinungen gehören zum Bereich der königlichen Lebenssphäre. 3) Die Darstellung hat einen prahlerisch-hyperbolischen Ton. Es handelt sich nach alledem um höfische Dichtung, die bestimmte Erscheinungen im Leben des Königs rühmend darstellt.

Ein Grund, warum das Gedicht hinter das vorige Lied eingereiht worden ist, läßt sich kaum finden. Vielleicht ist die Tatsache, daß in beiden von nächtlichen Ereignissen erzählt wird, nicht ohne Bedeutung gewesen. Der ziemlich ungewöhnliche plur. compositionis בלילות steht am Anfang des ersten Liedes (1) und am Ende des zweiten (8).

Im Lichte der von Wetzstein und anderen beschriebenen Hochzeits- Ort bräuche finden viele Ausleger hier die Schilderung eines Hochzeitszuges, in welchem das Brautpaar als König und Königin gefeiert werden. Andere denken an ein geschichtliches Ereignis, die Hochzeit Salomos mit einer ausländischen, wahrscheinlich ägyptischen Prinzessin. Die kultmythische Auslegung sieht im Gedicht eine sakrale Begehung, die im Bereich der alljährlichen, kultisch-mythischen Thronbesteigungsfeier wurzelt. Für alle diese Deutungen fatal ist, daß bei aller ausführlichen Beschreibung die Frage, wer im Hochzeitszug daherkommt, keine befriedigende Antwort findet. Nach einigen soll das die Braut sein (מי זאת 6), nach anderen dagegen der Bräutigam (die Aufforderung, sich den König Salomo anzusehen 11). Die Kultmythologen finden beide Kontrahenten anwesend; der Gott und die Göttin halten zusammen ihren Einzug nebeneinander sitzend. In der Beschreibung eines Hochzeitszuges ist dieses Schweigen über die Hauptperson sehr seltsam. Diese Unklarheit soll nun ein Zeichen dafür sein, daß der Text beschädigt und unvollständig sei. Nach Rudolph sei eine Strophe hinter 10 ausgefallen, in welcher ausgesagt wurde, daß die Braut in dem Tragsessel saß und daß der Bräutigam mit der Hochzeitskrone sie erwartete oder ihr entgegenging. Diese entscheidende und vielsagende Strophe soll einer sehr früh einsetzenden allegorischen Deutung zum Opfer gefallen sein; der Tragsessel sei auf die Lade Jahwes gedeutet worden, die ihren Einzug in Kanaan hielt. Dann „konnte man kein weibliches Wesen auf ihr brauchen, und wenn Jahwe mit der Lade einzog, konnte er nicht gleichzeitig in der Gestalt des Bräutigams wartend dastehen"; KAT z.St. Daß die allegorische

Deutung schon auf den Werdegang des Hohenliedes Einfluß geübt hätte, ist sehr unwahrscheinlich. Man müßte dann fragen, warum nur diese einzige Gelegenheit zum Allegorisieren ausgenützt worden sei. Tatsächlich könnte man erst im Lichte von 11, besonders von ביום חתנתו, auf den Gedanken kommen, die Prozession mit einer Hochzeit zu verbinden. An und für sich ist die Prozession nicht in einer Weise beschrieben, die an einen Hochzeitszug denken läßt. Warum kommt sie aus der Wüste her? Wie ist die schwertbewaffnete Eskorte zu erklären? Warum findet die Wanderung in der Nacht statt?

Erst wenn man die Prozessionsschilderung als ein selbständiges Stück betrachtet und sie von der behaupteten Verbindung mit einer Hochzeit löst, wird eine sinngemäße Deutung dieser Verse möglich. Wir sind dann allerdings auf einen sehr radikalen Lösungsversuch angewiesen. Denn es muß eingeräumt werden, daß die Schilderung vom nächtlichen Festzug, der aus der Wüste herankommt, von Myrrhe und Weihrauch beräuchert und von einer waffenklirrenden Eskorte geschützt, einen Vorgang darstellt, von dem das Alte Testament sonst nichts zu erzählen hat und dessen Einzelheiten wir nicht imstande sind mit Hilfe israelitischer Voraussetzungen befriedigend zu erklären. Um einen Bereich zu finden, wo die Festzugsszene sinnvoll wird, müssen wir m.E. nach Ägypten gehen. Zahlreiche Bilder und Inschriften haben uns eine Vorstellung vom Festfeiern des Neuen Reiches und besonders der Thutmosiden gegeben. Die ägyptische Festkultur hing mit bestimmten Jahresfesten sehr oft zusammen, die mit fast unfaßbarer Prachtentfaltung gefeiert wurden. Eines von ihnen ist das sog. „schöne Fest vom Wüstentale", d.h. das jährlich gefeierte Totenfest von Theben, das Lebende und Tote in einem gemeinsamen Festgelage vereinte; Näheres bei SSchott, Das schöne Fest vom Wüstentale. Festbräuche einer Totenstadt: Ak. der Wiss. und der Lit. Abh. der geistes- und sozialwiss. Kl. 1952 Nr 11. Damit verwandt war „das schöne Opetfest", bei dem der große Gott Amon von Karnak jedes Jahr die Göttin Mut in ihrem Tempel zu Luxor besuchte; vgl. WWolf, Das schöne Fest von Opet. Die Festzugdarstellung im großen Säulengange des Tempels von Luksor: Veröffentlichungen der Ernst von Sieglin-Expedition in Ägypten, hrsg. v. GSteindorff, V (1931). Beide Feste sind in zahlreichen Liedern und Hymnen besungen und in mehr oder minder vollständigen Bildfolgen dargestellt worden. Jedes fängt mit einer feierlichen Prozession an und endet mit dem Rückzug auf dem gleichen Prozessionsweg. An den Festzug des Gottes zu seinem Haus schließen sich die vom König geleiteten Festzüge der Menschen zu ihren Gräbern, die für einen schönen Tag zum „Haus der Herzensfreude" verwandelt werden (SSchott a.a.O.92). Weihrauchspendende Priester und zahlreiche bewaffnete Soldaten begleiten die Prozession, die in der Nacht stattfindet (WWolff a.a.O.71). Der Kern, um den der Festzug sich gruppiert, sind die Tragbarken, die große Amunsbarke und drei kleinere Barken, von denen eine für den König bestimmt war; Näheres bei WWreszinski, Atlas zur altägyptischen Kulturgeschichte II (1935) Taf. 189ff. Die Ereignisse, die mit diesen jährlich begangenen Festen zusammenhängen, sind offenbar eine sehr bedeutungsvolle Äußerung geselligen altägyptischen Lebens gewesen, an der alle Welt teilnahm und die allmählich einen recht weltlichen Charakter annahm. Vom Opetfest wissen wir, daß seine Geschichte nicht mit den Thutmosiden zu Ende ging. Es wird nicht nur von Ramses II. und Ramses III. erwähnt. Auch Pianchi spricht zweimal vom Opetfeste: „Amun soll mich senden in Frieden, um zu schauen Amun am schönen Feste von Opet" und „S.M. kam stromab nach Theben. Er feierte bis zu Ende das Fest des Amun am Fest von Opet" (Wolf 24).

Es kann nicht geleugnet werden, daß die hier in aller Kürze skizzierten Festbräuche aus Ägypten viele Einzelheiten enthalten, die sich in der Prozessionsschilderung des Hohenliedes überraschend gut unterbringen lassen; die Wüste, der Weihrauch, das Lager (vgl. die königliche Tragbarke des ägyptischen Festzuges), die Eskorte, die Nacht. Es ist verlockend, sich diese Übereinstimmungen so zurechtzulegen, daß ein israelitischer Dichter, der wohl doch in höfischen Kreisen zu suchen ist, seine Schilderung einer königlichen Prozession nach Art und Weise eines ihm wohlbekannten ägyptischen Festbrauches gestaltet habe. Das bedeutet nicht, daß der kultische Charakter des ägyptischen Festes im Hohenliede wiederzufinden wäre, etwa so, daß ein israelitischer König als Teilnehmer an einem ägyptischen Fest gedacht wäre. Die Ähnlichkeit bezieht sich nur auf das Künstlerisch-Darstellerische. Die Festzugschilderung ist mit Zügen bereichert worden, die aus der pompösen Festkultur Ägyptens hergeholt sind.

Die für die Aufnahme in die Gedichtsammlung des Hohenliedes erforderliche Beziehung zur Liebe war damit gegeben, daß eine Frau im Mittelpunkt des Festzuges stand: „Wer ist sie, die..." 6.

Es kommt noch eine andere wichtige Sache hinzu. Wie das Gedicht im Hohenliede jetzt dasteht, ist es mit aller Wahrscheinlichkeit mit dem folgenden Lied in Zusammenhang gebracht worden. Die beiden Lieder sind vom Sammler als ein zusammenhängendes Gedicht aufgefaßt worden, dessen Thema eine königliche Hochzeit ist, die feierliche Ankunft einer Prinzessin und der auf sie wartende König. Damit wird ersichtlich, daß wir auch in diesem zusammengesetzten Gedicht die Hauptpersonen des Hohenliedes erkennen sollen, den Jüngling und das Mädchen. Es handelt sich also um eine „Königs"-Travestie; die beiden Liebesleute sind in eine Wunschsituation versetzt worden, und zwar in die königliche Lebenssphäre. Weiteres zum folgenden Gedicht.

Die Schilderung des Festzuges wird mit einer Frage eingeleitet, die Wort 36

137

der Dichter selber an den Leser oder Hörer richtet. Es ist dies ein bewußter, stilistischer Kunstgriff; der Dichter gibt seine Objektivität auf und redet in seine Erzählung hinein, um die Aufmerksamkeit zu erregen. Der geheimnisvolle Ton, der dem Gedicht eigen ist, wird schon durch die einleitende Frage angeschlagen. In der Beschreibung des Festzuges finden sich mehrere fremd anmutende Einzelheiten. Eine solche ist die Angabe, daß der Zug „aus der Wüste kommt", was mit den landschaftlichen Verhältnissen Jerusalems schwerlich vereinbar ist. Daß מן־המדבר nicht „von auswärts" oder „aus dem Freien" meinen kann, braucht kaum gesagt zu werden, ebensowenig, daß die Wüste nicht als Bezeichnung der Unterwelt gemeint ist. Von einer Prozession durch die Wüste erzählen dagegen zahlreiche Bilder und Lieder, die das jährlich begangene „schöne Fest des Wüstentals" eingehend schildern; vgl. zum „Ort". – „Die Rauchsäule" auch in Jo 3 3 (dort תמרות עשן geschrieben); ein synonymer Ausdruck in Ri 20 40 עמוד עשן. Der Rauch rührt von den verbrannten Räucherwerken her. Von „Weihrauchwolken", ענן הקטרת, sprechen Lv 16 13 und Ez 8 11. Ein Rezept zur Herstellung von Räucherwerk gibt Ex 30 34–38.

3 7–8 Mittelpunkt des Festzuges ist das nicht näher beschriebene „Lager" Salomos; zum emphatischen Ausdruck מטתו שלשלמה mit suffigiertem Nomen und darauf folgendem Relativum vgl. zu 1 6 und 8 12. Rudolph will die Worte als an falscher Stelle in den Text geratene Glosse zu אפריון in 9 streichen. Als erklärende Benennung des in 9f. beschriebenen אפריון ist מטה aber recht unwahrscheinlich. Als Traggerät scheint sich מטה auf eine Liege- oder Sitzsänfte zu beziehen; für κλίνη scheint die Bedeutung „Sänfte" belegt zu sein; vgl. Pauly-W XII (1925) 1065. Ein derartiges Gerät wird sonst nie im AT erwähnt. Von Traggeräten erfahren wir dagegen in Ägypten, und zwar in den Prozessionen, die mit den Totenfesten in Theben in Verbindung standen; die prachtvolle Tragbarke des Pharao gehörte zum festen Bestand des Festzuges und war sein Kern und Mittelpunkt. Eine bedeutsame Rolle spielte in diesen ägyptischen Festzügen die bewaffnete Eskorte, die den nächtlichen Festzug durch die Wüste begleitete. „Sechzig" ist eine nach dem Sexagesimalsystem natürliche runde Zahl; vgl. Ri 14 11 Jos 7 5.

DER KÖNIG IN SEINER THRONHALLE
(3 9–11)

JFHirt, De Coronis apud Hebraeos nuptialibus sponsi sponsaeque (Jena 1748). Literatur
– JGHofmann, De Lectica vulgo sic dicta Salomonea ad illustrandum Cant.
III 9 (Diss. Erlangen 1759). – FRundgren, אפריון „Tragsessel, Sänfte":
ZAW 74 (1962) 70–72.

⁹Eine Thronhalle ª hat sich der König Salomo gemacht Text
aus Libanonholz.
¹⁰Ihre Säulen machte er silbern, ihre Decke ᵇ golden,
ihren Thronsitz ᶜ purpurn;
ihr Inneres ist mit Steinen ᵈ belegt.
¹¹Ihr Töchter Jerusalems ᵉ, kommt heraus ᶠ und
seht ᵍ den König Salomo mit dem Kranze,
mit dem seine Mutter ihn bekränzt hat
am Tag seiner Hochzeit, am Tag seiner Herzensfreude.

a Das Hapaxlegomenon אפריון ist hier als ägyptisches Lehnwort verstan- 3 9
den: pr, „Haus", vgl. פרעה, „das große Haus"; Weiteres unter „Wort". ⑤ hat
ein möglichst ähnlich lautendes Wort in φορεῖον gefunden. Offensichtlich hat
er wie die meisten heutigen Ausleger אפריון als ein Äquivalent von מטה in 7
verstanden. Die Neigung, die Vorlage klanglich nachzubilden, ein griechisches Wort zu wählen, das mit dem zu übersetzenden hebräischen eine äußere
Ähnlichkeit hat, kann man auch sonst in ⑤ finden, z.B. שׁכן – σκηνοῦν, מאום –
μῶμος. ⑤ hat kurseʲā, „Thron". – b רפידה ist wieder ein Hapaxlegomenon, das in 10
⑤ eine zur „Sänfte" passende Übersetzung bekommt (ἀνάκλιτον) und in
Übereinstimmung damit von den meisten heutigen Auslegern als „Lehne"
verstanden wird. Eine Bestätigung scheint diese Übersetzung darin zu finden,
daß רפד in 2 5 „erquicken" meint. Es ist dies aber eine sekundäre Verwendung
des Verbs, dessen Grundbedeutung „unterbreiten", „(sein Lager) hinbreiten"
ist, Hi 17 13. „Das Hingebreitete" scheint entweder den „Fußboden" oder die
„Decke" (Ricciotti) zu meinen. Wenn es richtig ist, daß die Beschreibung einem
Haus oder Zimmer gilt, wird nach den Säulen, welche die Decke tragen, eine
Erwähnung der Decke selbst geradezu erwartet. ⑤ hat tešuitā, was hier wohl
einen (goldgestrichenen) Überzug des Thrones meinen soll. – c מרכב, außer hier
nur Lv 15 9, „Sattelsitz", und 1 Kö 5 6, „Wagenpark"; vgl. das ziemlich
häufige מרכבה „Wagen" in weitestem Sinne. Hier scheint der „Thronsitz"
gemeint zu sein. ⑤ hat das in einer Beschreibung einer Sänfte nicht ganz klare
ἐπίβασις; vgl. Pauly-W XII 1064. – d 1 אבנים statt 𝔐 אהבה. ⑤ hat den Text
anders gegliedert als die Massoreten: ἐντὸς αὐτοῦ λιϑόστρωτον, ἀγάπην ἀπὸ
ϑυγατέρων Ιερουσαλήμ. Der Übersetzer hat אהבה als „Liebeserweisung", „Lie-
besgabe" verstanden. ἀγάπη in dieser Bedeutung ist meines Wissens sonst nicht
in vorchristlicher Zeit belegt. – e 1 בנות יʼ; Anruf als Einleitung von 11. – 11
f צאינה wegen des Gleichklangs mit ראֶינָה gewählt statt des zu erwartenden
צאֶנָה (Rudolph). – g ב mit Verben der Sinnes-und Geistestätigkeit verbunden; vgl. BrSynt § 106d. Der Anruf בנות ציון ist mit den meisten ⑤-MSS und
𝔏 zu streichen.

Form 9–10 handeln von dem אפריון, d.h. der königlichen Thronhalle. Das Wort steht als betontes Objekt vor dem regierenden Verb. In der Beschreibung wird die Thronhalle als das Ergebnis einer Tätigkeit dargestellt; der König hat sie gemacht, עשה. Es ist dies die gleiche Ausdrucksweise wie in 1 Kö 7, wo Salomos Bautätigkeit geschildert wird; er machte die Säulenvorhalle (6), die Thronvorhalle (7) und ein Haus für die Tochter Pharaos (8). Das Ende von 10 scheint in Unordnung zu sein; אהבה gibt keinen Sinn und dürfte auf ein ursprüngliches אבנים zurückgehen. In dem überlieferten Wortlaut wird eine Erotisierung sichtbar, die den Zweck .1at, der dinghaften Beschreibung eine lyrische Tönung zu verleihen. 11 gibt zu erkennen, daß wir uns im Bereich der literarischen Travestien befinden; s. unter „Ort".

Ort Wie das vorige wird auch dieses Gedicht gewöhnlich entweder mit einem geschichtlichen Ereignis, und zwar einer königlichen Hochzeit, verknüpft oder mit Hilfe der Wetzsteinschen Hochzeitsschilderungen als ein Gesang bei einem volkstümlichen Königsspielen gedeutet. Daß es sich nicht um die Hochzeit Salomos handelt, ergibt sich doch wohl aus 11: „Denn ein wirklicher König wird weder an seinem Hochzeitstage, noch von seiner Mutter gekrönt", sagt Budde z.St. mit Recht. Ebenso fraglich ist aber der Bezug auf konkrete, volkstümliche Hochzeitsbräuche. Mit seinen Hapaxlegomena und übrigen ungewöhnlichen Worten hat das Gedicht viel mehr von literarischer Artistik als von volkstümlicher Sprechweise. Der „König", den die Töchter Jerusalems ansehen sollen und den seine Mutter an seinem Hochzeitstage bekränzt hat, führt uns noch einmal in das fiktive Milieu des Hohenliedes. Es handelt sich wirklich um einen Verkleideten; aber sein Verkleidetsein hat mit einem konkreten Königsspielen nichts zu tun, sondern ist literarische Fiktion. Der Dichter hat den Jüngling in eine fiktive Wunschsituation hineinversetzt, läßt ihn in königlicher Verkleidung, und sogar als Salomo selbst, auftreten. Während die „Königs"-Travestie sonst oft nur ansatzweise, in der Gestalt einzelner Sprachbilder und Vergleiche ersichtlich wird, ist hier eine Situation geschildert worden, die durch und durch eine fiktiv-königliche ist.

Wort 39 Das Verständnis des Gedichts hängt vor allem vom Sinn des ersten Wortes ab: אפריון. Es ist dies ein Hapaxlegomenon, für dessen Erklärung alle semitischen Etymologien zu versagen scheinen. 𝔊 hat für אפריון das ziemlich ähnlich lautende φορεῖον, „Sänfte", und schon Hieronymus hat in seinem Kommentar zu Jes 7 14 das hebräische Wort als eine Entlehnung aus dem Griechischen erklärt („Omniumque pœne linguarum verbis utuntur Hebraei: ut est illud in Cantico Canticorum (Cant. III 9) de Graeco φορεῖον id est, f e r c u l u m sibi fecit Salomon, quod et in Hebraeo ita legimus"; MPL XXIV 108). Die meisten neueren Erklärer schließen

sich mehr oder minder vorbehaltlos an diese Deutung an. Die vorgeschlagenen Ableitungen aus dem iranischen *upari-yāna* (GWidengren,
Sakrales Königtum im AT und im Judentum, 1955, 112 Anm. 80, und
KBL Suppl. 138) oder aus dem altindischen *paryanka* (Hitzig, König)
sind sehr fragwürdig und können kaum als erwägenswerte Alternative in
Frage kommen (vgl. besonders die kritischen Bemerkungen von FRundgren in ZAW 72, 1962, 70–72). Aber auch die behauptete griechische
Etymologie erregt große Bedenken; φορεῖον als Bezeichnung eines Trag-
geräts ist selten und spät. Bei griechischen Autoren vor Chr. ist das Wort
nur bei Deinarchos und Polybios gefunden worden. Ebenso auffällig ist,
daß die darstellungsfrohe Vasenmalerei des 5. und 4. Jh. die Sänfte nie
abbilden, s. Pauly-W XII (1925) 1072. Für die behauptete Ableitung des
hebräischen אפריון aus φορεῖον ist der mangelhafte Befund in der Literatur und bildenden Kunst nicht günstig, und auch bei einer sehr späten
Ansetzung des Hoheliedgedichts bleibt die Entlehnung aus dem Griechischen eine überaus fragliche Hypothese.

Die Etymologie des אפריון hängt natürlich mit seiner sachlichen
Deutung eng zusammen. Meistens hat man dem hebräischen Wort ohne
viel Bedenken den gleichen Sinn zugeschrieben wie dem griechischen,
d.h., man hat es als „Sänfte" verstanden. Die Beschreibung in 9–10 läßt
aber bei näherer Prüfung kaum an ein Traggerät denken. Wie soll man
die „Säulen" einer Sänfte (עמודיו) verstehen? Oder ihr „Inneres"
(תוכו)? Ebenso schwierig in eine Sänftebeschreibung einzupassen ist das
Hapaxlegomenon רפידה und das seltene מרכב. Als Beschreibung eines
φορεῖον hat der Septuagintatext den Archäologen Kummer bereitet;
ἐπίβασις und στῦλοι werden an griechisch-römischen Sänften nie erwähnt,
s. Pauly-W XII 1064. 1071.

In der Tat paßt die Beschreibung viel besser für ein Gebäude als
für ein Traggerät. Wie in der Einzelerklärung von 10 näher zu begründen ist, scheint es sich um einen Palastraum zu handeln, etwa eine
Thronhalle, wo der König auf seinem Thron sitzend Audienz gibt. Für
das Suchen nach einer Etymologie des אפריון eröffnet sich damit ein
neuer Bereich. Als Bezeichnung eines Gebäudes ließe sich אפריון m.E. als
eine ägyptische Entlehnung erklären. Als häufige und weitumfassende
Bezeichnung für „Haus" erscheint im Ägyptischen das Wort *pr*; s.
Erman-Grapow, Wörterbuch der äg. Sprache I (1926) 511ff. Die Zusammensetzung *pr-ᶜ₃*, eig. „das große Haus", im Neuägyptischen das
typische Wort für „König", ist vom Hebräischen als פרעה übernommen
worden. Auch in אפריון steckt m.E. als konstitutives Wortelement äg.
pr, mit einem präformativen א und der Endung יון versehen. Zum sog.
א protheticum vor einzelstehenden Verschlußlauten s. EKönig, Hist.-
krit. Lehrgebäude der hebr. Sprache II 1 (1895) 498f.; allgemein über
das Verhältnis des Ägyptischen zu den semitischen Sprachen s. AErman

in ZDMG 46 (1892) 93–129 und ThOLambdin, Egyptian Loan Words in the OT: JAOS 73 (1953) 145–155. 1 Kö 7 gibt eine betreffs der Einzelheiten leider nicht sehr ergiebige Beschreibung der Palastgebäude Salomos. Erwähnt werden, außer den eigentlichen Wohnhäusern, das „Libanonwaldhaus", בית יער הלבנן (7 2 10 17. 21), die „Säulenhalle", אולם העמודים (7 6) und die „Thronhalle", אולם הכסא (7 7); weiter s. Galling in BRL 411f., der die Aufzählung als unvollständig betrachtet. Von den goldenen Geräten des Libanonwaldhauses spricht 1 Kö 10 21. Als Libanonhölzer erwähnt 2 Ch 2 8 Zedern-, Zypressen- und Algummimholz, die alle als hochgeschätztes Baumaterial verwendet wurden. Ob אפריון mit einem dieser Palasträume identisch ist, kann wegen der ungenauen Beschreibungen nicht entschieden werden. Verschiedene Einzelheiten der Beschreibung in Cant sind vermutlich auf das Konto einer poetischen Hyperbolik zu schreiben.

3 10 Die Beschreibung erwähnt an erster Stelle das wichtigste Bauglied, die dachtragenden Säulen. Über עמוד s. BRL 451ff. Dann folgt das Hapaxlegomenon רפידה, das 𝕲 als „Lehne" der Sänfte verstanden hat, das aber sehr wahrscheinlich die goldbelegte Decke des Saales bezeichnet: was (über den Säulen) ausgebreitet ist. Daß der Thronsitz purpurn ist, bedeutet wohl doch, daß er einen Überzug aus purpurgefärbtem Stoff hat. ארגמן ist der rote Purpur im Unterschied zum violetten, תכלת. Die beiden Farbstoffe wurden aus verschiedenen Arten der Murexschnecke ausgewonnen.

Zuletzt wird das „Innere", d.h. die Wände des Thronsaals, erwähnt. תוך als Bezeichnung des Inneren eines Hauses z.B. 1 S 18 10 1 Kö 6 19 11 20.

Das Verb רצף kommt nur hier vor, aber das Substantivum רצפה bezeichnet offensichtlich einen Wand- oder Fußbodenbelag, der aus kleinen, bunten Steinen oder Marmorplatten zusammengesetzt war; vgl. Ez 40 17f. 42 3 2 Ch 7 3 Est 1 6.

Der weitere Text ist nicht ganz in Ordnung. Statt des inhaltlich unmöglichen אהבה ist vorgeschlagen worden הבנים zu lesen, das in Ez 27 15 vorkommt und ein ägyptisches Lehnwort ist, hbnj, „Ebenholz". In Ägypten war dieses schwarze Hartholz sehr beliebt, wegen seiner Kostbarkeit allerdings meist nur in der Kleinkunst und zum Furnieren verwendet: vgl. Reallexikon für Antike und Christentum. Sachwörterbuch zur Auseinandersetzung des Christentums mit der antiken Welt hrsg. von ThKlauser IV (1959) 479. Natürlicher scheint es aber, אבנים zu lesen, d.h. die Steinchen, aus denen die Wandbekleidung hergestellt war; s. Art. „Mosaik" in Pauly-W XVI (1935) 328ff.

11 Der „König Salomo", den die Töchter Jerusalems sehen sollen und den seine Mutter an seinem Hochzeitstage bekränzt hat, zeigt, daß es sich auch in diesem Gedicht weder um einen wirklichen König noch um einen

königspielenden Hochzeiter handelt, sondern um den gleichen Jüngling, der auch sonst nach Art und Weise der „Königs"-Travestie in königlicher Verkleidung erscheint. Die „Töchter Jerusalems" sind gleichfalls keine „Hofdamen", und ebenso wenig authentisch ist die „Königs"-Mutter. Sie sind nicht Figuranten in einem szenisch dargestellten Hochzeitsspiel, sondern literarische Topoi, fiktive Zwischenpersonen, die allein in der Gestaltungskunst des Dichters eine Funktion haben.

SCHÖNHEIT DER GELIEBTEN

(4 1–7)

Text

1 [a]Wahrlich, du bist schön, meine Geliebte,
ja, du bist schön.
Deine Augen sind Tauben[a] hinter deinem Schleier[b] hervor,
dein Haar[c] ist wie eine Herde[d] von Ziegen,
die vom Gileadberge[e] springen[f].
2 Deine Zähne sind wie eine Herde[d] der Frischgeschorenen[g],
die von der Schwemme[h] heraufsteigen;
alle haben sie Zwillinge[i], keine ist da, der es an Jungen fehlt.
3 Wie ein roter Faden[j] sind deine Lippen,
und dein Mund[k] ist lieblich.
Wie eine Granatapfelscheibe ist deine Schläfe
hinter deinem Schleier hervor.
4 Wie der Turm Davids ist dein Hals,
in Reihen[l] gebaut;
tausend Schilde sind daran gehängt,
alle Rundschilde[m] der Helden.
5 Deine beiden[n] Brüste sind wie zwei Kitzen,
Gazellenzwillinge[o], [p]die unter den Lilien weiden[p].
6 [q]Bis der Tag weht und die Schatten fliehen[q],
will ich zum Myrrhenberg gehen und zum Weihrauchhügel.
7 Ganz und gar bist du schön, meine Geliebte,
und kein Tadel ist an dir.

4 1 a–a Wörtlich mit 1 15 übereinstimmend. – b 𝔊 und 𝔖 haben das hebr.
Nomen צַמָּה falsch verstanden und mit dem Verb צָמַת, „zum Schweigen brin-
gen", verwechselt; vgl. oben S. 79f. – c שֵׂעָר, st. cstr. שְׂעַר oder שַׂעַר; s. Joüon,
Gr 96 B c. 𝔊 τρίχωμα; außer hier nur 6 4 und Da 7 9 statt des häufigeren θρίξ.
– d 𝔊 hat plur. ἀγέλαι. – e Einige MSS nur מו־הגלעד; ebenso 𝔊 ἀπὸ τοῦ
Γαλααδ. – f גלשׁ außer hier nur Jes 47 12; im Ägyptischen (vielleicht als hebr.
Lehnwort) in der Bedeutung „hüpfen", „tanzen" (von Ziegen); Erman-
Grapow, WB V 136. 𝔊 ἀπεκαλύφθησαν scheint auf ein erratenes oder wirklich gelesenes גלה hinzuweisen. 𝔖 *slq,* „aufsteigen". גלשׁ ist von Noeldeke
unter den „Wörtern mit Gegensinn" (Addād) erwähnt (Neue Beiträge zur
semitischen Sprachwissenschaft, 1910, 92). Das arab. *ǧalasa* bedeutet zunächst
„aufsteigen", während in anderen Fällen der natürliche Sinn „herabsteigen"
2 ist. – g קצב „abschneiden", „scheren"; außer hier nur 2 Kö 6 6. 𝔖 hat eine
vermutlich beabsichtigte Alliteration: *gezārā digzīzāṭā*. – h רחצה, „Schwemme",
nur hier und 6 6. – i תאם, denom. von תואמים, hiph. „Zwillinge gebären";
außer hier nur 6 6. Das griechische διδυμεύουσαι außerhalb 𝔊 nicht belegt. –
3 j Zum Art. siehe zu 1 11. – k Mit Q ist sing. מִדְבָּרֵךְ zu lesen, „Redewerkzeug";
4 dagegen מְדֻבָּר „was gesprochen wird", Ps 87 3. – l Das Hapaxlegomenon
תלפיות ist von 𝔊 als ein Ortsname verstanden, während Aquila (εἰς ἐπάλξεις)
und Symmachus (εἰς ὕψη) wie auch 𝔖 (*tēkē,* „Zinnen") richtiger eine Beschreibung des Turmes herauslesen wollen. Zur Etymologie s. unter „Wort". –

m ⑤ βολίδες, ⓢ *šalṭē*; zur Bedeutung s. unter „Wort". – n Das Zahlwort zu 45 streichen, ist Pedanterie. – o Die fem.-Form צביה außer hier nur 7 4. – p–p Daß die toposartige Phrase auch in 2 16 vorkommt, ist kein Grund, sie hier zu streichen. – q–q = 2 17a.   6

Formell hebt sich das Stück durch die ähnlich lautenden Anfangs- und **Form** Schlußworte als eine Liedeinheit ab: „Siehe, du bist schön, meine Geliebte" (1) und „Ganz und gar bist du schön, meine Geliebte" (7). Das Gedicht ist ein Beschreibungslied, *waṣf*, d.h. eine detaillierte, rühmende Beschreibung der verschiedenen Körperteile und Gliedmaßen des Mädchens, die in einer dem körperlichen Bau angepaßten Abfolge vorgeführt werden; s. oben 66f.

Die Beschreibung wird in den Mund des Jünglings gelegt und als eine Du-Anrede gestaltet. Als eine Abschweifung vom Thema ist 6 zu verstehen, der als ein lyrischer Topos dasteht und durch die Erwähnung des „Weidens unter den Lilien" (5) automatisch herbeigerufen zu sein scheint; vgl. 2 17.

Die Schönheit des Mädchens wird nicht direkt, etwa durch beschreibende Beiwörter dargestellt, sondern mit Hilfe poetischer Vergleiche veranschaulicht.

Für die Bildsprache des Gedichts – und das trifft für das ganze Hohelied zu – charakteristisch ist vor allem ihre Anschaulichkeit. Die Vergleiche wirken durch ihre sinnlich bildhafte Kraft. Sonst spielt in der alttestamentlichen Bildsprache die Bildhaftigkeit und sinnliche Anschaulichkeit eine ziemlich geringe Rolle. Besonders in den Metaphern der Psalmen und der Sprüche überwiegt das gedankliche und didaktische Moment über das sinnliche und bildhafte:

Ein offenes Grab ist ihre Kehle (Ps 5 10).
Jahwe, mein Besitzteil und Becher (Ps 16 5).
Wie Wasser bin ich hingegossen – – –
Mein Herz ist wie Wachs geworden (Ps 22 15).
Gott, der Herr, ist Sonne und Schild (Ps 84 12).
Denn eine Leuchte ist das Gebot und die Weisung ein Licht (Prv 6 23).
Die Lehre des Weisen ist eine Quelle des Lebens (Prv 13 14).
Gelassene Zunge ist ein Baum des Lebens (Prv 15 4).

Der optische Ertrag dieser Vergleiche ist gering. Der Ausdruckswert liegt nicht in der sinnlichen Anschaulichkeit der Bilder, sondern in einer gleichnishaften Veranschaulichung, die einer theologisch-didaktischen Stilsphäre entstammt. Statt einer sinnlichen, anschaulichen Schilderung finden wir ein Abstrahieren in das Begriffliche, Ideelle und Uneigentliche. Diese Metaphorik vermittelt nicht eigentlich anschauliche Bilder, sondern sinnvolle Situationen und Vorgänge.

Die Bildsprache des Hohenliedes dagegen ist optisch, konkret, bildhaft. Ihre malerische oder plastische Bildhaftigkeit stellt eine Kunst der Schilderung sui generis dar. Begreiflich wird diese Art der Darstellung erst, wenn wir mit der bildenden Kunst als Vermittlerin rechnen. Die sinnliche Anschaulichkeit und ganz besonders die plastisch konturierende Menschendarstellung, die wir hier finden, zeugen von einer engen inneren Beziehung zwischen der altägyptischen Kunst und der Gleichniswelt des Hohenliedes. Der Dichter ist von den Konventionen der bildenden Kunst beeinflußt. Er hat, wenigstens teilweise, seine Modelle aus der Werkstatt des Malers und des Bildhauers geholt. Die Beschreibung der Augen als Tauben wird im Licht einer eingebürgerten Stilkonvention des ägyptischen Künstlers begreiflich und sinnvoll. Der Vergleich des Haares mit einer herabwallenden Ziegenherde wird bei Beobachtung der skulptural herausgearbeiteten Frisuren eines ägyptischen Porträtkopfes verständlich. Die Beschreibung der Lippen als eines roten Streifens verdankt einem Kunstwerk ihre lineare Vorstellung. Die von dem Schleier halbverdeckte Schläfe erinnert an die vielen Granatfruchtornamente mit geteiltem Farbenfeld usw.; ferner siehe unter Wort.

Unter den stilistischen Einzelheiten dieses Gedichts sind besonders zu erwähnen das Wortspiel in 2b שַׂכְּלָה–שֶׁכֻּלָם, die Wortwiederholung in 1 הִנָּךְ יָפָה und der syntaktische Chiasmus in 2b. 3a. 7.

Dreitakter wechseln mit Zweitaktern ziemlich frei ab.

Ort   Seit Wetzstein hat man dem Beschreibungslied gern eine bestimmte, feste Stelle im Leben und in den Sitten des Volkes angewiesen, und zwar in der Festwoche, die eine palästinisch-israelitische Hochzeit umrahmt und als ein Königsspielen gestaltet habe. Der *waṣf* soll eine Art Braut-Krönungslied darstellen. Auch die, welche den Wetzsteinschen Bericht nicht ohne Vorbehalt als Grundlage einer Erklärung des Hohenliedes betrachten wollen, sind oft geneigt, den *waṣf* mit der Hochzeit zu verknüpfen und ihn als Bestandteil der Hochzeitsbräuche zu betrachten. Dagegen spricht indessen, daß in der altägyptischen Liebesdichtung jeder Hinweis auf eine Verbindung des Beschreibungsliedes mit einer bestimmten Festlichkeit fehlt; s. Hermann, Altäg. Liebesdichtung 125. Ebensowenig ist der *waṣf* der altarabischen Poesie als eine Hochzeitsdichtung zu erklären. Dort ist die Beschreibung der Frau fester Bestandteil des *nasīb*, in dem der Dichter über den Verlust der Geliebten klagt und ihre Schönheit rühmt. Der *waṣf* des Hohenliedes ist ein literarisches Gebilde, das an keinen bestimmten Sitz im Leben gebunden war und zu jeder Zeit gesungen werden konnte.

Wort 4 1   Die Wortwiederholung gleich am Anfang des Gedichts ist ein Zeichen der Erregung und des Gefühlsüberschwangs und gibt den Worten des Jünglings eine verstärkte Eindringlichkeit. Der Vergleich der Augen mit Tauben ist als ein nominaler Identitätssatz gestaltet, während sonst überall im Gedicht die Vergleichspartikel כ zur Anwendung kommt. Der Taubenvergleich geht auf die Form der Augen und ist von einer Stilkonvention der ägyptischen Maler und Bildhauer beeinflußt, die den Augen mit linearer Deutlichkeit die Konturen eines Vogelkörpers gaben. Auch die Haarbeschreibung wird ohne Zweifel am besten begreiflich, wenn wir die Frisur eines ägyptischen Porträtkopfes betrachten, dessen skulptural herausgearbeiteten Zöpfe und Löckchen die dichterische Phantasie als eine Herde schwarzer Ziegen auffaßte.

Gilead ist im Alten Testament Name einer ostjordanischen Ortschaft (Ri 10 17 Hos 6 8) sowie eines Berges nnw davon (Gn 31 21ff.), des heutigen *ğebel ğel'ad*. Sekundär, aber schon früh, wurde die Bezeichnung auf weitere Gebiete und sogar auf das gesamte Ostjordanland ausgedehnt (Jos 22 9ff.); s. Noth, WAT⁴ 57. Gilead wird mehrmals als ein fruchtbares Weideland erwähnt, Nu 32 1 Jr 50 19 Mi 7 14.

Der Ziegenherdevergleich zieht fast zwangsläufig die Erwähnung 4 2 einer Schafherde nach sich. Der neue Vergleich ist formal mit dem vorhergehenden genau kongruent gestaltet, mit einem erweiternden Relativsatz, der das Prädikat (den Vergleichsgegenstand) näher ausführt, und mit einem durch מן eingeleiteten Adverbialausdruck. Inhaltlich liegt eine feine Antithese darin, daß die Verben der beiden Relativsätze gegensätzlichen Sinn haben, עלו־גלשו.

In 2b liegt ein syntaktischer Chiasmus vor, d.h. eine Überkreuzordnung von Satzteilen: Subjekt-Prädikat ‖ Prädikat-Subjekt.

Der Granatapfel, oder richtiger der Granatbaum, erscheint auch in 3 einem ägyptischen Liebeslied, das die Fruchtkerne mit den Zähnen des Mädchens und die Baumfrucht mit ihren Brüsten vergleicht.

Der Granatbaum spricht:

Meine Kerne gleichen ihren Zähnen,
Meine Frucht ihren Brüsten;
(Schott 58; vgl. auch Hermann, Altäg. Liebesdichtung 128).

Der Hohelieddichter hat indessen den Vergleich in einer ganz anderen Weise gestaltet, indem er die Schläfe des Mädchens mit einem angeschnittenen Granatapfel in Verbindung bringt. Wie ist dieser Vergleich zu verstehen? Weder die Form noch die Farbe können an und für sich das Bild begreiflich machen. Der Granatapfel, malum punicum oder malum granatum, d.h. „samenreicher Apfel", hat die Form eines großen, kugelrunden Apfels. Unter einer harten, braunroten Fruchtschale stecken zahlreiche, durch häutige, oft verholzende Scheidewände getrennte Samen. Jeder Same ist von einem weichen, rosaroten Zellgewebe umgeben; vgl. Pauly-W XIV (1930) 930.

Für den Vergleich wichtig und wesentlich scheint zu sein, daß die Schläfe מבעד לצמתך sichtbar ist. Die Präposition gibt zu erkennen, daß die

Schläfe, oder richtiger nur ein Teil davon, durch die Öffnung des Schleiers zum Vorschein kommt, während ein anderer Teil hinter dem Schleier steckt. Für das Auge teilt der Schleier die Schläfe in eine voll sichtbare hellgefärbte Hälfte und eine hinter dem halb durchsichtigen Schleier nur schwach erkennbare dunkle Hälfte (zum Gebrauch des Schleiers im alten Orient s. RdeVaux, Sur le voile des femmes dans l'orient ancien: RB 44, 1935, 397–412). Hier scheint eine altägyptische Kunstkonvention für das Verständnis von Bedeutung zu sein. Die Granatfrucht wurde in der ägyptischen Ornamentik sehr häufig als dekoratives Element verwendet. Darstellungen von Granatäpfeln gehören zu den beliebtesten Motiven der ägyptischen Maler, und Granatapfel-Modelle aus Fayence, Glas und Gold kamen als Schmucksachen sehr häufig vor. Es hängt mit dem für die ägyptischen Künstler bezeichnenden Streben nach Deutlichkeit zusammen, daß die abgebildeten Granatfrüchte sehr oft angeschnitten erscheinen, so daß neben der Fruchtschale auch das Innere der Frucht abgebildet wird. „Bisweilen scheidet auch der über die ganze Frucht hinlaufende, die Samenkerne entblößende Schnitt die Frucht in eine rote und eine hellgelbe Hälfte, während auf Darstellungen der Spätzeit die Frucht gern durch einen schrägen, geraden Strich in eine dunkel- und eine hellrote Hälfte geteilt wird" (LKeimer, Die Gartenpflanzen im Alten Ägypten I, 1924, 49). Mit dieser so oder so zweigeteilten Granatfrucht der ägyptischen Kunst wäre die vom Schleier teilweise verdeckte Schläfe gut vergleichbar. Der Schleier teilt die Schläfe in eine sichtbare hellgefärbte Hälfte und eine verdeckte dunkle, die an die verschiedenen Farbtöne der beiden Fruchthälften erinnern.

4 4 Der Hals des Mädchens wird mit „dem Turm Davids" verglichen, einem nur hier erwähnten Bauwerk. Ein ähnlicher Vergleich erscheint in מגדל השן 7 5. Mit מגדל wird im Alten Testament eine Burg für den Dynasten bezeichnet, eine Art Akropolis, die während einer Belagerung als letzte Zuflucht dienen konnte (Ri 9 46ff. 51ff.). Aus den Ausgrabungen geht hervor, daß der Palast Sauls in Gibea (*tell el-fūl*) eine kleine, sorgfältig errichtete Burg gewesen ist, wie auch die israelitische Königsstadt Samaria eine mit Kasemattenmauern eingeschlossene Akropolis besessen hat; s. Noth, WAT⁴ 138f.

Wie der Vergleich zu verstehen ist, hängt davon ab, wie man den Ausdruck בנוי לתלפיות deutet. Das Hapaxlegomenon תלפיה gehört zum Nominaltypus *taḳtilāt* (wie תרדמה), und seine Wurzel ist sehr wahrscheinlich *לפא, arab. *lafa'a*, „in Reihen ordnen"; so Honeyman, JTS 50, 1949, 51f. Der Turm ist „in Reihen gebaut"; d.h., die Mauersteine sind in regelmäßigen Schichten geordnet. In dem Vergleich wird dieser Turm nicht mit dem Hals zusammengebracht, aber mit dessen Halsschmuck, dem Halskragen. Statt eine plastische Körperlichkeit darzustellen, haftet die Beschreibung – wie so oft im Hohenliede – am Materiell-Stofflichen. Wie zahlreiche ägyptische Bilder zeigen, trugen sowohl Männer wie Frauen häufig einen Kollier aus Gold oder Fayence und von verschiedener Breite. Er konnte aus ein bis zehn Reihen bestehen. Am unteren Rande des Halskragens hingen oft Bommeln, die tropfenförmig, dreieckig oder rund waren; vgl. GRoeder, Äg. Bronzewerke § 431ff. Auf diese Bommeln sollen offenbar die Schilde bezogen werden, die an den Turm gehängt sind. Ein ähnlicher Halsschmuck aus Arsos auf Zypern (7./6.Jh.), zum Teil wie kleine Schilde, zum Teil wie Mauersteine aussehend, wird von BSIIsserlin erwähnt und zur Illustrierung unserer Stelle verwendet (PEQ 90, 1958, 59f.)

In den letzten drei Worten ist שלטי nicht ganz klar. שלט scheint schon früh als ein schwieriges Wort empfunden worden zu sein, wie aus den sehr verschiedenen Übersetzungen des Wortes in 𝕲 zur Genüge hervorgeht:

2 S 8 7 τοὺς χλιδῶνας
1 Ch 18 7 τοὺς κλοιούς
2 Kö 11 10 τοὺς τρισσούς
2 Ch 23 9 τὰ ὅπλα
Jer 51 11 τὰς φαρέτρας
Ez 27 11 τὰς φαρέτρας
Cant 4 4 βολίδες

𝕲 hat die Schwierigkeit mit Hilfe des entsprechenden und ebenso unklaren šalṭa gelöst oder richtiger umgangen.

שלט kommt außerdem in 1 QM 6 2 vor, und zwar in einem Zusammenhang, aus dem hervorgeht, daß eine Wurfwaffe gemeint sein muß: ועל השלט השני יכתובו זיקי דם להפיל חללים „auf die zweite שלט soll man schreiben „Blutpfeile, zu fällen die Durchbohrten"; Näheres zu dieser Stelle bei YYadin, The Scroll of the War of the Sons of Light against the Sons of Darkness, ed. with Commentary and Introduction (1962) 284f.

In den Bibelstellen scheint die Bedeutung „Schild" überall möglich und wahrscheinlich zu sein. Vielleicht ist der Sinn später und unter aramäischem Einfluß verändert oder verallgemeinert worden; vgl. Yadin a.a.O. 133f. und JvanderPloeg, Le Rouleau de la Guerre trad. et annoté avec une introduction (1959) 102f.

Die Sitte, Schilde als Schmuck an Mauern und Türmen aufzuhängen, wird auch in Ez 27 11 und 1 Ma 4 57 erwähnt. Dagegen scheinen „die Schilde der Türme" מגני המגדלות in 1 QM 9 12 einen anderen Sinn zu haben. Nach Yadin a.a.O. 187f. ist „Turm" dort Bezeichnung einer militärischen Heeresabteilung und mit der testudo der Römer gleichzusetzen.

Die Gazelle erscheint im Hohenlied dreimal als dichterisches Bild für 4 5 den Jüngling, 2 9. 17 8 14. Hier und 7 4 werden die Brüste des Mädchens mit Junggazellen verglichen. Der stilistische Gehalt dieses Vergleiches ist ganz anders zu bewerten als die vorhergehenden im Beschreibungslied. Die Gazellenvergleiche haben ein formelhaftes Gepräge. Man hat fast den Eindruck, die Gazelle sei als eine anmutige Dekoration bereits in der Natur aufgefaßt worden, eine zu reinem Ornament erstarrte Erscheinung. Soll man hier von einem tertium comparationis sprechen, wäre wohl vor allem an die jugendliche Anmut zu denken; vgl. oben 70. Die gleiche abstrakt-formelhafte Erstarrung prägt auch den Ausdruck „Weiden unter den Lilien" (vgl. 2 16), die den Vergleich in den Rahmen des Dekorativ-Gefälligen ausdrücklich hineinversetzt.

4 6   Völlig in den Bereich des Poetisch-Unwirklichen führt uns 6. Die Frage nach der geographischen Lokalisierung des Myrrhenbergs und des Weihrauchhügels hat wenig Sinn. Ebenso verfehlt ist es, die Wörter auf die Brüste des Mädchens zu beziehen. Die Erwähnung der Gazellen-zwillinge, die „unter den Lilien weiden", ruft zwangsläufig den Gedanken an das ferne Wunderland hervor; vgl. die ägyptischen Punt-Vorstellungen, oben zu 2 17. Wie in 2 16f. und 8 14 scheint es sich auch hier um eine fest-geprägte Assoziationsgliederreihe zu handeln, in der bestimmte Vorstel-lungen gemäß einer konventionellen dichterischen Gewohnheit stereotyp zusammenhören. Den Vers als eine sekundäre Zutat zu betrachten, weil im Beschreibungslied die Ankündigung einer Handlung stilistisch keinen Raum habe (Rudolph), ist gerade aus stilistischen Gründen unangebracht. Durch die poetische Umschreibung von Raum und Zeit wird das Sinn-lich-Individuelle verflüchtigt, die festen Umrisse lösen sich auf. Ort, Zeit und Handlung werden in eine vergeistigte Begrifflichkeit abstrahiert und der Hirtenjüngling aller individuellen Züge beraubt. Was übrigbleibt, ist nicht eine geschilderte Realität, sondern ein literarischer Topos.

7   7 ist in syntaktischem Chiasmus aufgebaut: S–P ‖ P–S. – μῶμος ist eine sachgemäße Übersetzung des hebr. מום und gleichzeitig eine klang-liche Nachbildung des Originals.

MIT MIR VOM LIBANON
(48)

ABertholet, Zur Stelle Hohes Lied 4 8: ZAWBeih 33 (1918) 47–53. – JBoehmer,   Literatur
Welchen Sinn hat Hohes Lied 4 8?: MGWJ 80 (1936) 449–453. – AVaccari,
Cant 4 8: Bibl 28 (1947) 398–401.

Mit mir^a vom Libanon, Braut,   Text
mit mir vom Libanon komm^b,
geh fort^c vom^d Gipfel des Amana^d,
vom Gipfel des Senir und Hermon,
von den Lagern der Löwen,
von den Bergen der Panther.

a 𝕲 𝕷 𝕾 𝕭 haben den imp. אֱתִי gelesen, wodurch die kunstvoll gestaltete
Syntax des Verses zerstört wird; s. unter „Form". – b In 𝕲 mit תשורי verknüpft und auf das Folgende bezogen, ἐλεύσῃ καὶ διελεύσῃ; ähnlich in 𝕾. –
c Keiner der alten Übersetzer hat שור als „blicken" verstanden. 𝕲 hat διελεύσῃ,
was sonst meist für עבר steht; 𝕾 teʿbrīn. Die Deutung der Versionen erhält eine
Stütze dadurch, daß שור auch in Jes 57 9 und Ez 27 25 als ein Verbum der
Bewegung zu stehen scheint; vgl. ferner akk. šāru, „aufbrechen", „reisen".
– d–d 𝕲 ἀπὸ ἀρχῆς πίστεως d.h., der Übersetzer hat für den Gebirgsnamen
אֲמָנָה gelesen; 𝕾 hat riš amnē („Ursprung der Emiter"?), während die Lesung
der 𝕲 in der syrischen Übersetzung des Kommentars des Gregorius von Nyssa
erscheint: riš haimānūtā; s. CvandenEynde, La Version syriaque du Commentaire de Grégoire de Nysse sur le Cantique des Cantiques (Louvain 1939) 26.

Es ist nicht ohne weiteres klar, wie das Liedchen abzugrenzen ist.   Form
Zwar hebt es sich gegen das vorhergehende Gedicht ziemlich deutlich ab.
Zu erwägen wäre dagegen, ob 8 vielleicht mit den folgenden Versen zusammenhängt. Als eine Einleitung zu dem Bewunderungslied 9–11 paßt
diese Aufforderung aber nicht sehr gut, und so bleibt nichts übrig, als
den rätselvollen Vers als eine Liedeinheit zu verstehen zu suchen. Er
gehört in eine Reihe von Gedichten, die offensichtlich wegen des Stichwortes לבנן aneinandergereiht worden sind; vgl. 11 und 15. Außerdem
erscheint in 6 und 14 das klanglich ähnliche לבונה und in 9 das zweimal
wiederholte לבבתני, das gleichfalls an לבנן anklingt. Als ein Bindeglied
darf man vielleicht auch כלה (4 8. 9. 10. 11. 12 5 1) betrachten.
Das Lied besteht aus zwei Verbalsätzen, die einen syntaktischen
Chiasmus bilden. Der erste fängt mit zwei Adverbialausdrücken an, die
wiederholt werden: אתי מלבנן, worauf das Verb folgt. Im zweiten Satz
steht das Verb an der Spitze, dann folgen sogar vier adverbielle Bestimmungen.

Ort   Nicht nur formell (durch das an לבונה in 6 anklingende לבנן), sondern auch inhaltlich scheint 8 auf das vorhergehende Lied irgendwie Bezug zu nehmen. Wie wir gesehen haben, geht der Vergleich in 5 von selbst in die Beschreibung einer idyllischen Landschaft über, wo Junggazellen „unter Lilien weiden". Zu den konventionellen Zügen dieser Wunderlandschaft gehören der Myrrhenberg und der Weihrauchhügel. Es ist oben der Versuch gemacht worden, diese utopische Landschaft als ein Gegenstück des fernen Wunderlandes Punt in der ägyptischen Liebeslyrik zu verstehen, ein Arkadien, das hier wie dort eine wichtige Funktion bei der Inszenierung der Liebesschilderungen hat. Auch in 8 kommt eine Landschaft in Sicht, die indessen den Eindruck macht, einen bewußten und beabsichtigten Kontrast zur vorhergehenden darzustellen. Statt der lieblichen Idylle wird hier eine bedrohliche Wildnis beschrieben, mit unzugänglichen Gebirgen, wo Löwen und Panther hausen. Die Landschaft in 8 ist nicht zart-idyllisch, sondern wild-heroisch. Eine sprachliche Assonanz scheint den Gegensatz zwischen dem „Myrrhenberg" und dem „Berge der Panther" absichtlich zu pointieren: הררי־נמרים ‖ הר־המור. Ebenso dienen לבנן ‖ לבונה nicht nur als zusammenbindende Leitwörter, sondern wollen den Libanon bewußt als einen Gegenpol zum Weihrauchhügel hervorheben.

Das Wunderland der Myrrhe und des Weihrauchs scheint auf den Süden hinzuweisen (vgl. Jer 6 20 Jes 60 6), während das Libanongebirge den äußersten Norden Palästinas bezeichnet (Dt 11 24 Jos 1 4 9 1).

Es liegt nach alledem nahe, die heroisch-bedrohliche Landschaft von 8 in der gleichen Weise wie die idyllische im vorhergehenden Lied zu verstehen zu suchen, d.h. als einen lyrischen Topos, ein verfestigtes literarisches Mittel, das Liebeserleben konkret und spannungsvoll zu schildern. Wie das Hinwandern in das idyllische Wunderland stellt das Sichretten aus der bedrohlichen Wildnis eine Wunschsituation der Liebeslyrik dar, eine Modellform des Gefühls, die der Dichter literarisch gestaltet hat. In einem ägyptischen Gedicht versichert das Mädchen, den Jüngling lieben zu wollen, „auch wenn mich Prügel treiben, auf daß ich den ganzen Tag im Sumpf verbringe,

> zum Syrerland unter Knüppeln und Keulen,
> zum Nubierland unter Stöcken,
> zum Wüstenrand mit Prügeln,
> zum Meeresstrand mit Ruten". (Schott 47,4).

Hier wird auch eine Anzahl bedrohlicher Örtlichkeiten erwähnt, durch die ein Moment der Unsicherheit und Gefährdung sich in die Liebesbeziehung mischt.

Wort 4 8   Von den vier Gebirgen bilden die drei letzten eine Berggruppe innerhalb des Antilibanon, dessen höchster Teil Hermon ist (2814 m). Senir

steht in Dt 3 9 als amoritische Bezeichnung für Hermon. An unserer
Stelle indessen erscheinen die Namen Senir und Hermon nebeneinander
wie auch in der Glosse in 1 Ch 5 23; ferner vgl. Noth, WAT⁴ 54f.

Das Mädchen wird hier und in den beiden folgenden Gedichten כלה
genannt, ohne daß es sich um eine Hochzeit handelt. Offensichtlich ist
כלה hier nicht wörtlich zu nehmen, ebensowenig wie אחתי in den folgenden Gedichten die leibliche Schwester des Jünglings meint.

DU HAST MEIN HERZ BELEBT
(4 9–11)

Text   ⁹Du haſt mein Herz belebt, meine Schweſter Braut,
          du haſt mein Herz belebt mit einem ᵃ deiner Augen,
          mit ᵇeinem Glied ᵇ deiner Halskette.
          ¹⁰ᶜWie ſchön iſt deine Liebe, meine Schweſter Braut ᶜ,
          wieviel köſtlicher deine Liebe als Wein
          und der Duft deiner Salben ᵈ als aller Balſam!
          ¹¹Honigſeim triefen deine Lippen, o Braut ᵉ,
          Honig und Milch iſt unter deiner Zunge,
          und der Duft deiner Gewänder
          iſt wie der Duft des Libanon.

4 9   a אַחַד, st. cstr. vor der Präposition, s. BrSynt § 71d. Die Lesung אחת (so Q) ist nicht unbedingt nötig, da die Genusverhältnisse bei den Zahlwörtern nicht selten Unregelmäßigkeiten aufweisen. Eine ähnliche Q-Berichtigung erscheint in Ez 7 2; vgl. ferner HSNyberg, Hebreisk grammatik (1952) § 79e, Anm. 2. – b–b Die Vorausstellung des אחד ist sehr auffällig. Die einzigen Parallelen im AT sind das textkritisch verdächtige אחד נפש von Nu 31 28 und das wahrscheinlich eine spezielle Erklärung fordernde אחד קדוש von Da 8 13; s. GesK 125b. Die vorgeschlagene Änderung in בעיני oder בעניקים hat eine gewisse Wahrscheinlichkeit für sich, bleibt aber unsicher. Das Zahlwort ist stark betont; der Jüngling braucht nur ein einziges Glied der Halskette seiner Geliebten zu sehen, um glücklich zu sein. – c–c fehlt in 𝕾ᴮᶜ.–𝕾𝔏𝕾𝔙 lesen דַּדַּיִךְ;
10 vgl 1 2. 4 7 13. – d 𝕾 [ὀσμὴ] ἱματίων σου, Angleichung an 11b, 𝕾ᴬ jedoch hat
11 μύρων σου. – e 𝕾 hat כל gelesen: *kul debšā uᵉchalbā*. Der Text des Gregor von Nyssa wie 𝔐.

Form   Ebenso wie 8 ist auch dies Gedicht in den Mund des Jünglings gelegt und als Du-Anrede an das Mädchen stilisiert. Thematisch ist es aber als ein selbständiges Lied zu betrachten, und zwar als eine erotische Lobrede, die gewissermaßen an die Beschreibungslieder erinnert. Zum Unterschied von dem *waṣf* steht aber hier nicht die Körperbeschreibung im Mittelpunkt des Interesses. Nicht die bildhaft-sinnliche Veranschaulichung der Reize des Mädchens ist das Wesentliche, sondern etwas viel Subjektiveres. Die Erscheinung des Mädchens wird vor allem in ihrer Einwirkung auf den Jüngling ins Auge gefaßt. Das Gedicht stellt die Liebe als einen physischen Vorgang dar, der sich als konkrete Sinnesempfindung verdeutlicht. Der Anblick der Geliebten belebt das Herz des Jünglings. Ihre Liebe schmeckt ihm besser als Wein und duftet köstlicher als Balsam.

     Als stilistisches Mittel erscheint wieder die Wortwiederholung. In 9 kommt das stark betonte לבבתני zweimal vor, dann folgen zwei Präpositionsausdrücke, jeder mit באחד eingeleitet. Die admirative Formel in 10 wird in abwandelnder Wiederholung zweimal ausgesprochen: מה־יפו דדיך und מה־טבו דדיך.

Wie vorsichtig man sein sollte, die Ansprache כלה als Stütze einer Deu- Ort tung des Hohenliedes im Sinne von „Brautliedern" zu verwenden, geht aus diesem Gedicht zur Genüge hervor, das kaum den Eindruck macht, von Hochzeit oder von Ehe zu sprechen. Die Bezeichnung „Braut" hat hier offensichtlich nicht ihren prägnanten, familienrechtlichen Sinn, sondern steht gerade wie אחתי als eine eindringliche Zärtlichkeitsanrede; vgl. אחתי רעיתי in 5 2. Es gibt also keinen Grund, dem Gedicht einen besonderen Sitz im Leben, etwa als Hochzeitslied, zuzuweisen. Auch hier handelt es sich um eine lyrische Verdichtung des Verhältnisses zweier freier Liebenden.

אחתי כלה findet sich nur in diesem und dem folgenden Gedicht. Die Wort 4 9 Bruder-Schwester-Anrede kommt in der ägyptischen Liebeslyrik häufig vor und ist zu Unrecht bisweilen als ein Hinweis auf die Geschwisterehe gedeutet worden, während sie durchgehend als Zärtlichkeitsmetapher gemeint ist; s. Hermann, Altäg. Liebesdichtung 75ff. Dasselbe ist natürlich auch hier der Fall. Aber auch das appositionell beigefügte כלה scheint seinen sonst im AT üblichen prägnanten Sinn verloren zu haben und steht als eine emotional übersteigerte Zärtlichkeitsansprache.

Die nur hier vorkommende Piel-Form לבבתני läßt sich am besten als ein Denominativum von לבב erklären. Die behauptete Verwandtschaft mit arab. *labba*, „ein Seil um den Nacken binden", ist sehr fraglich und bleibt trotz der rabbinischen Deutung „fesseln" unsicher; vgl. ACohen in AJSL 40 (1924) 174f. In den ägyptischen Gedichten werden die Empfindungen der Liebesleute häufig dem Herzen zugeschrieben. Wenn das Mädchen nicht bei dem Geliebten ist, steht das Herz in ihr still, „deine Küsse allein können mein Herz beleben" (Schott 52).

Und in einem anderen Gedicht sagt das Mädchen: „Seit ich mit dir geschlafen habe, hast du mein Herz erhoben" (Schott 56). Der Jüngling seinerseits klagt darüber, daß sein Herz schwer ist, weil er die Geliebte nicht sieht. „Aber das Kommen und Gehen ihrer Boten ist das, was mein Herz am Leben hält" (Schott 43).

Denkbar ist, daß לבבתני privativen Sinn hat („du hast mein Herz geraubt"), wie es beim pi. oft der Fall ist, z.B. שֵׁרֵשׁ, סָקַל, סָעֵף ,זִנֵּב ,דִּשֵׁן חָטֵא. באחד מעיניך bedeutet im Vergleich mit dem zu erwartenden בעיניך eine Steigerung. Leise hyperbolisch ist auch der folgende Ausdruck באחד ענק מצורניך. ענק ist Bestandteil eines Halsschmuckes, צורנים; zur Form vgl. die Bezeichnung eines anderen Schmuckgegenstandes, שהרנים.

Wahrscheinlich soll an das Glied einer Halskette gedacht werden; s. BRL 257ff.

4 10–11   Die Lobrede auf das Mädchen erinnert stark an 1 2f. Hier wie dort werden die Liebesempfindungen mit Hilfe bestimmter literarischer Topoi ausgedrückt. Die Erscheinung der Geliebten wird als Wohlgeruch und süßer Geschmack empfunden. Zu 11 kann man fragen, ob das Rühmen der Lippen und der Zunge auf die schöne Rede oder die Küsse hindeutet.

Der Duft des Libanons, der auch Hos 14 7 erwähnt wird, bezieht sich ohne Zweifel auf die Zedern, deren Duft u.a. Aristoteles als etwas Wohlbekanntes voraussetzt. Er spricht von einer Ölquelle, deren Duft an zerriebenes Zedernholz erinnert (841ᵃ 15ff.).

DER GARTEN
(4 12–5 1)

Text

¹² Ein verschlossener Garten bist du,
meine Schwester Braut, ein verschlossener Garten ᵃ,
eine versiegelte Quelle.
¹³Deine Schößlinge bilden einen Park
von Granatbäumen ᵇ mit köstlichen ᶜ Früchten,
Zypressensträuchern und Narde.
¹⁴Narde ᵈ und Safran, Würzrohr und Zimt
samt allen ᵉ Weihrauchbäumen,
Myrrhe und Aloe samt allen besten Balsamen.
¹⁵Eine Gartenquelle ᶠ,
ein Brunnen mit lebendigem
und vom Libanon strömendem Wasser.
¹⁶Auf, Nordwind, und komm, Südwind,
durchwehe meinen Garten,
daß seine ᵍ Wohlgerüche strömen –
Möge mein Liebster in seinen Garten ʰ kommen
und dessen köstliche Früchte essen.
5 1 Ich komme in meinen Garten, Schwester Braut,
ich pflücke meine Myrrhe und meinen Balsam,
ich esse meine Wabe samt meinem Honig. –
Eßt, Ihr Lieben ⁱ, trinkt ʲ und berauscht euch an der Liebe ᵏ.

a Statt ‫לו‬ ist mit den Vrss und vielen hebr. MSS ‫גן‬ zu lesen. – b Das 4 12. 13
Wort fehlt in einigen der bedeutendsten Septuagintahandschriften und ist
in 𝔖ʰ mit Asterisk versehen. – c 𝔊 hat für ‫מגדים‬ ἀκρόδρυα, „Obstbäume";
ebenso in 4 16 und 7 14, anders dagegen Dt 33 13–16. – d Fehlt in 𝔖. Die wieder- 14
holte Erwähnung der Narde mag befremdlich sein und wird von vielen Auslegern als Dittographie erklärt. Die Wiederholung ist aber doch wohl eher dem
überfüllten, von Erregung und Gefühlsüberschwang geprägten Stil zuzuschreiben. – e fehlt in 𝔖. – f ‫נעים‬ ist generalisierender plur. – g Die meisten alten 15. 16
Vrss haben suff. 1. sg: „meine Wohlgerüche", was den Sinn nicht ändert. –
h Einige Septuagintahandschriften haben „meinen Garten". – i 𝔊ᴬᵇ 𝔖 „meine 5 1
Freunde". – j Die meisten alten Vrss scheinen ‫ושתו‬ gelesen zu haben. – k 𝔊 hat
‫דודים‬ nicht als Akkusativ und Abstraktum verstanden, sondern als Vokativ
und persönlich: ἀδελφοί; desgleichen 𝔙: carissimi.

Wie aus den einleitenden Worten hervorgeht, spricht zuerst der Jüng- Form
ling zu dem Mädchen, das einem Garten und einer Quelle verglichen
wird (12). Es folgt eine ziemlich ausführliche Beschreibung eines selt-
samen Gartens (13f.) und eine kürzere Erwähnung einer frischen Quelle
(15). In 16a werden die Winde aufgefordert, die Wohlgerüche des Gartens
heranströmen zu lassen. Sehr wahrscheinlich spricht schon hier das

Mädchen. In 16b ist das ganz sicher der Fall, wo das Mädchen sich an den Jüngling wendet und ihn einlädt. Die bejahende Antwort des Jünglings folgt in 5 1ab. Die Schlußworte in 5 1c werden am besten verständlich, wenn man den Dichter selbst als redend annimmt. Die Mahnung, das Liebesglück zu genießen, ist dann an das junge Paar gerichtet.

Der dichterische Gehalt des Stückes liegt vor allem in dem exotischen und fast zauberhaften Klang der Wörter. Es sind fast durchweg fremdartige und kostbare Gewürzbäume und Duftpflanzen, die in diesen fiktiven Garten wie in eine botanische Kammer zusammengebracht sind. Die syntaktisch kunstlose Gartenschilderung, die wie eine Abfolge von stehenden Bildern anmutet, erinnert an den Aufzählungsstil der „Listenwissenschaft" der Babylonier und Ägypter. Das sogenannte Onomastikon des Amenope aus der Zeit um 1100 v. Chr. (AHGardiner, Ancient Egyptian Onomastica, 1947) gibt Listen enzyklopädischen Inhalts, wo in der Form einer Aneinanderreihung von Stichwörtern Einzelerscheinungen sowohl des Menschenlebens wie der außermenschlichen Natur verzeichnet werden, z.B. Städte Ägyptens, Gebäude und ihre Teile, Ländereien, Getreidearten und ihre Produkte, Speisen und Getränke usw. AAlt hat wahrscheinlich gemacht, daß die ältere israelitische Weisheit von der babylonischen und ägyptischen Listenwissenschaft beeinflußt worden ist; vgl. Die Weisheit Salomos (KlSchr II 90–99).

Bemerkenswert ist der reichliche Gebrauch der Präposition עִם als Kopula statt וֹ, ohne daß man einen prägnanteren Sinn, etwa „zusammen mit", herauslesen könnte; besonders 4 13f. und 5 1.

Das Gedicht gehört in die Reihe der „Libanonlieder", d.h. der das Stichwort לְבָנוֹן (15) enthaltenden und deswegen aneinandergereihten Lieder; vgl. auch das phonetisch nahestehende לְבוֹנָה (14). Wie im vorhergehenden Gedicht erscheint auch hier אֲחֹתִי כַלָּה als Bezeichnung des Mädchens (4 12 und 5 1).

Ort   Die Schönheit des Mädchens wird in der Form einer Gartenbeschreibung dargestellt. Daß ein erotischer Sinn im Gedicht steckt, geht bereits aus den ersten Worten hervor. Und sowie das Gedicht vom Kommen des Jünglings in den Garten spricht (4 16b 5 1a), wird ohne weiteres klar, daß eine Liebesbegegnung gemeint ist. Am deutlichsten tritt die erotische Metaphorik in den Schlußworten hervor. Das Essen und Trinken des Liebespaars hat einen prägnanten erotischen Sinn.

In der Gartenbeschreibung selbst ist der erotische Hintersinn durch die verhüllende Sprache verdeckt. Von einem Vergleich zwischen dem Garten und dem Mädchen findet sich keine Spur. Man gewinnt nicht den Eindruck davon, daß die Beschreibung eine verhüllte Frauenschilderung wäre, ja überhaupt nicht, daß sie auf das Mädchen Bezug hätte. Der Vergleichsgegenstand wird sofort völlig verlassen, und das Gedicht ist als eine durchaus selbständige und autonome Gartenschilderung gestaltet.

Es ist nicht möglich, die verschiedenen Bäume und Pflanzen als Bilder für die weiblichen Reize zu deuten.

Inhaltlich ist besonders bemerkenswert der exotische Zug der Gartenschilderung. Die Bäume und Pflanzen, die hier erwähnt werden, waren – mit Ausnahme nur des Granatbaums – in keinem palästinischen Garten zu finden. Die meisten waren den Israeliten nur als seltene und kostbare Importwaren bekannt. Es wird ein utopischer Phantasiegarten beschrieben, der mit der Wirklichkeit sehr wenig zu tun hat. Bestimmend für die Auswahl der Gartenpflanzen ist nicht der Wirklichkeitssinn des Dichters, sondern sein Stilgefühl. Was geschildert wird, ist ein Ort des Wohlgeruches. Narde, Safran, Würzrohr, Zimt, Zypernblumen, Myrrhe, Aloe fassen fast alle balsamischen Düfte des alten Orients zusammen. Das Thema Wohlgeruch hat im Hohenlied sowie in der altägyptischen Liebeslyrik die Stellung eines literarischen Topos, durch den die Liebesspannung objektiviert und verdichtet gestaltet wurde.

Daß schon dieser Vers als eine Anrede an das Mädchen zu verstehen ist, wird aus dem Folgenden wahrscheinlich, wo der Jüngling sich an seine Geliebte direkt wendet, שְׁלָחַיִךְ (mit suff. 2. pers.). **Wort 4 12**

Die von den meisten Auslegern vorgeschlagene Lesung גַּן statt des unmöglichen גַּל des 𝔐 hat eine starke Stütze in den alten Textzeugen und in vielen hebräischen Handschriften. Die Wortwiederholung, besonders die Wiederholung des ersten Wortes des Verses, gehört zum Stil der Liebeslieder; vgl. im gleichen Kapitel 1.8.9.10. גַּל, das sonst nur in plur. vorkommt („Wellen"), mag einfacher Schreibfehler sein.

Der israelitische גַּן war fast immer eine Pflanzung von Fruchtbäumen; vgl. 1 Kö 21 2 Dt 11 10 Jer 29 5. Eine Quelle oder ein Brunnen gehörte normalerweise zu jedem orientalischen Garten, oder es war die Wasserzuleitung aus benachbarten Flüssen durch Kanäle gesichert; vgl. MLGothein, Geschichte der Gartenkunst I (1914) 12.33f.40.148ff. Zur Bewässerung der Gärten vgl. Gen 2 5–6 Jes 58 11 Jer 31 12 und (im Negativ) Jes 1 30. Ein weiteres Merkmal des orientalischen Gartens ist die Einfriedungsmauer; vgl. גָּנַן, „einfriedigen", „umhegen".

Der Garten ist „verschlossen", נָעוּל, d.h. mit einem Tor versehen, das gesperrt werden konnte; ein ägyptisches Gartentor bei OKoenigsberger, Die Konstruktion der ägyptischen Tür; Ägyptologische Forschungen, hrsg. von AScharff, Heft 2 (1936) Tafel I. Von der Versiegelung einer Quelle hören wir im AT sonst nichts. Der Ausdruck מַעְיָן חָתוּם besagt wohl nur, daß die Quelle sich innerhalb eines verriegelten und mit Siegeln versehenen Gartentores befand.

שֶׁלַח, eigentlich „etwas Ausgeschicktes", d.h. eine Wurfwaffe; so **13** Jo 2 8 Hi 33 18 36 12 Neh 4 11. 17 2 Ch 23 10 32 5. Eine nicht sehr fernliegende Bedeutungsentwicklung scheint hinter der Verwendung des Wortes an dieser Stelle zu stecken, wo שְׁלָחַיִךְ sehr wahrscheinlich „deine

Schößlinge", „deine Triebe" meint. Zu vergleichen wäre שלחות, „Ranken" (Jer 16 8) und die Verwendung der Piel-Form שִׁלַּח in der Bedeutung (Zweige oder Wurzeln) „aussenden" (Jer 17 8 Ez 17 6. 7 31 5 Ps 80 12). Der Einwand, daß bei dieser Übersetzung Bild mit Bild verglichen werde („deine Schlößlinge sind ein Park"), trifft nicht zu. Denn nachdem der Dichter einmal gesagt hat, daß seine Gartenschilderung das Mädchen betrifft, ist der Vergleichsgegenstand in seinen Gedanken nicht mehr gegenwärtig; er schildert eine Pflanzung, deren Schlößlinge einen wunderbaren Lustgarten bilden.

Das altpersische *pairidaēza*, das dem griech. παράδεισος zugrunde liegt (bes. von Xenophon benutzt) und auch im Akkadischen bekannt ist (*pardisu*), bezeichnet eigentlich wie גן die Umwallung bzw. den Zaun eines Geheges. Im Griechischen steht das Wort am meisten für den umgrenzten Park selbst. Diesen Sinn hat auch פרדס; außer hier Qoh 2 5 und Neh 2 8.

Das Abstraktum מגדים, „Kostbarkeit", findet sich noch zweimal in Ct, 4 16 und 7 14 (wie hier im plur.), weiter Dt 33 13–16 (im sing. מֶגֶד). Immer werden mit diesem Wort Erzeugnisse der Natur bezeichnet. 𝕲 hat μετὰ καρποῦ ἀκροδρύων, ebenso 5 1 und 7 13. ἀκρόδρυα (der sing. ist selten) ist eine sehr allgemeine Bezeichnung der Fruchtbäume. – Zu כפר vgl. 114 und zu נרדים 112. Einige Ausleger wollen den Halbvers streichen (Dittographie) oder נרדים in ורדים, „Rosen", ändern (so Graetz und Rudolph). Gegen 𝔐 spricht ohne Zweifel, daß 14 נרד wieder nennt. Indessen darf nicht vergessen werden, daß die Wortwiederholung im Hohenliede offensichtlich ein beliebtes und häufig gebrauchtes Stilmittel ist.

4 14 Die aufgezählten Würzpflanzen sind alle exotische und kostbare Importwaren, die in keinem palästinischen Garten zu sehen waren. כַּרְכֹּם findet sich nur hier im AT, dagegen öfters in der nachbiblischen jüdischen Literatur. Das Wort steht für zwei ganz verschiedene Pflanzen. Die jüdische Tradition hat damit den in Palästina angebauten Safran, Crocus sativus, bezeichnet, dessen getrocknete Narben als Farbstoff und Gewürz hoch geschätzt waren. Hier handelt es sich dagegen nach Löw und Dalman um die indische Gilbwurz, Curcuma longa, deren Wurzelstock ein gelbes oder orangebraunes ätherisches Öl enthält und wie der Safran zum Gelbfärben verwendet wurde; Löw, Flora II 7f., Dalman, AuS II 301f. קָנֶה oder vollständiger קְנֵה בֹשֶׂם wird gewöhnlich mit dem Kalmus, Acorus Calamus, identifiziert, einer perennen, in Zentralasien heimischen, aromatisch duftenden Sumpfpflanze. Kalmus wurde zur Herstellung von Salböl für sakrale Salbungen verwendet (Ex 30 23). Aus Jer 6 20 und Ez 27 19 wird ersichtlich, daß der Kalmus in Israel ein aus weiter Ferne geholtes Importgut gewesen ist. קִנָּמֹון, der Kanelbaum, Cinnamomum, ist in den tropischen Teilen Asiens heimisch. Das wich-

tigste Zimtland des Altertums war China; vgl. JTMilik, RB 65 (1958) 72f. Die getrocknete innere Rinde war in der alten Welt ein hochgeschätztes, aber seltenes und kostbares Gewürz. Zusammen mit Kalmus wird Zimt außer hier auch Ex 30 23 erwähnt, und zwar als Bestandteil des heiligen Salböls, und in Prv 7 17 zusammen mit Aloe als wohlriechendes Gewürz. Die Weihrauchbäume, עֲצֵי לְבוֹנָה, sind gleichfalls exotischer Herkunft. Ihr Heimatland scheint Arabien und die Somaliküste gewesen zu sein; vgl. Jer 6 20 Jes 60 6. In diesem Phantasiegarten wächst auch Myrrhe, die wie die übrigen erwähnten Pflanzen ein Importgut aus weiter Ferne war. Die Myrrhenbäume, Commiphora, wachsen in Arabien und Abessinien. Die Expedition der ägyptischen Königin Hatschepsut zu den Weihrauchterrassen im Lande Punt hat Myrrhen- und Weihrauchbäume (der begehrten Boswellia) ausgegraben und für den Garten des Amun nach Ägypten gebracht; vgl. HKees, Kulturgeschichte des alten Orients I (1933) 124; AHermann, Altäg. Liebesdichtung 44. Aloe, außer hier Nm 24 6 Ps 45 9 Prv 7 17. Der große, in Hinterindien heimische Aloebaum, Aquilaria ogallocha, bildet ein dunkelbraunes wohlriechendes Harz, das als Arzneidroge verwendet wird; vgl. Löw, Flora III 411ff. כָּל־רָאשֵׁי בְשָׂמִים, „alle besten Balsame"; vgl. Ex 30 23 und Ez 27 22, wo ראש (sing.) wie hier die Bedeutung „Bestes", „Köstlichstes" hat. Man kann fragen, ob בְשָׂמִים die Balsambäume oder ihre Produkte meint. Da der Vers sonst durchweg von den Pflanzen, die im Garten wachsen, spricht, liegt diese Deutung wohl auch hier am nächsten. Der an den Küsten Arabiens und am Toten Meer wachsende Balsambaum gleicht „unseren strauchartigen Birken zur Winterzeit" (Schweinfurth, zit. nach Löw, Flora I 300) und wird nur nach einem Regen belaubt. Die antiken Autoren unterscheiden mehrere Gewächsarten; Weiteres bei Pauly-Wissowa II (1896) 2836ff.

Nach der ziemlich ausführlichen Gartenschilderung wird jetzt das 4 15 zweite Vergleichsmoment, die Quelle, erwähnt und kurz beschrieben. Wie ist der Vers syntaktisch zu verstehen? Man kann ihn als einen Ausruf auffassen: „Du Gartenquelle..." Wahrscheinlich geht die Erwähnung der Quelle jedoch auf 12 zurück und gibt einen analogen Vergleich: „Eine Gartenquelle bist du". In גַּנִּים erscheint wieder der in Ct häufige generalisierende Plural; Joüon, Gr. 136j. – „Lebendiges Wasser", d.h. sprudelndes Quellwasser. Neben חיים steht als Bestimmung des מים der Ausdruck נזלים מן־לבנן, „vom Libanon herunterströmend". Die Erwähnung des Libanon ist ein superlativischer Ausdruck, der das strömende Wasser als das beste und köstlichste bezeichnet.

Jetzt kehrt das Gartenbild wieder. Das Mädchen fordert die Winde 16 auf, den Wohlgeruch entströmen zu lassen, damit der Jüngling in den Garten komme, um von den Früchten zu essen. Daß der Nord- und der Südwind speziell genannt werden, ist literarische Artistik (vgl. Jes 43 6) und hat keine sachliche Bedeutung.

5 1   In direkter Anrede an das Mädchen antwortet der Jüngling: er kommt, er ist schon bei seiner Geliebten. Die vier Perfekta drücken den Zusammenfall zwischen Aussage und Vollzug der Handlung aus; vgl. BrSynt § 41d. יַעַר ist die mit Honig angefüllte Wabe, d.h. der Honigkuchen. Der in frisch gebauten Waben enthaltene Scheiben- oder Wabenhonig ist am reinsten und wertvollsten; Weiteres bei WRobert-Tornow, De apium mellisque apud veteres significatione (1893) und HUsener, Milch und Honig: RhMus 57 (1902) 177–195. In der letzten Zeile spricht nicht mehr der Jüngling und auch nicht das Mädchen, sondern der Dichter tritt für einen kurzen Augenblick aus seiner Anonymität hervor. Mit einigen zusammenfassenden Worten, die als Schlußvignette des Gedichts dienen, mahnt er das junge Paar, vom Liebesglück zu genießen.

NÄCHTLICHES INTERMEZZO
(5 2–8)

²Ich schlief, aber ᵃ mein Herz war wach.
Hör, da klopft mein Geliebter ᵇ.
„Öffne für mich, mein Schwesterlein ᶜ, mein Täubchen ᵈ.
Denn mein Haupt ᵉ ist naß vom Tau,
meine Locken von nächtlichen Tropfen.“
³„Ich hab' mein Hemd schon ausgezogen,
wie sollt' ich's wieder anziehen?
Ich hab' meine Füße gewaschen,
wie sollt' ich sie ᶠ wieder beschmutzen?“
⁴Mein Geliebter streckte ᵍ seine Hand durchs Türloch,
da wurde mein Inneres um seinetwillen ʰ heftig aufgeregt.
⁵Ich ⁱ stand auf, meinem Geliebten zu öffnen,
und meine Hände troffen von Myrrhe
und meine Finger von flüssiger Myrrhe,
(als ich sie legte) ʲ an die Griffe des Riegels.
⁶Ich ᵏ öffnete meinem Geliebten,
aber mein Geliebter war weggegangen.
Ich geriet außer mir, als ich ihm nacheilte.
Ich suchte ihn, aber fand ihn nicht,
ich rief ihn, aber er antwortete mir nicht.
⁷Mich fanden die Wächter, welche die Stadt durchstreifen,
sie schlugen mich, verletzten mich,
es nahmen mir das Kopftuch
die Wächter der Mauern.
⁸Ich beschwöre euch, ihr Töchter Jerusalems: ˡ
Wenn ihr meinen Geliebten findet –
was wollt ihr ihm sagen? ᵐ
Daß ich krank bin vor Liebe.

a ו des Gegensatzes; vgl. BrSynt 135b. – b 𝕲 + ἐπὶ τὴν θύραν; so auch 𝔏. 5 2
Vgl. Ri 19 22, wo auch 𝔐 עַל הַדֶּלֶת hat. Die ziemlich natürliche Ergänzung
braucht nicht als eine Angleichung an die Richterstelle erklärt zu werden. –
– c Wörtlich: „meine Schwester, meine Geliebte“. – d Wörtlich: „meine Taube,
meine Vollkommene“. – e שֶׁרֹּאשִׁי; שֶׁ mit kausalem Sinn, s. Joüon, Gr. 170c.
Zur Schärfung des ר vgl. Joüon, Gr. 23a, 38. – f Beim suff. 3. pers. pl. wird das 3
fem. oft durch das masc. vertreten; vgl. BrSynt § 124b; in 𝕲 dagegen fem. –
g Die vorgeschlagene Änderung von שלח in שלף, die in den alten Übersetzun- 4
gen keine Stütze findet, ist unnötig. – h Mehrere MSS haben עלי. 3. pers. gibt
aber guten Sinn und ist von den Übersetzungen bezeugt. – i Die pleonastische 5
Setzung des Personalpronomens als Subjekt kommt auch in sehr alten Texten
vor, z.B. Ri 5 3. Weitere Beispiele Ri 11 7.9 Jes 38 10 Jer 27 6; vgl. BrSynt
§ 34b. – j Abgekürzte Redeweise, s. zu Wort. – k siehe i. – l 𝕲 + ἐν ταῖς δυνά- 6. 8
μεσιν καὶ ἐν ταῖς ἰσχύσεσιν τοῦ ἀγροῦ; vgl. 2 7. – m 𝕲 hat statt der Frage eine
Aufforderung.

Form Die Abgrenzung des Gedichts ist ziemlich klar. Vers 2 bringt eine ganz neue Situation, ein nächtliches Intermezzo, das von dem Mädchen erzählt wird. Einen natürlichen Abschluß bildet 8 mit der leidenschaftlichen Liebeserklärung: „Ich bin krank vor Liebe". Eine Komplikation bringt nur 9, der sowohl auf das Vorhergehende als auf das Folgende Bezug nimmt und offenbar als eine nachträgliche Klammer des Sammlers zu betrachten ist.

Was dem Gedicht vor allem sein Gepräge gibt, ist der fiktive Charakter. Es ist offenbar, daß der Dichter mit einem Vorrat an lyrischen Motiven, Topoi und Figuren arbeitet und daß diese den künstlerischen Gestaltcharakter des Gedichts bestimmen. Eine klare Verwandtschaft besteht mit 2 8–14. Wie dort handelt es sich auch hier um ein konkretes Situationsgedicht, und zwar um eine nächtliche Liebesbegegnung. Noch deutlicher als in 2 8f. ist hier die Szene nach dem Muster des Türklageliedes gestaltet, d.h. als ein nächtliches Türgespräch zwischen dem einlaßbegehrenden Jüngling und dem abweisenden Mädchen; vgl. 2 8 und die dort verzeichnete Literatur. Auch in Einzelheiten liegen die Übereinstimmungen zwischen den Gedichten klar zutage. In beiden wird die Situationsschilderung in den Mund des Mädchens gelegt. Wie dort spricht sie auch hier von „ihm" in der 3. pers. In den Liedanfängen wird der gleiche Eingangsakkord angeschlagen, קוֹל, ein Ausruf, der die Aufmerksamkeit auf den Jüngling draußen lenken soll. Während in 2 8ff. nur der Jüngling zu Wort kommt, folgt hier ein kurzes Zwiegespräch. Ohne Einleitungsformel fängt der Jüngling an zu reden; vgl. 2 10, wo die direkte Rede mit einer zweifachen Einführung vorbereitet wird. Die Bitte an das Mädchen wird in beiden Fällen von einem Begründungssatz unterstützt, 2 11 mit כִּי, 5 2 mit שֶׁ eingeleitet.

Das eigentliche Türgespräch bekommt in 4ff. eine unerwartete Fortsetzung. Bewegt von der Bitte des Jünglings, steht das Mädchen von ihrem Bett auf, um dem Geliebten zu öffnen. Er ist aber verschwunden. Vergebens sucht sie ihn in der Stadt. Die Schilderung des nächtlichen Suchens hat mit einem anderen Gedicht formell und stofflich sehr viel gemein, 3 1–5. Eine besonders konkrete gemeinsame Einzelheit sind die Stadtwächter, die in beiden Gedichten mit den gleichen Worten in die Handlung eingeführt werden: „Mich fanden die Wächter, welche die Stadt durchstreifen", 3 3 und 5 7. Die Schilderung der Wächter ist im jetzigen Gedicht allerdings um einen Zug bereichert worden. Sie treten feindlich gegen das herumirrende Mädchen auf.

Einen weiteren Topos, der den beiden Gedichten gemeinsam ist, bilden die „Töchter Jerusalems", die vom Mädchen beschworen werden, in 3 5, die Liebe nicht zu stören, in 5 8, als postillons d'amour Dienst zu tun.

Das Lied besteht hauptsächlich aus Verbalsätzen. In mehreren Fällen

scheint ihre Wortfolge (Anfangsstellung des Subjekts) von den Nominalsätzen beeinflußt zu sein (4. 5b. 6b); s.o. S. 57.

In der letzten Hälfte von 7 hat das Subjekt des Verbalsatzes eine
recht auffallende Endstellung, sogar als viertes Glied, bekommen:
נשׂאו את־רדידי מעלי שׁמרי החמות, d.h. V-O-Adv-S. Diese Wortfolge dient
hier nicht, wie es sonst bisweilen der Fall ist, zum Hervorheben des Subjekts, sondern will es im Gegenteil als schwachbetont charakterisieren.
Das Subjekt ist aus dem Vorhergehenden schon bekannt und wird nachträglich als verdeutlichende Stütze eingeführt; vgl. Bloch, Vers und
Sprache im Altarabischen 41f.

Für die Frage nach dem Sitz im Leben des Gedichts hat man den Ort
einleitenden Worten oft eine entscheidende Rolle beigemessen: „Ich schlief,
aber mein Herz war wach". Viele Ausleger wollen wegen dieser Worte
das Gedicht als ein Traumerlebnis verstehen. Ebenso will man den Eindruck der Unwirklichkeit damit erklären, daß es sich um einen Traum
handelt. Aber hätte man dann nicht eine klare Aussage erwarten müssen,
die den Vorgang ausdrücklich als einen geträumten darstellte? Eine
solche läßt sich schwerlich aus der Einleitung herauslesen, die wahrscheinlich nur so viel aussagen will, daß das Mädchen in leichtem Schlum-
mer lag, das Klopfen des Jünglings hörte und sofort wach wurde. Vor
allem kann man nicht den Traumcharakter dadurch wahrscheinlich
machen, daß man die unwirklichen Einzelheiten des Gedichts auf das
Konto eines Traums schreibt. Daß dem Gedicht ein Zug der Unwirklichkeit innewohnt, ist nicht zu verneinen – die Nachtwanderung, die Begegnung mit den Wächtern, das plötzliche Auftauchen der Töchter
Jerusalems. Aber dafür gibt der literarische Stil eine viel bessere Erklärung. Aus der Formanalyse geht hervor, welche Rolle herkömmliche
literarische Motive und Topoi auch stofflich für die Gestaltung des Gedichts gespielt haben. Es ist durchaus klar, daß wir es nicht mit einem
einmaligen, aus tatsächlichen Gegebenheiten erwachsenen Wirklichkeits-
bericht zu tun haben. An die Stelle der realistischen Abbildung der Wirklichkeit tritt ein Kunstzusammenhang.

Bereits aus den einleitenden Worten wird ersichtlich, daß der Dichter Wort 52
mit literarisch konventionellem Stoff arbeitet. Die Inszenierung ist die
eines Türklagegedichts. Das schlafende Mädchen wird von dem Klopfen
des einlaßbegehrenden Jünglings geweckt. Es ist nicht ohne weiteres
klar, wie man die Worte des Jünglings verstehen soll. Will er sich als
einen Schutzsuchenden darstellen und das Mitleid des Mädchens erwecken? Oder soll ihn der Tau, der in seinen Locken glänzt, als besonders
herrlich bezeichnen? Der Tau ist fast immer im AT ein gefühlgeladenes,
Segen und Herrlichkeit versinnbildlichendes Wort (Gn 27 28. 39 Dt 32 2
33 13. 28 Ps 133 3 Prv 19 12 Jes 26 19 Hos 14 6 Mi 5 6 Sach 8 12). קְוֻצּוֹת

(in vielen MSS ohne Dagesch) nur hier und 11. Die aus dem Zusammenhang zu erschließende Bedeutung wird durch das Arabische und Syrische bestätigt.

Die letzte Zeile bildet einen unvollständigen Parallelismus mit dem beiden Gliedern gemeinsamen Verb.

5 3   Die Antwort des Mädchens ist in zwei symmetrischen Sätzen geformt. Es gehört zum Stil des Türklageliedes, daß die Bitte des nächtlichen Besuchers abgewiesen wird. Die Einwände des Mädchens sind nicht moralisierender Art. Sie haben einen fast neckischen Ton; es würde ihr zu viel Umstände machen, aus ihrem Bett aufzustehen.

כתנת ist ein linnenes oder wollenes Hemdkleid, das sowohl von Männern wie von Frauen unter dem langen Obergewand, dem Mantel, getragen wurde. Bildliche Darstellungen zeigen verschiedene Typen, bis zum Knöchel oder nur zu den Knien reichend und mit langen oder halblangen Ärmeln; vgl. BRL 333; ABarrois, Manuel d'Archéologie biblique I 478; HWHönig, Die Bekleidung des Hebräers. Eine biblisch-archäologische Untersuchung (Diss. Zürich 1957) 30f.

4   Die Situation erinnert an 2 9, wo der ausgeschlossene Liebhaber durch die vergitterten Fenster hineinguckt. חר ist eine ziemlich allgemeine Bezeichnung für „Loch" oder „Höhle" und kann von sehr verschiedener Größe sein; vgl. 1 S 14 11 2 Kö 12 10 Ez 8 7 Na 2 13 Hi 30 6. Hier handelt es sich wahrscheinlich um ein Türloch oder Wandloch, das als Lichtquelle diente. Die Erwähnung des Fensters oder des Gucklochs gehört offensichtlich zu den konventionellen Zügen der Türklagelieder. ומעי המו עליו. Das Verb המה ist ein nicht sehr distinkter Ausdruck für allerlei Töne und Laute. Nicht selten werden mit המה emotionelle Zustände verschiedener Art bezeichnet, besonders gern mit מֵעִים, „Eingeweide", oder לֵב als Subjekt. Das hängt natürlich damit zusammen, daß seelische Empfindungen bei den Israeliten ganz real als physische Vorgänge verdeutlicht und beschrieben werden; vgl. o. S. 62. Der gleiche Ausdruck findet sich Jes 16 11 Jer 31 20; weiter vgl. Jes 63 15 (הֲמוֹן מֵעֶיךָ), Jer 4 19, Ps 22 15 Hi 30 27 Thr 1 20 2 11. Auch in der altägyptischen Liebesdichtung erscheinen ähnliche Ausdrücke, z.B. (in einem Lied des Mädchens): „Mein Herz springt eilends, sobald ich an meine Liebe zu dir denke" (Schott 41).

Statt 𝔐 עליו haben einige MSS עלי, „in mir"; vgl. Ps 42 6 43 5. Es besteht aber kein Grund, von 𝔐 abzugehen.

5   Was diesen Vers schwierig macht, ist der Schluß, die Erwähnung der Griffe des Riegels. Die meisten Ausleger verbinden עַל כַּפּוֹת הַמַּנְעוּל mit der Myrrhe; sowie das Mädchen den Riegel zurückschieben will, greifen ihre Hände in die triefende Myrrhe, die (wahrscheinlich von dem Jüngling durch das Türloch) auf die Griffe des inneren Riegels gegossen wor-

den sei. Gegen diese Deutung spricht das Verb נטף, das mit einem Akk. „von etwas triefen" bedeutet; vgl. 4 11 5 13 Jl 4 18 Prv 5 3. Daß die Finger des Mädchens von Myrrhe triefen, kann wohl doch nur so viel bedeuten, daß sie mit Myrrhe eingeschmiert waren, nicht aber daß die Myrrhe auf dem Riegel angebracht war und dort vom Mädchen mit den Fingern betastet wurde. Die letzte Deutung ist auch nicht durch eine von vielen zitierte Lukrezstelle zu retten, wonach der exclusus amator die Schwelle der Geliebten mit Blumen und Kränzen schmückt und ihre Türpfosten mit Majoranöl salbt (De rerum natura IV 1177–79). Unsicher scheinen die Angaben ASalonens, man hätte in Babylonien die Sitte gekannt, über Schwellen, Schlösser, Riegel und Türen kostbares Öl zu gießen (Die Türen des alten Mesopotamien. Eine lexikalische und kulturgeschichtliche Untersuchung; Annales Academiae scientiarum Fennicae Bd. 124 [1961] 120f.). Begreiflich wird der Adverbialausdruck erst, wenn man sieht, daß er sich nicht auf die Myrrhe, sondern auf die Hand des Mädchens bezieht und eine abgekürzte Redeweise darstellt, also „meine Hände troffen von Myrrhe, (als ich sie legte) auf die Griffe des Riegels".

מוֹר עֹבֵר. Die alten Übersetzer scheinen das Partizip als eine Qualitätsbezeichnung verstanden zu haben. 𝔊 σμύρναν πλήρη, 𝔙 myrrha probatissima. Für den lateinischen Ausdruck wäre auf כסף עבר (Gen 23 16) zu verweisen, argentum probatae monetae. Daß עבר sich auf die Flüssigkeit bezieht, ist sehr wahrscheinlich. Unsicher bleibt, ob das Wort auf den Vorgang der Entstehung der Myrrhentropfen oder auf die Konsistenz der verflüssigten Myrrhe Bezug nimmt. Die Notiz des Plinius in Hist. nat. XII 68 von dem aus dem Stamme des Myrrhenbaums von selbst ausfließenden Saft scheint auf einem Mißverständnis einer Theophrast-Stelle zu beruhen (Näheres bei Pauly-Wissowa, Real-Enc. XVI, 1935, 1135f.) und läßt sich zur Erklärung des עבר nicht brauchen (etwa „überlaufende", d.h. „von selbst ausfließende Myrrhe"; so Rudolph, Komm. z.St.). Ergiebiger scheint es zu sein, auf die Verwendung von הלך zu verweisen: „von etwas fließen", „triefen" (Jo 4 18 Ez 7 17 21 12).

Über die Türverschlüsse im alten Israel wissen wir nicht viel. Die gebräuchlichste Anordnung dürfte bestanden haben in einem in das Loch des Türpfostens geschobenen Querriegel; vgl. BRL 460. Näheres erfahren wir über die Riegelkonstruktionen in Ägypten; vgl. OKoenigsberger, Die Konstruktion der ägyptischen Tür: Ägyptische Forschungen, hrsg. von AScharff, Heft 2 (1936) 40ff. Man hat zwei Arten von Riegeln benutzt. Beiden Konstruktionen gemeinsam ist, daß sie aus zwei Teilen bestehen, dem eigentlichen Riegel und den Lagern, in denen er sich bewegt. Bei zweiflügeligen Türen kam der Türblattriegel zur Anwendung, der in bronzenen oder hölzernen Krammen läuft und die beiden Türflügel in der Mitte zusammenhält. Für einflügelige Türen war die natürliche und gegebene Konstruktion der Wandriegel, der aus einem Riegelkanal in der

Wand in eine entsprechende Vertiefung an der Tür hervorgezogen werden konnte und die Tür am Aufgehen hinderte. Beim Öffnen wurde der Riegel in den Wandkanal zurückgeschoben, so daß die Tür frei wurde. In späteren Zeiten ist die Ausführung mit Gleitschiene und Walzenlager verbessert worden. Zum bequemen Handhaben war der Riegel mit einem Griff versehen.

Der Riegel wird auch in einem ägyptischen Türklagelied erwähnt. Der Jüngling redet die Tür an und beschwört sie mit Versprechungen:

>„Ich ging an ihrem Hause vorbei in der Dunkelheit.
>Ich klopfte, mir wurde nicht geöffnet:
>eine gute Nacht für unseren Türhüter!
>O Riegel, ich will auftun!
>Tür, du bist mein Geschick,
>und du (könntest) mein (guter) Geist (sein).
>Man wird drinnen unseren Ochsen schlachten.
>Tür, bei deiner Mächtigkeit!
>Geschlachtet wird ein Langhornrind für den Riegel,
>ein Kurzhornrind für das Schloß,
>eine fette Gans für die Türbalken,
>das Fett (davon) dem Schlüssel.
>Allerlei erlesene Stücke unseres Ochsen (aber)
>sind für den Gesellen des Handwerkers,
>daß er uns einen Riegel aus Rohr
>und eine Tür aus Geflecht mache,
>auf daß der 'Bruder', kommt er zu irgendeiner Zeit,
>ihr Haus offen finde".

(Hermann, Altäg. Liebesdichtung 133; Schott 63f.).

5 6   חמק עבר, wörtlich „hatte abgedreht, war dahingegangen". Verben, die einen einheitlichen Vorgang schildern oder von denen das zweite das erste unmittelbar fortsetzt, werden gern asyndetisch aneinandergereiht; BrSynt § 133b; Joüon, Gr. 177g. $\mathfrak{G}$ hat, sachlich richtig, nur παρῆλθεν. – יָצְאָה נַפְשִׁי wörtlich „meine Seele ging heraus", Ausdruck plötzlicher Angst vgl. Gn 42 28 וַיֵּצֵא לִבָּם. Schwierig ist בְּדַבְּרוֹ. „Als er redete," gibt keinen befriedigenden Sinn. Die Bitte des Jünglings hat ja schon eine fast spöttische Antwort bekommen. Reagiert das Mädchen jetzt anders, liegt die Ursache wohl doch nicht in den Worten des Jünglings, sondern in seinem Verschwinden? Hier hätte man erwartet, daß ihr Nacheilen nach dem Verschwundenen erwähnt wäre. Verschiedene Ausleger haben auf arab. *dbr* hingewiesen: „den Rücken kehren" „fliehen" (Hitzig z.St.; Driver, JThS 1930, 250; Wutz), aber auch „einem auf der Spur folgen" (so IEitan, A Contribution to Biblical Lexicography: Contributions to

Oriental History and Philology 10, 1924, 34f.). Faßt man das hebräische Wort im letztgenannten Sinn (mit Objektssuffix), erübrigen sich die vorgeschlagenen Textänderungen in בְּדָרוֹ, בְּעָבְרוֹ, בְּבָרְחוֹ. Sowie das Mädchen findet, daß der Geliebte weggegangen ist, reagiert sie auf seine Worte anders, denn als sie ihn zuerst hörte. Und nun folgt wieder ein konventioneller Zug, der den literarisch-fiktiven Charakter der Schilderung unterstreicht. Wie in 3 2 geht sie mitten in der Nacht in die Stadt hinaus, um den Jüngling zu suchen. בִּקַּשְׁתִּיהוּ וְלֹא מְצָאתִיהוּ = 3 2c.

Unter den Requisiten, die das Gedicht mit Kap. 3 gemeinsam hat, 5 7 erscheinen jetzt die Stadtwächter, die das umherirrende Mädchen „finden"; vgl. 3 3a. Die Hüter der Ordnung, die hier auch „Wächter der Mauern" genannt werden, benehmen sich diesmal sehr schroff gegen das Mädchen. Sie reißen der vermeintlichen Herumtreiberin das lange Kopftuch weg, offensichtlich weil eine Dirne sich nicht verhüllen durfte; vgl. EJacob, Zeitschrift für vergleichende Rechtswissenschaft 41 (1925) 354 mit Verweis auf die altassyrischen Gesetze, die sehr scharfe Strafbestimmungen enthalten für Dirnen, die unverhüllt betroffen werden. So auch EEbeling, Liebeszauber im Alten Orient: Mitteilungen der Altorientalischen Gesellschaft. I 1 (1925) 5f. Weiteres bei VScheil, Recueil de lois Assyriens (1921).

Die flüchtig erwähnte Straßenepisode ist von NDvanLeeuwen (De mishandeling der vrouw in Hooglied 5:7; GThT 1923, 201–203) etwas konkreter erfaßt worden. Nach ihm sind die Wächter der Mauern andere Leute als die Wächter, die die Stadt durchstreifen. Die letzteren haben das Mädchen, das sie auf der Straße trafen, zu den Wächtern der Mauern gebracht. Es soll an der Stadtmauer eine Art Polizeibureau gegeben haben, wo ein summarischer Prozeß stattfand, das Mädchen geschlagen und seines Schleiers beraubt wurde.

Der erregten Schilderung entspricht sehr gut die endlose Aneinanderreihung der Verben, die den Gesamteindruck eines raschen und pausenlosen Vorgangs vertiefen.

Zum Inventar des Liedes gehören endlich die „Töchter Jerusalems", 8 die plötzlich und unerwartet dastehen; vgl. 2 7 3 5 8 4. Woher sie kommen, darf man nicht fragen, nicht weil wir eine Traumerzählung vor uns hätten, sondern weil diese fiktiven Zwischenpersonen in der Ökonomie des Gedichts eine bestimmte Funktion haben.

Das Gedicht schließt wirkungsvoll mit einer glühenden Liebeserklärung, die die Töchter Jerusalems dem Jüngling überbringen sollen, wenn sie ihn finden; vgl. zu 2 5.

ÜBERLEITUNG
(59)

Text   𝔚as ist dein Geliebter unter den Geliebten,ᵃ
       du schönste der Frauen?
       𝔚as ist dein Geliebter unter den Geliebten,
       daß du uns also beschwörst?

   a Der sing. steht im Hebräischen oft zur Bezeichnung von Klassen und
   Gruppen; BrSynt § 17. Der Sinn ist: Wie ist dein Geliebter unter anderen
   Jünglingen zu erkennen?

Wort   Der Vers ist eine nachträgliche Klammer des Sammlers, die rück-
       wärts und vorwärts weist. Der Sammler hat durch diesen Zusatz ein
       Verbindungsglied zwischen den beiden literarisch völlig verschiedenen
       Gedichten herstellen wollen. Die Frage, die offenbar in den Mund der
       „Töchter Jerusalems" gelegt wird, bezieht sich auf die Bitte des Mäd-
       chens im vorhergehenden Vers, ihm beim Suchen nach dem Jüngling zu
       helfen. Besonders durch הִשְׁבַּעְתִּי wird auf 8 zurückgegriffen. Gleichzeitig
       soll die Frage aber auf das folgende Beschreibungslied überleiten: Wie
       sieht dein Freund aus, damit wir ihn erkennen können? In der gekünstel-
       ten Komposition des Sammlers bekommt das Beschreibungslied fast die
       Funktion eines Signalements.

170

DER SCHÖNE JÜNGLING

(5 10–16)

¹⁰Mein Geliebter ist glänzend und rot,
hervorragend unter zehntausend.
¹¹Sein Haupt ist Gold und Feingold ᵃ,
seine Locken sind Dattelrispen,
schwarz wie der Rabe.
¹²Seine Augen sind wie Tauben an Wasserbächen ᵇ,
die in Milch baden und in der Fülle sitzen.
¹³Seine Wangen sind wie ein Balsamgarten,
Salbtürme ᶜ;
seine Lippen sind Lilien ᵈ,
triefend von ᵉflüssiger Myrrhe ᵉ.
¹⁴Seine Hände sind Goldzapfen, besetzt mit Tarschisch;
sein Leib ist eine Platte aus Elfenbein,
ᶠbedeckt mit Lapis lazuli ᶠ.
¹⁵Seine Schenkel sind Alabastersäulen ᵍ,
auf goldene Sockel gegründet.
Sein Aussehen ʰ ist wie der Libanon,
auserlesen ⁱ wie Zedern.
¹⁶Sein Gaumen ist Süße und sein ganzes Wesen lieblich.
So ist mein Geliebter und so mein Freund, ihr Töchter Jerusalems.

11a lies mit 𝔊 וָפָז. – b 𝔊 hat nicht nur das folgende מִלֵּאת, sondern auch 5 11. 12
אָפִיק mit πλήρωμα, „Fülle", „große Menge" übersetzt. Die richtige Bedeutung
von אפיק ist „Rinne" eines Tals oder Baches. – c > 𝔊. – d 𝔊 כְּשׁוֹשַׁנִּים. – e–e 𝔊 13
„Myrrhe und Narde". – f–f 𝔊 ἐπὶ λίθου σαπφείρου, vielleicht מֵעַל פַּת סַפִּירִים 14
entsprechend. – g 𝔊 στύλοι μαρμάρινοι. – h 𝔊 חדיה , „seine Brust", Verschrei- 15
bung für das zu erwartende חזוה. – i Während 𝔊 𝔖 𝔙 בָּחוּר richtig als ein part.
pass. „auserlesen" verstanden haben, findet sich die im Zusammenhang un-
mögliche Übersetzung „Jüngling" im Targum, עולם, und bei Symmachus,
νεανίσκος.

Das Gedicht ist ein *waṣf*, d.h. ein Beschreibungslied, das mit dem Auf-
gebot einer Fülle von Bildern und Vergleichen die körperliche Schönheit
preist. Seine nächsten Parallelen hat das Lied in 4 1–7 und 7 2–10; von
jenen scheidet es sich vor allem dadurch, daß es auf den männlichen Liebespartner gerichtet ist; oben 66. Eine männliche Beschreibung, obwohl
sehr verschiedener Art, findet sich bei Sirach, in seiner rühmenden Schilderung des Hohenpriesters Simon, 50 5–10. Auch bei Sirach bezieht sich
die Beschreibung auf äußerliche Merkmale, aber statt einer atomisieren-
den Aufzählung der einzelnen Körperteile gibt er Ganzheitsaussagen.
Die Idealisierung geht viel weiter als im Hohenlied, und die Bildsprache
ist von jedem Realismus sehr weit entfernt. Als Vergleichsgegenstände
werden sehr verschiedene Erscheinungen gruppenweise erwähnt: Him-

melserscheinungen, Pflanzen, Kultgeräte. Der Sinnzusammenhang zwischen den zu vergleichenden Erscheinungen hat sich in eine künstlerische Fiktion geflüchtet, und die Vergleiche machen den Eindruck, völlig Inkommensurables zusammenzustellen. Den gleichen Eindruck kann auch die darstellerische Art des Hohelieddichters machen, aber im allgemeinen sind seine Bilder fester an die natürliche Realität gebunden. Ein zweifaches mag aber bemerkt werden. Der Dichter braucht als tertium comparationis in seinen Vergleichen jedesmal nur e i n e vorherrschende Vorstellung. Was die Wangen mit einem Balsamgarten bzw. einem „Salbturm" vergleichbar macht, ist allein die Vorstellung des Wohlgeruches. Beim Vergleich von Lippen und Lilien dient die rote Farbe als einzige Vergleichsbasis.

Zu bedenken ist weiter, daß der Weg zum Verständnis der Bildsprache des Hohenliedes nicht immer über äußere Anschaulichkeit geht. Der Ausdruckswert der Bilder hängt in sehr hohem Grade mit ihrer Herkunft aus einer erotisch gefühlsgeladenen Sphäre zusammen. Dank ihres emotionellen Wertgehalts sind sie auch bei einem Minimum des Wirklichen als sinnvoll zu erkennen.

Wie zu erwarten ist, besteht das Lied durchgehend aus Nominalsätzen. Der erste Halbvers enthält in der Regel Subjekt + Prädikat (in habitueller Wortfolge), während im zweiten Halbvers oft weit ausgeführte Näherbestimmungen verschiedener Art erscheinen, entweder des Subjekts oder des Prädikats.

Die Vergleiche sind meistens als Identitätssätze gestaltet („sein Haupt ist Gold", „seine Lippen sind Lilien" usw.), aber an drei Stellen finden sich Vergleichssätze mit כְּ („seine Augen sind wie Tauben", „seine Wangen sind wie ein Balsamgarten", „sein Aussehen ist wie der Libanon").

Der Rhythmus ist wechselnd, aber vorherrschend sind die Zweitakter.

Ort   Daß das Lied einen bestimmten Sitz im Leben gehabt hätte und an eine bestimmte Festlichkeit, etwa eine Hochzeit, gebunden sei, kann nicht erhärtet werden. Ebenso wie in den altägyptischen Liebesliedern (s. Hermann, Altäg. Liebesdichtung 125) fehlt hier jede Andeutung von einem Fest als Rahmen der lyrischen Äußerungen.

Wort 5 10   Der Einleitungsvers gibt eine allgemeine Aussage über die Schönheit des Jünglings. Er ist „glänzend und rot". צַח steht Jes 18 4 Jer 4 11 von der heißen, flimmernden Luft. Das Verb צחח erscheint Thr 4 7 in der Beschreibung der vornehmen Leute in Israel. Als Bezeichnung der hellen Körperfarbe ist der Ausdruck nicht sehr sinnvoll. Es haftet ihm etwas Materiell-Stoffliches an, das bei Beschreibung menschlicher Wesensart befremdend wirkt. Vgl. auch die Verwendung des צחיח von einem Felsen,

Ez 24 7f. 26 4. 14. צֵחַ ist viel geeigneter, ein Kunstwerk zu beschreiben, als lebendige Körperlichkeit zu kennzeichnen; vgl. o.S. 69. Möglich ist aber, daß weder „glänzend" noch „rot" hier als konkrete Ausschauungswörter, sondern wegen des ihnen innewohnenden Empfindungswertes als symbolische Farbwörter zu verstehen sind. Zu אָדֹם vgl. RGradwohl, Die Farben im Alten Testament. Eine terminologische Studie: ZAWBeih 83 (1963) 6ff. – דָּגוּל, „ausgezeichnet", d.h. „hervorragend", „erkennbar". G hat einen militärischen Terminus, ἐκλελοχισμένος, eig. „aus einem Lochos ausgewählt".

Die Beschreibung fängt von oben an, will also das Aussehen des 5 11 Jünglings vom Haupt bis zur Fußsohle schildern; vgl. den festgeprägten Ausdruck Dt 28 35 2 S 14 25 Jes 1 6 Hi 2 7 (von unten nach oben). Das Haupt ist כֶּתֶם פָּז. Die beiden Goldbezeichnungen werden auch Jes 13 12 und vermutlich Dan 10 5 zusammen genannt. כֶּתֶם steht bisweilen neben פָּז, ohne daß man eine Bedeutungsnuance zwischen den beiden Wörtern finden könnte (Prv 25 12 Hi 31 24). Nicht sehr überzeugend ist der Versuch, כֶּתֶם mit Hilfe einer akkadischen Etymologie (katāmu, „verschließen") als „massives Gold" zu deuten; so Robert-Tournay-Feuillet, La Cantique des Cantiques z.St. פָּז ist bisweilen als eine Bezeichnung des „Chrysolit" verstanden worden, d.h. eines goldfarbigen Halbedelsteins, der im Altertum wahrscheinlich mit dem Topas identifiziert wurde (vgl. RAC 3, 1957, 60ff.). Wie כֶּתֶם erscheint auch פָּז bisweilen zusammen mit זָהָב (Ps 19 11 119 117) oder mit חָרוּץ (Prv 8 19). Daß פָּז ein Goldname ist, kann kaum bezweifelt werden; vgl. den Ausdruck כְּלִי פָז (Hi 28 17). Fraglich ist aber, wie man die syntaktische Beziehung zwischen den beiden Wörtern verstehen soll. Die asyndetische Nebeneinanderstellung des 𝔐 wird von einigen der alten Übersetzungen bestätigt: G כפא דדהבא 'A λίθεα τοῦ χρυσίου, Σ ὡς λίθος τίμιος. Diese drei Textzeugen haben anscheinend אֶבֶן statt כֶּתֶם gelesen. Eine Kopula findet sich aber in G χρυσίον καὶ φας, und bei Theodotion ἐπίσημος ἐν χρυσίῳ. Weder die Auffassung des Ausdrucks als einer Superlativkonstruktion (Siegfried, Komm. z.St.) noch der Versuch, פָּז als eine Apposition zu erklären (Delitzsch, Komm. z.St.) sind, überzeugend. Wahrscheinlich ist mit G כֶּתֶם וָפָז zu lesen.

Im Bereich einer Körperbeschreibung ist „Gold" ebenso befremdlich wie die Glanz- und Farbenepitheta in 10. Auch hier kann man fragen, ob die Sehweise von der plastischen Kunst her bestimmt ist oder ob „Gold" kraft seines Empfindungswerts zu einem Symbol erhoben worden ist, mit dem man keine konkrete Anschauung verknüpfen soll. Weniger direkt spricht vom goldenen Haupt Homer, wenn er in einem schönen Gleichnis die Verwandlung und Verschönerung des Odysseus als eine Vergoldung schildert; Athene übergoß sein Haupt und seine Schultern mit Anmut, wie ein Goldschmied Silber mit Gold überzieht (Od. VI 232ff.).

תַּלְתַּלִּים ist ein Hapaxlegomenon, dessen Sinn nicht durchaus klar ist, zumal man keine plausible hebräische Etymologie hat finden können. Sehr unwahrscheinlich ist die Auffassung des Wortes als einer Reduplikation von תֵּל, also „Hügel an Hügel", was das Geringel der langen Locken veranschaulichen sollte; so Delitzsch, Weißbach, Zöckler. Schwerer ins Gewicht fällt, daß akk. *taltallū* den Blütenstaub der Dattelrispe bezeichnet. In die gleiche Richtung weist ᶜ mit ἐλάτη; dieses Wort steht bisweilen für die Blütenscheide der Dattelpalme, z.B. Dioscurides (1. Jh. n. Chr) I 109, 4 φοῖνιξ, ὃν ἔνιοι ἐλάτην ἢ σπάθην καλοῦσι, περικάλυμμα ἐστι τοῦ καρποῦ. Die gleiche Erklärung der ἐλάτη findet sich auch bei Antiochus Monachus (7. Jh. n. Chr.), der außerdem ihre schwarze Farbe erwähnt; der Fastende sei der Blütenscheide der Palme ähnlich – außen dunkel, innen aber schneeweiß (Migne PG 89, 1453). Auch im Hoheliedvergleich wird die schwarze Farbe ausdrücklich erwähnt; die Locken sind Palmenblütenscheiden, schwarz wie die Raben. Der Vergleich von Haupthaar und Baumkrone war den Griechen wohl bekannt, und κόμη steht metaphorisch für Laub der Bäume, auch für das Blätterdach der Palme (vgl. EStruck, Die Bedeutungslehre als Hilfsmittel bei der altsprachigen Lektüre: Deutsche Ak. der Wiss. zu Berlin. Schriften der Sektion für Altertumswiss. 19, 1959, 18ff.). Auch in der altarabischen Liebeslyrik wird vom Haupthaar des Mädchens ein ähnlicher Vergleich benutzt: das lange, schwarze Haar ist „dick wie Dattelrispen" und „reich an Wuchs wie eine überhängende Weinrebe"; vgl. ILichtenstädter, Islamica 5 (1931) 43.

5 12   Zum Vergleich der Augen mit Tauben s. 115 und 41. Im Gegensatz zu jenen Stellen steht hier die Partikel כְּ. Der kurze Vergleich wird durch eine Bestimmung zum Prädikat, d.h. zu den Tauben, beträchtlich erweitert. Die Taubenschilderung ist über das Analoge und Vergleichbare weit hinausgewachsen. Daß die Tauben „an Wasserbächen" sitzen oder daß sie in Milch baden, nimmt auf den Vergleich mit den Augen keinen unmittelbaren Bezug; vgl. o.S.59. Daß die Schilderung sich auf die Tauben, nicht auf die Augen bezieht, sollte nicht bezweifelt werden. Das Baden in Milch soll wahrscheinlich einen Zustand des Überflusses und Wohlstandes andeuten; vgl. Gen 49 12 Jl 3 18 Jes 55 1 60 16 und die zahlreichen Stellen, wo das „Fließen von Milch und Honig" die Herrlichkeit Kanaans bezeichnet (Ex 3 8. 17 u.a.). In die gleiche Richtung weist auch יֹשְׁבוֹת עַל־מִלֵּאת, das ᶜ mit καθήμεναι ἐπὶ πληρώματα richtig übersetzt. Das nur hier vorkommende מִלֵּאת ist ohne Zweifel eine Nebenform von מָלֵא und bezeichnet etwas Überfülltes, Überfließendes. Obgleich die Distanz zwischen den zu vergleichenden Objekten recht groß ist, wird das tertium comparationis nicht völlig verlassen; die Schönheit der Augen ist wie die Schönheit wohlgepflegter Tauben, die in Überfluß und Fülle leben. Vom Baden und Trinken der Tauben in offenen Rinnen spricht Varro und fügt hinzu: permundae enim sunt hae volucres (RR III 7).

ערוגה außer hier und 6 2 nur Ez 17 7. 10, wo der Ausdruck wie hier 5 13 einen Standort für Bäume und Pflanzen bezeichnet. An den Ezechiel-stellen handelt es sich um Weinbäume, hier um Balsambäume. Während ⑤ das Wort mit φιάλαι, „Schalen", übersetzt, findet man in anderen Versionen eine richtige Erklärung: Σ πρασιαί, ⑤ משכבא, 𝕍 areolae. Die meisten neueren Ausleger wollen mit den Vrs den Plural lesen, was aber keinesfalls nötig ist.

מֶרְקָחִים ist ein Hapaxlegomenon, dessen Sinn mit Hilfe des Verbums רקח ziemlich sicher festzustellen ist: Salben oder Kräuter für Salbenbe-reitung. Schwieriger ist das Regens מִגְדְּלוֹת, da die nächstliegende Über-setzung „Türme" in diesem Zusammenhang rätselhaft erscheint. ⑤ hat das part. מְגַדְּלוֹת herausgelesen, φύουσαι. Dem Griechen folgen nicht nur 𝔏 𝕍 und 𝔖, sondern auch die meisten neueren Ausleger. Der befremdlich anmutende „Salbturm" scheint aber durch ägyptische Abbildungen eine Erklärung zu bekommen. Aus den zahlreichen Darstellungen von Fest-gelagen aus der Zeit des neuen Reiches geht gelegentlich hervor, daß man das Haupt der vornehmen Gäste mit einem eigentümlichen Aufsatze schmückte. Dieser spitze und hohe Schmuckgegenstand hatte eine charakteristische Kegelform; vgl. AErman, Ägypten und ägyptisches Leben im Altertum (1923) 259; HKees, Kulturgeschichte des Alten Orients: Handbuch der Altertumswissenschaft III 1, 3, 1 (1933) 91. Der sog. „Salbkegel" ist, wie Erman dargelegt hat, kein Gefäß, sondern ein kunstvoll gemachtes parfümiertes Gebilde, das seinen köstlichen Duft dem Haupte des Trägers mitteilen sollte. In einem ägyptischen Liebes-lied, das zum „Feiern eines schönen Tages" mahnt, wird auch die Myrrhe auf das Haupt erwähnt:

„Lege Myrrhe auf dein Haupt.
Kleide dich in (feines) Leinen.
Salbe dich mit den echten Wundern der Gottesopfer."
(Schott, Altäg. Liebeslieder 55; s. auch 88)

Die Notizen über Form und Verwendung des Salbkegels machen es sehr wahrscheinlich, daß der „Salbturm" des Hohenliedes als ein Schmuck der gleichen Art zu verstehen ist. Die Beschreibung der Wangen ist von einer einzigen Vorstellung beherrscht, unter Weglassung alles Zufälligen und Nebensächlichen, der des Wohlgeruchs, der in der alt-orientalischen Liebeslyrik die Funktion eines unmittelbar begreiflichen erotischen Topos hat, dessen Anschauungskraft nicht durch einen be-sonderen Realismus erhärtet zu werden braucht.

„Deine Lippen sind Lilien". Zu שושנים als Bezeichnung verschiedener kelchförmiger Blüten vgl. Dalman, AuS I 360. Im zweiten Halbvers geht das part. נֹטְפוֹת natürlich auf das Subjekt; die Lippen triefen von flüssiger Myrrhe (vgl. 4 11).

5 14   גְּלִיל erscheint, außer wenn es als geographische Landschaftsbezeich-
nung steht (Jos 20 7 21 33 1 Kö 15 29 u.a.), nur noch 1 Kö 6 34 und Est
1 6. Die erste Stelle ist eine Türbeschreibung, wo גלילים offensichtlich die
Drehzapfen bezeichnen. Der untere Zapfen, der die Gesamtlast der Tür
zu tragen hatte und gleichzeitig ein leichtes Drehen ermöglichen sollte,
hatte in Ägypten die Form eines Dreiecks. Der obere Drehzapfen dagegen, der nur einer geringen Belastung ausgesetzt war, hatte gewöhnlich
Zylinderform; vgl. OKoenigsberger, Die Konstruktion der ägyptischen
Tür 19ff. Nur dieser zylindrische Drehzapfen kann als Vergleichsgegenstand der Finger gemeint sein. ⑤ hat an eine getriebene Arbeit in Gold
gedacht, τορευταὶ χρυσαί. Befremdlich ist die „goldene Binde", kerkā
dᵉḏahba der ⑤, falls nicht kᵉrākā zu lesen ist, d.h. „Umlauf", hier wohl
„Ring".

Auch מֵעִים muß im Zusammenhang einen äußeren Körperteil bezeichnen, und zwar wie Da 2 32 den „Bauch", „Leib". ⑤ dagegen denkt
an das Innere des Leibes, κοιλία; s. unten. Schwieriger ist das Hapaxlegomenon עֶשֶׁת. Das textkritisch unsichere und dem Sinne nach unklare Verb
עשתו von Jer 5 28 gibt wenig Hilfe. ⑤ hat das sonst nur für לוּחַ verwendete
πυξίον, die geläufige Bezeichnung der luxusartigen Schreibtafeln, die
gern aus Elfenbein verfertigt wurden; vgl. RAC 4 (1959) 1109ff. Hinter
dem merkwürdigen, jeder äußeren Anschaulichkeit entbehrenden Vergleich zwischen dem „Inneren", κοιλία, und einer Schreibtafel liegt offenbar die Vorstellung von der Tafel des Herzens (Prv 3 3 Jer 17 1 31 33). Zu
κοιλία im Sinn des „Inneren" des Menschen vgl. Ps 40 8 Hab 3 16, wo
κοιλία und καρδία in den Septuagintahandschriften als Varianten erscheinen. ⑤ hat für עֶשֶׁת das allgemeine ᵃbādā, was sich als eine erratene Her-
leitung aus עָשָׂה erklärt. Weder die Etymologie noch die alten Versionen
können zur Erklärung des עֶשֶׁת Hilfe leisten. Das Wort findet sich aber in
den Qumrantexten, und zwar in der sog. Kupferrolle (3 Q 15), wo
עשתות זהב (I 5; II 4) „Barren aus Gold" bedeuten muß; vgl. DJD III
(1962) z.St. עשת שן wäre dann als ein Elfenbeingegenstand zu verstehen,
dessen Form an einen Barren erinnert. Die Barren, die für das unbearbei-
tete Metall verwendet wurden, konnten sehr verschiedene Gestalt haben; vgl. RLV IV 1 (1926) 230ff. In Ägypten hatten sie oft Ziegelstein-
form oder waren wie runde oder ovale Scheiben mit einem Loch in der
Mitte geformt; vgl. Lepsius, Die Metalle in den ägyptischen Inschriften:
Philolog. und hist. Abh. der kgl. Ak. der Wiss. zu Berlin, 1871, 27–143,
bes. 40 und Taf. 1; Wreszinski, Atlas I 334. 337. 373. II 33 a/b.

Der Vergleich weißer Haut mit Elfenbein findet sich bei Homer in der
berühmten Verschönerungsszene, wo Athene bewirkt, daß die schlafende
Penelope „noch weißer erschien als gesägtes Elfenbein" (Od. XVIII 196).

Den beiden Vergleichen sind je eine Partizipialbestimmung beige-
fügt, wodurch die kostbaren Vergleichsgegenstände noch schöner dar-

gestellt werden. Die goldenen Zapfen sowie die Elfenbeinplatte sind mit Edelsteinen geschmückt. תרשיש ist nicht mit Sicherheit zu identifizieren. Die antike Sitte, die Edelsteine nach ihrem Fund- oder Herkunftort zu benennen, läßt vermuten, daß das Wort mit dem leider auch nicht einstimmig erklärten Ortsnamen Tarsis in Verbindung stehe. סַפִּיר hat mit unserem Saphir wahrscheinlich nichts zu tun, sondern ist der alte Name des Lapislazuli. Aus Beschreibungen des Steins bei griechischen Autoren geht hervor, daß er ein blauer Stein mit goldgelben Punkten war, was auf das Aussehen des mit goldglänzenden Schwefelkieskörnern imprägnierten Lapislazuli sehr gut paßt; vgl. Pauly-Wissowa, Realenc. 2. Reihe I (1920) 2356f.

Ganz abwegig ist der Versuch, die Edelsteine als Bilder für Tätowierungen oder das blaue Geäder zu erklären (Haupt, Rudolph). Eine Interpretation, die spontane Ausdrücke sinnlicher Naturnähe finden will, kann der Bildsprache des Hohenliedes nicht gerecht werden. Die Darstellung bezieht sich hier nicht unmittelbar auf den lebendigen Menschenkörper, sondern auf ein Kunstwerk.

Von den beiden Partizipien מְמֻלָּאִים und מְעֻלֶּפֶת hat das erstere fast die Funktion eines Terminus technicus, „(mit Edelsteinen) besetzt" (Ex 28 17 31 5 35 33 39 10). Die wahrscheinlichste Erklärung des עלף ist „bedecken", „hüllen"; vgl. Gen 38 14 (hithpa) und arab. ġallafa. In die gleiche Richtung weist auch der übertragene Sinn des hebräischen Wortes, „ohnmächtig werden". Ein semantischer Zusammenhang von „hüllen" und „ohnmächtig werden" ist auch sonst zu finden, z.B. in arab. ġašia.

Der Vergleich der Schenkel mit Alabastersäulen auf goldenen Sockeln 5 15 ist für die Sehweise des Dichters sehr aufschlußreich. Was hier geschildert wird, ist nicht die menschliche Wesensart, sondern etwas Materiell-Stoffliches. Die Veranschaulichung trifft nur auf ein Kunstwerk zu, wie besonders aus der Erwähnung der Sockel sich klar ergibt. שֵׁש ist ein aus dem ägyptischen šs entlehntes Wort für „Alabaster", d.h. Calciumkarbonat ($CaCO_3$), ein weißglänzendes Kalkgestein, das vom sogenannten Gips-Alabaster sorgfältig zu scheiden ist; vgl. LKöhler, ZAW 55 (1937) 166ff. Im Alten Testament wird der Alabaster außer hier nur Esth 1 6 erwähnt, erscheint dagegen häufig in der ägyptischen Literatur als Stoffname. Die Ägypter gebrauchten ihn als Material zu Gefäßen, Statuen usw.; vgl. HKees, Kulturgeschichte des Alten Orients I (1933) 138.

אֶדֶן wird in der Baubeschreibung der Stiftshütte häufig erwähnt, und zwar als Bezeichnung der Sockel, auf denen die Pfeiler ruhen (Ex 26 27. 35ff.). Hi 38 6 steht das Wort für die Pfeilersockel der Erde. Hier handelt es sich um den Sockel einer Statue, auf dem die Schenkel als Säulen ruhen. In der ägyptischen Rundplastik war der Sockel ein notwendiges Zubehör der Statue; vgl. o.S.69 und Weiteres bei WWolf, Die Kunst Ägyptens (1957) 42.

Die atomisierende Beschreibung der verschiedenen Körperteile wird in eine rühmende Erwähnung des מַרְאֶה, des „Aussehens", zusammengefaßt. Der uns unlogisch anmutende Ausdruck „auserlesen wie Zedern" kommt daher, daß der Dichter ein selbstverständliches Gedankenglied überspringt; die auserlesenen Zedern sind = die stattlichen Zedern. Körpergröße und Schönheit werden auch in der Beschreibung Sauls als komplementäre Eigenschaften genannt (1 S 9 2). Sonst ist von diesem heroischen Zug sehr wenig im Alten Testament zu finden. Bei den Griechen dagegen gehört die Größe zur Gestalt eines schönen Menschen, so Mann wie Frau; vgl. MTreu, Von Homer zur Lyrik (1955) 35ff.

5 16   Statt חִכּוֹ wollen mehrere Ausleger חִנּוֹ, „seine Schönheit", oder הֹדוֹ, „seine Herrlichkeit", lesen, weil der Parallelismus zu כֻּלּוֹ ein allgemeineres Wort zu verlangen scheint. Die Konjektur findet aber keine Stütze bei den alten Übersetzern. Für 𝔐 spricht, daß חֵךְ mit מַמְתַקִּים gut zusammenpaßt, ferner daß auch das Beschreibungslied in Kap. 7 mit einer Erwähnung des Gaumens endet, וְחִכֵּךְ כְּיֵין הַטּוֹב (7 10). Wie dort scheint auch hier nicht die Rede (so Targum), sondern der Kuß gemeint zu sein. ממתקים, „Süßigkeiten", und מחמדים, „Kostbarkeiten"; zum Plural als Ausdruck gesteigerter Gefühlsbetonung vgl. BrSynt 19b.

Die letzte Verszeile ist sekundärer Zusatz, von der gleichen Hand stammend, die in 9 wirksam war, um eine Verknüpfung mit 5 2–8 herzustellen.

ÜBERLEITUNG
(6 1)

Wohin ift dein Liebſter gegangen,   Text
du ſchönſte der Frauen?
Wohin hat dein Liebſter ſich gewandt^a,
daß wir ihn mit dir ſuchen?

a 𝔊 ἀπέβλεψεν

Der gleiche Sammler, den wir in 5 9. 16b kennengelernt haben, steht
auch hinter diesem Vers, der wieder eine Frage der Töchter Jerusalems
enthält. Auch hier ist seine Absicht klar; er will die inhaltlich weit verschiedenen Gedichte als Glieder eines Zwiegesprächs zwischen dem
Mädchen und den anonymen Zwischenpersonen verknüpfen. Wie das
vorhergehende Beschreibungslied soll auch das folgende Kurzgedicht
6 2-3 als Antwort auf eine Frage dastehen. Wieder ist indessen der Zusammenhang sehr gekünstelt und unwahrscheinlich. Das Lied vom Jüngling, der zu seinem Garten hinabgegangen ist, hat einen unüberhörbaren
erotischen Hintersinn und kann unmöglich als eine sinnvolle Antwort
auf die Frage der hilfsbereiten Töchter Jerusalems verstanden werden;
s. unten.

DER JÜNGLING UND SEIN GARTEN
(6 2–3)

Text ²Mein Liebſter iſt zu ſeinem ᵃ Garten hinabgegangen,
zu den Balſampflanzungen,
um in den Gärten ᵇ zu weiden
und Lilien zu pflücken.
³Ich bin meines Liebſten, und mein Liebſter iſt mein,
der unter den Lilien weidet.

a 𝔊ᴬ „meinem". – b Die zahlreichen Änderungsvorschläge sind abzuwei-
sen. Der generalisierende Plural ist in der formelhaften erotischen Sprache nicht
auffallend.

Form Daß kein sachlicher Zusammenhang mit dem vorhergehenden Beschreibungslied besteht, ist ohne weiteres klar. Aber das Gedicht läßt
sich auch nicht kompositionell als Glied eines Zwiegesprächs vom verschwundenen Jüngling einordnen. Vom Verschwinden und Suchen ist
hier keine Rede, statt dessen aber von Liebesglück. Ebenso klar ist die
Abgrenzung nach vorwärts; im folgenden Gedicht spricht nicht mehr das
Mädchen, sondern der Jüngling. Seinen Platz nach dem Beschreibungslied
verdankt das Gedicht allein den Stichwörtern ערוגת הבשם und שושנים (5 13).
Das Gedicht besteht aus Zweitaktern.

Wort 6 2 Die erotische Metaphorik ist hier mit Hilfe zweier flüchtig erwähnter
literarischer Travestien gestaltet worden. Der Jüngling erscheint in einer
doppelten Verkleidung, als Gärtner und als Hirt.

Die Verknüpfung der beiden Motive verstärkt den erotischen Hintersinn. Der Garten, wo der Jüngling seine Herde weidet, ist ein Bild des
Mädchens und seiner Reize.

Geht es also nicht um einen Garten im buchstäblichen Sinn, sondern
um formelhafte, erotische Metaphersprache, so darf man nicht zu schnell
sein, den Text zu korrigieren. Der generalisierende Plural גַּנִּים ist nicht
in den Singular zu ändern. „In den Gärten weiden" ist eine verhüllende
Redeweise aus der Liebessprache. Auch die ägyptische Liebeslyrik kennt
ähnliche sprachliche Verhüllungen; s. Hermann, Altägyptische Liebesdichtung 152ff.

Die Wortfolge, mit Anfangsstellung des Subjekts, ist wohl hier wie
öfter im Hohenliede auf Einfluß der mit den Verbalsätzen abwechselnden Nominalsätze zurückzuführen; vgl. oben S. 57.

3 Der Vers ist mit 2 16 fast identisch; nur haben die beiden Nominalsätze des ersten Halbverses den Platz vertauscht.

DIE ERSCHRECKENDE SCHÖNHEIT
(6 4–7)

Schön bist du, meine Geliebte, wie Thirza[a],
lieblich wie Jerusalem,
furchterregend[b] wie die Trugbilder[c]!
[5]Wende deine Augen von mir ab,
denn sie[d] haben mich verwirrt.
Dein Haar ist wie eine Herde von Ziegen,
die vom Gilead[e] springen.
[6]Deine Zähne sind wie eine Herde der Mutterschafe[f],
die von der Schwemme heraufsteigen;
alle haben sie Zwillinge,
keine ist da, der es an Jungen fehlt[g].
[7]Wie eine Granatapfelscheibe ist deine Schläfe
hinter deinem Schleier hervor.

Text

a Die alten Übersetzer haben trotz des Parallelwortes Jerusalem den Stadt-namen Thirza merkwürdigerweise nicht erkannt. 𝔊 ὡς εὐδοκία und 𝔖 ṣebiānā haben beide תרצה mit רצה verknüpft; ähnlich 𝔙 suavis. – b 𝔊 θάμβος, d.h. אימה. – c Zur Übersetzung s. unter „Wort". 𝔊 τεταγμέναι, 𝔖 geḇiṭā, „eine Auserwählte". – d הם, obwohl עין normalerweise Femininum ist; s. BrSynt § 124b. – e 5 MSS 𝔏 𝔊 haben die Lesart von 4 1 מהר גלעד. – f Einige der wichtigsten alten Textzeugen, darunter 𝔊 und 𝔖, haben die Lesart von 4 2 הקצובות. – g 𝔊 𝔏 ᾽Α Σ Syr hex haben 4 3a eingefügt.
6 4
5
6

Form

Die Abgrenzung des Gedichts bereitet keine Schwierigkeit. Im Unterschied vom vorhergehenden Lied findet sich hier eine Du-Anrede des Jünglings an das Mädchen, und zwar in der Form eines Beschreibungsliedes, das mit 7 plötzlich abbricht. Im Vergleich mit dem sehr ähnlichen Beschreibungslied in 4 1ff. erweist sich das Stück als ein Torso. Die vier letzten Zeilen (5b–7) sind mit 4 1b 2. 3b fast genau identisch. Die Vergleiche für Haar, Zähne und Schläfen sind den beiden Gedichten gemeinsam, während die Lippen, der Hals und die Brüste in Kap. 6 fehlen.

Recht verschieden sind die Einleitungen; aber auffallende Übereinstimmungen sind auch in ihnen vorhanden. Beide fangen mit Ganzheitsaussagen an, in denen der Jüngling die Schönheit der Geliebten rühmt: 4 1 יָפָה אַתְּ רַעְיָתִי und 6 4 הִנָּךְ יָפָה רַעְיָתִי. Darauf folgen in beiden Gedichten Aussagen über ihre Augen. Aber anders als bei dem idyllischen Taubenvergleich in 4 1 handelt es sich in 6 5 um die bezwingende und verwirrende Macht ihrer Augen.

Das Gedicht könnte demnach als eine abgekürzte und mit einer umgestalteten Einleitung versehene Variante des Beschreibungsliedes in 4 1ff. charakterisiert werden. Eine gewisse Unausgeglichenheit läßt sich zwischen der Einleitung und den mit 41ff. gemeinsamen Zeilen nachweisen. Nach der Bitte an die Geliebte, ihre Augen abzuwenden, wirkt die Erwähnung des Schleiers ziemlich unangebracht. Eine Spannung besteht auch zwischen dem heroischen Zug der Einleitung und der darauffolgenden detaillierten Beschreibung mit ihrem idyllischen Ton.

Wort 64 Das Gedicht wird mit einer Ganzheitsaussage eingeleitet, in der die Schönheit des Mädchens mit Thirza und Jerusalem verglichen wird. Geographische und landschaftliche Begriffe als Vergleichsgegenstände kommen auch sonst vor, z.B. Libanon 5 15 75, s.o.S. 66. Thirza, das hier mit Jerusalem parallelisiert wird, war von Jerobeam ab (1 Kö 14 17) ein halbes Jahrhundert Hauptstadt des Königreichs Israel, bis Omri nach sechsjähriger Regierung die Residenz nach dem neugebauten Samaria verlegte (1 Kö 16 23f.). Dem Alten Testament sind nur sehr ungenaue Angaben über die Lage von Thirza zu entnehmen. Archäologische Argumente machen es aber sehr wahrscheinlich, daß die alte Königsstadt mit *tell el-fār'a* identisch ist, obwohl die Ausgrabungen keine inschriftlichen Beweise an den Tag gebracht haben. Archäologische Berichte durch den Ausgräber RdeVaux in RB von Vol. 54 (1947) an; eine zusammenfassende Übersicht gibt UJochims in ZDPV 76 (1960) 73–96.

Rätselvoll ist der dritte Vergleich: אֲיֻמָּה כַּנִּדְגָּלוֹת. Bereits אֲיֻמָּה mag neben den beiden anderen Prädikaten יָפָה und נָאוָה überraschen. Das Wort, das nur noch 610 (in ähnlichem Kontext) und Hab 17 (von den Kaldäern) erscheint, bezeichnet das Mädchen als „furchterregend". Auch in 610 hebt sich אֲיֻמָּה ein wenig von den anderen Adjektiven ab, die zur Beschreibung des Mädchens verwendet werden, יָפָה und בָּרָה. Die Liebeserregung, die der Anblick der Geliebten beim Jüngling weckt, wird so stark empfunden, daß der Dichter sie als einen Schrecken beschreibt. Es ist zwar einzuräumen, daß eine semantische Unbestimmtheit dem psychologischen Vokabular des Hebräischen anhaftet und daß nicht immer zwischen Gemütsbewegungen unterschieden wird, die für uns klar verschieden sind, z.B. fürchten – staunen (zur Bedeutung von אים und רהב vgl. besonders LKopf, VT 9, 1959, 247). Dafür jedoch, daß איום hier wirklich ein Gefühl des Schreckens meint, spricht die Tatsache, daß die „furchterregende Schönheit" ein Topos der Liebeslyrik zu sein scheint. Namentlich die weibliche Schönheit wird nicht selten spaßhaft als eine gefährliche Angriffswaffe dargestellt. In einem ägyptischen Liebesgedicht spricht der Jüngling:

> „Sie wirft Schlingen gegen mich mit ihrem Haar.
> Sie läßt mich eingefangen werden mit ihrem Auge.
> Sie läßt mich gebändigt werden mit ihrem Schmuck.
> Sie brandmarkt mich mit ihrem Siegelring" (Schott 63).

Über das gleiche Motiv in der Antike s. KJax, Die weibliche Schönheit in der griechischen Dichtung (1933) 61. In der erotischen Lyrik bei Sappho und Catull ist die bezaubernde Macht der Liebe mit fast medizinischer Genauigkeit beschrieben worden.

Viel erörtert ist der Sinn des geheimnisvollen dritten Vergleichsgegenstandes הַנִּדְגָּלוֹת. Das part. ni., das außer hier nur in 10 vorkommt, wird von den meisten Auslegern als eine Ableitung von דֶּגֶל , „Panier" gedeutet, also etwa „die mit Panier Versehenen", „die Bannerscharen". Bei דֶּגֶל handelt es sich jedoch sehr wahrscheinlich um eine spezielle und einschränkende Bedeutungsentwicklung eines Verbums, das sonst nicht im Alten Testament erscheint, dessen Sinn aber mit Hilfe des akk. *dagālu* zu erschließen ist: „sehen", „erblicken". Etwas weiter führen vielleicht die Kontexte, in denen נִדְגָּלוֹת auftritt. Als Vergleichsgegenstände neben נִדְגָּלוֹת werden hier Jerusalem und Thirza erwähnt, in 10 verschiedene Himmelserscheinungen, Morgenrot, Mond, Sonne. Rudolph, der von der Bedeutung „die Bezeichneten" ausgeht, will das Wort als einen Namen für „Gestirne oder Stern- oder Tierkreisbilder" erklären (Komm. z.St.). Es scheint aber sehr fraglich, ob man דֶּגֶל der Deutung zugrunde legen darf, da dieses Wort ohne Zweifel eine semasiologisch sekundäre Bildung ist. Richtiger ist es, den Ausgangspunkt in einem Verbum דגל zu suchen, „sehen", „erblicken". Es gibt nun eine Himmelserscheinung, die mit Recht „die (nur) Gesehene" genannt werden kann: die Luftspiegelung oder „Kimmung". Eine Erwähnung dieses optischen Phänomens ist vielleicht in Jes 35 7 und 49 10 zu finden. Bei den Arabern, die die „Fata morgana" natürlich wahrgenommen und häufig erwähnt haben (*sarāb*, *'āl*), ist die Luftspiegelung, besonders in der Poesie, ein fast sprichwörtliches Bild für Unerreichbares und Trügerisches geworden. Eine sehr anschauliche Beschreibung der „Fata morgana" der Libyschen Wüste verdanken wir dem griechischen Geschichtsschreiber Diodorus Siculus aus dem 1. Jh. v.Chr. Er nennt die seltsame Erscheinung „ein Wunder", τι θαυμάσιον, und beschreibt den erschreckenden Eindruck, den sie auf den Zuschauer macht: θαυμαστὴν κατάπληξιν καὶ ταραχὴν παρασκευάζουσι τοῖς ἀπείροις (III 50,4). Am gefährlichsten sind die Augen; 6 5 vgl. 4 9. In der Bitte an die Geliebte, ihre Augen abzuwenden, kommt die erschreckende und bezwingende Macht der Liebe zum wirkungsvollen Ausdruck. – רהב bedeutet wie die entsprechenden Verben des Arabischen und Syrischen „unruhig sein". Näheres zur Bedeutungsentwicklung bei JLPalache, Semantic Notes on the Hebrew Lexicon (1959) 12f. und LKopf, VT 9 (1959) 274. Das Hiphil findet sich nur hier und an der textkritisch unsicheren Stelle Ps 138 3. 𝕾 hat ἀνεπτέρωσάν με, das hier ohne Zweifel eine leidenschaftliche Gemütsbewegung bezeichnet, „aufregen". 𝕾 (*afᵉdān*) und 𝕭 (me avolare fecerunt) scheinen an die Flucht des Jünglings von seiner Geliebten gedacht zu haben; vgl. 5 6.

Zu 6f s.o. S. 147f.

DIE UNVERGLEICHLICHE
(6 8–10)

⁸Sechzig sind es ᵃ der Königinnen
und achtzig der Nebenfrauen,
dazu Mädchen ohne Zahl.

⁹Eine ist mein Täubchen ᵇ,
die Einzige ist sie ihrer Mutter,
die Erkorene ihrer Gebärerin.
Sähen sie die Mädchen, sie priesen sie,
die Königinnen und Nebenfrauen, sie rühmten sie:

¹⁰„Wer ist sie, die hinunterblickt wie die Morgenröte,
schön wie der Mond ᶜ,
strahlend ᵈ wie die Sonne,
furchterregend wie die Trugbilder?"

68   a הֵמָּה statt הֵנָּה. Der Ersatz des fem. durch das masc. ist beim selbständigen
9. 10 Pronomen sehr selten; Joüon, Gr 149 c. – b s. zu 5 2. – c לְבָנָה, „die Weiße",
als Bezeichnung für den Mond außer hier nur Jes 24 23 30 26 und immer parallel mit חַמָּה, „Glut", als Name der Sonne. – d Aus der Grundbedeutung des
Verbums ברר „aussondern", „reinigen" haben sich für בַּר zwei semasiologisch natürliche Bedeutungen entwickelt, einerseits „ausgesondert", „er-
wählt" (so 6 9), andererseits wie hier „klar", „strahlend". Vgl. ugarit. *km*
špš dbrt, „wie die Sonne, die rein ist" (zit. nach JAistleitner, Wörterbuch der
ugaritischen Sprache, 1963, s.v. *brr*).

Form   Das Gedicht ist ein sog. Prahllied (Horst), das dem unmittelbar vorhergehenden Beschreibungslied inhaltlich und formell nahesteht. Der
Schlußvers erinnert sehr klar an 4, und namentlich der eigenartige Ausdruck אֲיֻמָּה כַּנִּדְגָּלוֹת mag den Sammler veranlaßt haben, die beiden Gedichte nebeneinander zu stellen.

In 8 und 9 spricht der Jüngling von seiner Geliebten und stellt sie als
die Einzige und Unvergleichliche dar. Die Einzigartigkeit der Geliebten
ist ein selbstverständliches Thema der Liebeslyrik aller Zeiten, wofür
Beispiele sich erübrigen. Merkwürdig sind aber die Kontrastfiguren, die
dem Mädchen gegenübergestellt werden. Die sechzig Königinnen, die
achtzig Nebenfrauen und die zahllosen Mädchen sind ohne Zweifel als
ein königlicher Harem zu verstehen. Vgl. 1 Kö 11 3 und 2 Ch 11 21.
Welcher Harem ist hier gemeint? Und wie soll man der Behauptung
gerecht werden, daß die Haremsfrauen das Mädchen sehen und rühmend
ihren Beifall geben? Eine denkbare und der Thematik des Hohenliedes
nicht unangemessene Lösung wäre die, den Jüngling und den könig-

lichen Haremsbesitzer als identische Personen aufzufassen und das Gedicht als eine „Königs"-Travestie zu interpretieren. Der Jüngling, in der literarischen Verkleidung eines Königs, habe dann das Mädchen als die bevorzugte Lieblingsfrau seines Harems gepriesen. Die bewundernde Lobrede der Haremsfrauen in 10 – die das „Mädchen" sehen – wäre als eine Aussage über die schöne Nebenbuhlerin im Harem zu verstehen.

Es ist indessen fraglich, ob die Deutung des Liedes als einer „Königs"-Travestie dessen eigentlicher Pointe gerecht wird. Der Gegensatz zwischen „den Vielen" und „der Einzigen" erinnert sehr an 8 11f., wo Salomos „Weingarten" mit dessen „Wächtern" dem „Weingarten" des Jünglings gegenübergestellt werden. Diese Stelle hat ohne Zweifel einen erotischen Hintersinn, und der Gegensatz bezieht sich offensichtlich auf die königlichen Haremsdamen und die Geliebte des schlichten Jünglings. Das Pathos des Gedichts hat einen sozialen Anstrich. Wahrscheinlich liegen die Dinge hier ähnlich. Speziell an Salomo braucht man allerdings hier nicht zu denken, auch nicht an einen anderen historisch identifizierbaren König. Der Dichter hat nur gegen den Hintergrund der Haremsinstitution das Thema „Liebe zu der Einzigen" besingen wollen. Daß die Haremsfrauen die Schönheit des Mädchens preisen, ist auf das Konto der Hyperbolik des Prahlliedes zu schreiben.

Näheres zum Harem bei RdeVaux, Les institutions de l'Ancien Testament I 177ff.

Der Dichter beschwört das Bild eines königlichen Harems herauf, um **Wort 6 8** damit seine Liebe zu der Einzigen um so wirkungsvoller kontrastieren zu können. Sechzig und achtzig sind runde Zahlen. Die Steigerung sechzig Königinnen – achtzig Kebsweiber – Mädchen ohne Zahl ist formelhaft und verfolgt eine bestimmte Stilabsicht: die Herrlichkeit der Einzigen zu betonen; vgl. GSauer, Die Sprüche Agurs. Untersuchungen zur Herkunft, Verbreitung und Bedeutung einer biblischen Stilform unter besonderer Berücksichtigung von Proverbia c. 30, 1963 (BWANT V 4) 84. Über die mangelnde Übereinstimmung mit 1 Kö 11 3, wo weit höhere Ziffern erscheinen, sollte man nicht spekulieren. Der Dichter denkt weder an Salomo noch an einen anderen bestimmten Haremsbesitzer.

Zum Harem gehören außer den „Königinnen" zwei Gruppen. פִּלֶגֶשׁ ist nach JMorgenstern, ZAW 49 (1931) 46–58 ein nicht-semitisches Fremdwort und ursprünglich Benennung einer verheirateten Frau, die nicht gänzlich in das Haus ihres Mannes aufgenommen war, sondern bei ihren Eltern wohnte, wo sie von ihrem Mann Besuch empfing. Als diese Eheform später verschwand, bekam פִּלֶגֶשׁ den Sinn „Konkubine". עַלְמָה ist die junge Frau, die noch keine Kinder geboren hat.

Wie die Zahlen in 8 ist auch אַחַת als betontes Prädikat vorangestellt. **9** Zum Pronomen bei voranstehendem Prädikat s. BrSynt § 30a, Joüon,

Gr 154 j. Das Mädchen wird nicht nur im Verhältnis zum Jüngling als die Einzige bezeichnet. Sie ist auch die einzige Tochter ihrer Mutter. Das ist keine ablenkende oder unangebrachte Bemerkung; sie unterstreicht vielmehr das Thema des Gedichts, die Einzigartigkeit der Geliebten.

9b hat konditionalen Sinn. בָּנוֹת bezeichnet wie in 2 2 die jungen Frauen und entspricht den עֲלָמוֹת von 8. Vgl. die Worte Leas bei der Geburt Assers: אִשְּׁרוּנִי בָּנוֹת Gn 30 13. Auch in den altägyptischen Liebesliedern ist die Bewunderung, die die Schönheit der Geliebten überall hervorruft, ein häufiges Thema.

> „Sie macht die Nacken aller Männer
> sich wenden, sie anzusehen.
> Es freut sich jeder, den sie grüßt.
> Er fühlt sich als erster der Jünglinge.
> Wenn sie aus dem Hause tritt, ist es,
> als erblicke man jene, die Eine"   (Schott 39).

> „Ich habe gejubelt, mich gefreut und groß gefühlt,
> als es hieß: „Siehe, sie ist da!"
> Sieh, als sie kam, verbeugten sich die Jünglinge
> aus großer Liebe zu ihr"   (Schott 42).

In den sogenannten „Baumgartenliedern" reden die Bäume, der Granatbaum, der Feigenbaum und die Sykomore, als dienstbereite Bewunderer des Mädchens; s. Schott 58ff., Hermann, Altägyptische Liebesdichtung 146f.

6 10 Die Worte der Haremsfrauen werden ausdrücklich angeführt; vgl. Prv 31 28f., wo die Hausfrau von ihren Söhnen und ihrem Gatten expressis verbis gepriesen wird, allerdings nicht um ihrer Schönheit, sondern um ihrer Tugend willen.

Die einzigartige Schönheit des Mädchens wird mit den strahlenden und überwältigenden Erscheinungen des Himmels verglichen, Morgenröte, Mond, Sonne und der geheimnisvollen Fata morgana; s. zu 6 4. Im Unterschied zu den Beschreibungsliedern, wo die Vergleichsgegenstände meistens im Metapherbereich des praktischen Lebens und des Handgreiflich-Konkreten wurzeln, handelt es sich hier um Erscheinungen, die elementarer und wohl auch abstrakter sind. Sie steigern die menschliche Wesenheit ins Außermenschliche und geben den Vergleichen einen pathetischen Ton. Die Einzigartigkeit und Unvergleichbarkeit kommt dabei sehr wirkungsvoll zum Ausdruck.

Die Vergleichung des Mädchens mit astralen Erscheinungen findet sich auch in der altägyptischen Liebeslyrik, und zwar zum Hervorheben der Einzigkeit:

186

„Die Eine, Geliebte, ohne ihres Gleichen,
schöner als alle Welt.
Schau, sie ist wie der glänzende Neujahrsstern
vor einem schönen Jahr"   (Schott 39).

Die Himmelserscheinungen werden in einer Abfolge vorgeführt, die offenbar eine Steigerung bezeichnen soll und in den furchterregenden Bildern der Luftspiegelung als Höhepunkt kulminiert.

BEGEGNUNG MIT AMMINADIB
(6 11–7 1)

Literatur HHRowley, The Meaning of "The Shulammite": AJSL 56 (1939) 84–91. –
RTournay, Les chariots d'Aminadab (Cant VI 12): Israël, Peuple théophore:
VT 9 (1959) 288–309 (allegorisch-messianische Deutung).

Text 6¹¹Zum Nußgarten ᵃ ſtieg ich hinab,
nach den Palmenſproſſen ᵇ zu ſehen,
zu ſehen, ob der Weinſtock treibt,
ob die Granatäpfel blühen ᶜ.

¹²Ich weiß nicht, wie mir zumute wurde –
in ſolchen Zuſtand ſetzten mich die Wagen Amminadibs ᵈ.

7¹„Kehr zurück, kehr zurück, Schulammit ᵉ!
Kehr zurück, kehr zurück, damit wir dich anſchauen!"
„Warum ᶠ wollt ihr Schulammit anſchauen,
als ob ſie eine Lagertänzerin ᵍ wäre?"

6 11   a גַּנָּה, in Cant sonst immer masc. גַּן (4 12. 15. 16 5 1 6 2 8 13). Die Femininform kommt aber sonst nicht selten vor, und auch die Vokalisierung גִּנָּה findet sich, obwohl selten (Est 1 5 7 7. 8). – b אֵב (außer hier nur Hi 8 12) bezeichnet die neuen Sprosse; so richtig 𝔊 γενήμασιν, während Σ (τὰς ὀπώρας) und 𝔙 (poma) an die Früchte denken. 𝔊 hat den gleichen Wortstamm wie 𝔐 verwendet, *ebbā*. Im Syrischen wie im Bibelaramäischen hat das Wort jedoch eine Bedeutungsverschiebung durchgemacht und steht für „Frucht" (Da 4 9. 11. 18). – נַחַל soll hier sowie Nu 24 6 und vielleicht Hi 29 18 nach einigen Erklärern nicht „Tal", sondern „Palme" meinen; vgl. arab. *naḥl*, „Dattelpalme". Eine scharfe Grenze zwischen den beiden Bedeutungen besteht vermutlich nicht. נַחַל scheint ursprünglich ein „Bachtal" zu bezeichnen (so im Ugaritischen) und dann (metonymisch) für die in den wasserreichen Tälern häufig wachsenden Palmen stehen. – c vgl. 7 13. 𝔊 hat durch Hinzufügung der Worte ἐκεῖ δώσω τοὺς μαστούς μου σοί (= 7 13b) die Ähnlichkeit zwischen den beiden Versen
12   noch verstärkt. – d 𝔊 ('Αμ(ε)ιναδάβ), 𝔙 (Aminadab) haben das Wort als einen Eigennamen verstanden, die Vokalisierung aber zur Angleichung an eine bekannte Namenform geändert. Dagegen 'Α λαοῦ ἑκουσιαζομένου, Θ λαοῦ μου ἑκουσιαζομένου, Σ Quinta λαοῦ ἡγουμένου, 𝔖 *amā damṭaiab* „ein Volk, das
7 1   bereit ist". – e 𝔊ᴮ Σουμανειτις, 𝔊ᔆᴬ Σουλαμιτις. – f 𝔊 hat das adverbielle מַה als ein Fragepronomen im Akk. verstanden, τί ὄψεσθε ἐν τῇ Σουλαμίτιδι. Ähnlich auch 𝔖'Α𝔙. Die Fehldeutung hat ihren Grund in der sklavisch wortgetreuen Übersetzung von חָזָה בְּ, das hier wie 1a „mit Lust ansehen" meint; vgl. auch רָאָה בְּ 6 11. – g Statt 𝔐 מְחוֹלַת, „Reigentanz", l. מְחֹלֶלֶת, „Tänzerin". Weiter ist מַחֲנַים zu lesen. Die alten Übersetzer haben insgesamt das Wort als plur. verstanden, nicht wie die Massoreten als einen Dual.

Form   Das Gedicht läßt sich vom vorhergehenden mit ziemlicher Sicherheit abgrenzen. Mit 11 beginnt die Erzählung von einer Wanderung in den

Nußgarten, die mit dem vorhergehenden Prahllied inhaltlich nichts zu tun hat. 12 ist vielleicht mit Recht als der schwierigste Vers des Hohenliedes bezeichnet worden. Soviel scheint aber sicher zu sein, daß er mit 11 sachlich zusammenhängt und die Ich-Erzählung weiterführt. Schwieriger ist die Frage, ob auch 71 zum vorhergehenden gehört oder als Einleitung des folgenden Beschreibungsliedes zu betrachten ist. Die meisten Ausleger neigen zu der letzteren Auffassung. Für sie könnte sprechen, daß die Ich-Erzählung mit 71 abbricht. Dieser Vers enthält wie die folgenden eine Anrede, die offensichtlich an das Mädchen gerichtet ist. Mit 1b wird aber die Anrede an das Mädchen abgebrochen, und jemand spricht zu einer Vielheit, מַה־תֶּחֱזוּ. Es kommt hinzu, daß eine Einleitung des Beschreibungsliedes sonst nicht vorkommt. Sowohl 41 wie 510 fangen ohne alle inszenierenden Einleitungsworte mit der rühmenden Beschreibung an. Sehr wahrscheinlich hat die Auslegung demnach mit 611-71 als einer Liedeinheit zu rechnen.

Ebenso schwierig wie die Abgrenzung des Gedichts ist die Frage, wer die redenden Personen sind. Daß nicht die gleiche Stimme das ganze Gedicht hindurch das Wort hat, sondern daß wir es mit mehr als einem Sprecher zu tun haben, scheint ziemlich sicher. Nach der Erzählung vom Spaziergang in 611.12 folgen in 71 zwei verschiedene Anreden, die ohne Zweifel auf zwei verschiedene Redner zu verteilen sind.

Aus den grammatischen Formen läßt sich entnehmen, daß die Du-Anrede in 71 an eine Frau gerichtet ist. Die nächstliegende Annahme scheint dann zu sein, daß in 611.12 die gleiche Frau als redend erscheint. Ihre Wanderung wird plötzlich von jemand gestört, der ihr etwas zuruft. Der dunkle Vers 612 muß von ihrer Begegnung mit dem Sprecher von 71a handeln. In 1b scheint dann wieder eine neue Stimme zu Wort zu kommen.

Eine andere Möglichkeit, die sehr ernst zu erwägen ist, wäre die, daß „der Garten" seinen konkret-realistischen Sinn eingebüßt habe und hier wie oft im Hohenlied als eine verhüllte Bezeichnung des Mädchens stehe. Dann müßte der Gartenwanderer der Jüngling sein. Die Ökonomie des Gedichts wird aber ohne Zweifel besser begreiflich, wenn das in 71 angeredete Mädchen schon in 611.12 gegenwärtig ist. Handelt das Lied demnach von einem wirklichen Garten, so muß doch daran erinnert werden, daß die Grenze zwischen Metaphorik und Realismus im Hohenlied keineswegs absolut ist, weil der Garten als bevorzugter Ort des Stelldicheins eine natürliche Beziehung zur Liebe hat. Vgl. Hermann, Altägyptische Liebesdichtung 121.

Bei dem nur sehr knapp angedeuteten Ereignis in 612 handelt es sich allem Anschein nach um ein unerwartetes und nicht gerade erwünschtes Zusammentreffen, durch das die Frau in Verwirrung gerät. Das Mädchen erzählt von einer Begegnung mit Amminadib oder – genauer – mit den

Wagen Amminadibs. Das Nächstliegende ist, daß dieser Amminadib es auch ist, der die Frau in 7 1a in einem spaßhaften und überlegenen Ton anredet.

Eine befriedigende Erklärung dieser Figur ist bisher nicht gelungen. Die Kürze, mit der er erwähnt wird, scheint darauf zu deuten, daß seine Erscheinung und Rolle den zeitgenössischen Zuhörern des Gedichts durchaus bekannt waren, so daß keine weiteren Hinweise nötig waren. Wie unten näher ausgeführt wird (s. zu „Wort"), ist hier der Versuch gemacht, Amminadib als eine toposartige Figur der Liebeslyrik zu verstehen, und zwar als ein israelitisches Gegenstück zu dem ägyptischen Liebesfürsten Prinz Mehi.

In den Schlußworten des Gedichts 7 1b wendet sich jemand an Amminadib und seine Gefährten. Der Ton ist rügend. Als Sprecher ist hier der Dichter selbst anzusehen.

Wenn die hier vorgelegte Deutung richtig ist, wird die nahe Verwandtschaft des Hohenliedes mit der altägyptischen Liebeslyrik besonders auffallend. Beide arbeiten mit festgeprägten lyrischen Gestaltungsmitteln, Topoi und Motiven, die in großem Ausmaß die gleichen sind. Die Formverfestigung bedeutet aber im Hohenlied ebensowenig wie in den ägyptischen Gedichten eine Starre. Im Gegenteil, die Personen und Szenen, die unter Verwendung festgeprägter Formen dargestellt werden, haben in hohem Grad den Charakter der Unmittelbarkeit und Einmaligkeit.

Wort 6 11 Das Gedicht fängt mit der Erzählung des Mädchens von einer Frühlingswanderung in einen idyllischen Garten an. Obwohl Weinstöcke, Granatapfelbäume und Palmen im Garten wachsen, wird er גִּנַּת אֱגוֹז, „Nußgarten", genannt. Das Lehnwort אֱגוֹז ist im Alten Testament ein Hapaxlegomenon, erscheint aber häufig in der mischnisch-talmudischen Literatur, besonders in Erörterungen dieser Hoheliedstelle. In der jüdischen Auslegung wird der Nußgarten gern als Symbol des zweiten jerusalemischen Heiligtums verstanden.

Die Walnuß, Juglans regia, war im alten Vorderorient häufig, besonders im Libanongebiet. Nach Josephus, der den Nußbaum das „winterlichste" Gewächs Palästinas nennt (φυτῶν τὸ χειμεριώτατον), war die Genezarethebene reich an Nußpflanzungen (BJ III 8, 10); Weiteres bei Nöldeke, Neue Beiträge zur semitischen Sprachwissenschaft (1910) 43; Löw, Flora II 29–59.

12 Aus diesem dunklen Vers scheint wenigstens soviel zu entnehmen zu sein, daß ein unerwartetes Intermezzo das Mädchen plötzlich in Verlegenheit bringt: לֹא יָדַעְתִּי נַפְשִׁי. Um die Ursache, warum das Mädchen „sich selbst nicht kannte", handelt es sich sehr wahrscheinlich in den folgenden lapidaren Worten. Als Subjekt des שָׂמַתְ יִ möchte ich מַרְכְּבוֹת עַמִּי־נָדִיב, „die Wagen Amminadibs", betrachten. Begreiflich wird der Satz, wenn man sich vor dem Verb ein logisch, aber nicht grammatisch notwendiges כָּכָה denkt: „so (d.h. so verwirrt) haben mich die Wagen Amminadibs gemacht". Die Singularform des Verbs bereitet keine Schwierigkeit. Die gleiche Inkongruenz findet sich nicht gerade selten, z.B. 2 S 24 13 Jl 1 20 Ps 37 31. Zu erwägen wäre indessen, ob vielleicht eine Pluralform in שָׂמַתְנִי steckt. Die Massoreten haben fast überall die alte feminine Pluralendung הָ‍ in–ū korrigiert, und nur vereinzelte Spuren sind übriggeblieben, z.B. Gn 49 22 בָּנות צָעֲדָה, 1 S 4 15 עֵינָיו קָמָה. Unter den mit Hilfe von Qere korrigierten Stellen sind zu nennen Dt 21 7 1 Kö 22 49 Jer 22 6 48 41 Ps 73 2. Weiteres bei Nyberg, Hebreisk grammatik § 88.

Am rätselhaftesten ist aber מַרְכְּבות עַמִּי־נָדִיב. Wer ist „Amminadib" – wenn wir das Wort als einen Personnamen auffassen dürfen –, und welchen Sinn haben seine „Wagen"? Die Deutungsversuche haben hauptsächlich zwei Möglichkeiten geprüft. Entweder hat man עַמִּי־נָדִיב als einen Eigennamen, und zwar als eine Verschreibung von עַמִּינָדָב, erklärt, oder man hat eine Übersetzung des Ausdrucks gegeben, wobei die syntaktische Beziehung zwischen עַמִּי und נָדִיב sehr verschieden aufgefaßt wurde. Das ist schon in den alten Versionen der Fall, die trotz ihrer auseinandergehenden Übersetzungen keinen anderen Text als 𝔐 gehabt haben; s. zum Text. Auch Amminadab (𝔊 𝔙) ist nicht als eine echte Variante zu bewerten, sondern nur ein Versuch, den unbegreiflichen Namen geschichtlich zu verankern. Eine Historisierung des Namens wird aber durch die Erwähnung der Wagen sehr schwierig.

Andererseits läßt der knappe Wortlaut vermuten, daß es sich um etwas durchaus Bekanntes handelt. Es ist deshalb sehr wahrscheinlich, daß der Ausdruck „die Wagen Amminadibs" keine schöpferische Eigenprägung des Dichters ist, sondern eine vorgeprägte und wohlbekannte Größe aus der erotischen Vorstellungswelt darstellt. Zur Staffage der ägyptischen Liebeslyrik gehört eine Figur, die im Unkreis der Liebesleute eine leider nicht ganz durchsichtige Rolle spielt. Es ist dies Prinz Mehi. Vgl. Hermann, Altägyptische Liebesdichtung 105–109; PSmither, The Prince Mehy of the Love Songs: JEA 34 (1948) 116. Ob er als ein Nebenbuhler um die Gunst des Mädchens gedacht ist oder als eine Art arbiter amoris auf Liebesaffären anderer Leute Einfluß hat, geht aus den Texten nicht klar hervor. Nach Smither hat er vielleicht die Rolle eines Don Juans gespielt. Auf die eine oder die andere Art greift er in die Beziehungen zwischen den Liebenden ein. Ein ägyptisches Lied erzählt, wie der junge Mann auf dem Weg zur Geliebten den Prinzen trifft und dabei in Verwirrung gerät. Über die Ursache der Verlegenheit des Jünglings gibt der Text keinen klaren Bescheid. Nur soviel scheint festzustehen, daß der Prinz sich ein bißchen mutwillig in Liebessachen einmischt.

Ein auffallender und konkreter Zug, der den ägyptischen Mehi in diesem Zusammenhang besonders interessant macht, verdient Aufmerksamkeit. Es geht aus den Texten hervor, daß er zu Wagen fährt und von einer Eskorte von Jünglingen begleitet wird. Es ist wenigstens denkbar, daß der außerordentlich rätselvolle Vers 6 12 im Licht der Notizen über Mehi verständlicher wird und daß Amminadib mit seinen Wagen im Hoheliedgedicht eine ähnliche Rolle spielt wie der ägyptische Liebesfürst, d.h., daß es sich um einen wohlbekannten Topos im Bereich der Liebe handelt. Wie Mehi scheint Amminadib zu Wagen zu fahren und von Gefährten begleitet zu sein.

Es fällt weiter auf, daß Mehi als ein Prinz dargestellt wird. Wie der Name Amminadib zu erklären ist, bleibt unklar, aber sein zweites Glied נָדִיב scheint auf eine fürstliche Person hinzuweisen.

Ein Versuch zur Klärung des schwierigen Verses kann nur mit allem Vorbehalt vorgelegt werden. Am Ende ist es aber verlockend, in Amminadib eine literarische Figur zu sehen, die in der israelitischen Liebesdichtung eine ähnliche Rolle spielt wie Prinz Mehi in der ägyptischen. Plötzlich erscheint er zu Wagen und von Gefährten begleitet. Die Begegnung mit ihm hat Unruhe und Verwirrung zur Folge.

7 1   Amminadibs Rolle als mutwilliger Unruhestifter in Liebesaffären wird durch seinen neckischen Zuruf an das Mädchen noch deutlicher. Er selbst und seine lebensfrohen Gefährten wollen das Mädchen von der Gartenwanderung zurückrufen, um sich mit ihm zu unterhalten. Welchen Sinn hat der Name, den sie dem Mädchen zurufen? Der Versuch הַשּׁוּלַמִּית als eine Verschreibung von הַשּׁוּנַמִּית zu erklären, ist textkritisch sehr schwach begründet und auch sachlich wenig wahrscheinlich; bei der „Sunamitin" soll an die schöne Abisag von Sunem gedacht sein, deren Name als eine Art Klischee für die denkbar größte Schönheit stehe (1 Kö 1 3 2 17. 21f.), oder aber es handle sich sogar um die wirkliche Abisag von Sunem, die als Salomos Gegenspielerin im Hohenlied wiederzufinden wäre.

Viele Ausleger betrachten „Schulammit" als eine weibliche Namenform zu Salomo. Auch hinter dieser Deutung steht die Auffassung von Salomo als dem männlichen Partner im Hohenlied. „Schulammit" wäre dann ein Korrelat zum Namen des „Bräutigams", der Salomo heißt. Aber abgesehen davon, daß die Femininform von Salomo hätte שְׁלוֹמִית heißen sollen, ist das königliche Liebespaar im Hohenlied nicht mit Salomo und einer „Salomonin" zu identifizieren, sondern als Figuren in einer literarischen Travestie zu verstehen.

Morphologisch ist שׁוּלַמִּית wahrscheinlich ein mit Femininendung versehenes passives Partizip. Diese alte, bis auf vereinzelte Spuren verschwundene Form ist vom perf. pass. gebildet (mit regelmäßiger Verlängerung des ă > ā). Andere Beispiele sind אֻכָּל (Ex 3 2), יֻלַּד (Ri 13 8), לֻקַּח (2 Kö 2 10); s. Nyberg, Hebreisk grammatik § 36 z, Joüon, Gr 58 a–b.

Die Szene läßt vermuten, daß Schulammit ein spaßhafter Kosename ist, der an etwas Friedfertiges und Unschuldvolles denken läßt.

In der letzten Zeile spricht wieder eine andere Stimme, die in einem rügenden Ton die spaßhaften Worte Amminadibs und seiner Gefährten beantwortet. Es schickt sich nicht, das unschuldvolle Mädchen mit frivolen Blicken anzugaffen, als wäre sie eine freche Lagertänzerin. Wer ist der anonyme Sprecher? Vielleicht der gewöhnliche männliche Gegenspieler, d.h. der Jüngling. Natürlicher scheint aber, die Worte als einen Dichterspruch aufzufassen. Die Person des Erzählers tritt für einen Augenblick auf die Bühne und spricht in das Geschehen hinein.

DIE SCHÖNE FÜRSTENTOCHTER

(7 2–6)

Literatur IZolli, In margine al Cantico dei Cantici: Bibl 21 (1940) 273–282 (zu 2 4 7 6).

Text ²Wie ᵃ schön sind deine Füße in den Sandalen,
du Fürstentochter ᵇ!
Die Rundungen deiner Hüften sind wie Halsgeschmeide,
Werk der Hände ᶜ eines Künstlers ᵈ.
³Dein Nabel ᵉ ist eine runde ᶠ Schale –
möge der Mischwein nicht fehlen!
Dein Leib ist ein Weizenhaufen,
umhegt von Lilien.
⁴Deine beiden Brüste sind wie zwei Kitzen,
Zwillinge ᵍ einer Gazelle ʰ.
⁵Dein Hals ist wie der Elfenbeinturm.
Deine Augen sind die Teiche ⁱ zu Hesbon ʲ,
am Bat-Rabbim-Tor ᵏ.
Deine Nase ist wie der Libanonturm,
der gegen Damaskus ˡ schaut.
⁶Dein Haupt auf dir ist wie der Karmel,
und die Fäden deines Haupts
sind wie Königspurpur ᵐ,
an den Bäumen ⁿ festgemacht.

7 2   a Fehlt in $\mathfrak{G}^{B\aleph}$ $\mathfrak{L}$; umgekehrt 1 10, wo $\mathfrak{G}$ gegen $\mathfrak{M}$ die admirative Stilform hat. – b $\mathfrak{G}^B$ θύγατερ Ναδάβ, $\mathfrak{G}^A$ θύγατερ 'Αμιναδάβ (vgl. 6 13). $\mathfrak{G}$ hat בַּת־נָדִיב nicht als eine st.-cstr.-Verbindung verstanden, sondern in נָדִיב ein Attribut gesehen, baṭ neṭaibā (part. pass. fem.). – c יְדֵי fehlt in $\mathfrak{G}$ (außer $\mathfrak{G}^A$) $\mathfrak{L}$. – d Zum Hapaxlegomenon אָמָן vgl. akk. ummānu, „Werkmeister". Weiteres zur Wortform und ihrem Verhältnis zu אָמוֹן (Prv 8 30) bei RBYScott, VT 10

3 (1960) 213ff. – e שָׁרְרֵךְ (Ez 16 4 שָׁרֵּךְ) weist auf eine im Alten Testament nicht belegte Grundform שֹׁר hin. Zum zweimal geschriebenen Endkonsonanten s. Bauer-Leander § 72t. – f Das Hapaxlegomenon סַהַר, „Rundung" gibt zu Be-

4 anstandungen gegen $\mathfrak{M}$ keinen Anlaß. – g Zur Vokalisierung תָּאֳמֵי (neben

5 תְּאוֹמֵי 4 5) s. Bauer-Leander 535. – h $\mathfrak{G}$ hat hier 4 5b hinzugefügt. – i Die alten Übersetzungen haben „wie (die Teiche)". $\mathfrak{M}$ könnte Haplographie sein; siehe aber 4 1 5 11. 14. 15 7 3, wo die Vergleichspartikel fehlt. – j 'A hat den Stadtnamen Hesbon übersetzt: ἐν ἐπιλογισμῷ. Die Erklärung des Namens Hesbon mit „Gedanken" kommt in der altchristlichen Auslegung häufig vor; s. FWutz, Onomastica Sacra. Untersuchungen zum liber interpretationis nominum hebraicorum des hl. Hieronymus: Texte und Untersuchungen zur Geschichte der altchristlichen Literatur 41, 1–2 (1914–15) 53.743.814. Die gleiche Deutung hat auch Philo; vgl. Migne PG 87, 2, 1732 B. – k $\mathfrak{G}$ $\mathfrak{L}$ haben plur. – l 'A hat für דַּמֶּשֶׂק ἀποβλήτων. Natürlich hat 'A den Stadtnamen Damaskus nicht verkannt, ebensowenig wie Hesbon. Seine Übersetzung schließt sich ohne

6 Zweifel auch hier einer alten Deutungstradition an. – m Mit $\mathfrak{G}$'A Σ $\mathfrak{V}$ ist כְּאַרְגָּמָן מֶלֶךְ zu lesen. – n Zur Übersetzung siehe „Wort".

194

Nach den meisten Auslegern fängt das Gedicht schon mit 1 an. Dieser Form
Vers sollte dann als eine inszenierende Einleitung des Beschreibungsliedes dienen. Abgesehen davon, daß die Beschreibungslieder sonst ohne
jede Inszenierung unmittelbar mit der Beschreibung anfangen (s. 4 1
5 10), würde die Eingliederung von 1 zu der unwahrscheinlichen Annahme zwingen, daß nicht der Jüngling, sondern eine anonyme Menge in
dem Beschreibungslied das Wort habe.

Gegen diese Gliederung spricht ferner die Interpretation des vorhergehenden Gedichts, in dem 7 1 nicht zu entbehren ist. Nur wenn man auf
eine plausible Deutung der Amminadib-Episode verzichtet, kann man
6 12 als seinen Schluß betrachten.

Formelle und inhaltliche Gründe sprechen also dafür, daß das Beschreibungslied mit 7 2 anfängt. Als Schlußvers ist 6 anzusehen, vor allem
weil der folgende Vers mit dem bewundernden Ausruf sich am besten
als Liedanfang verstehen läßt.

Das Gedicht hat mit dem unmittelbar vorhergehenden inhaltlich
nichts zu tun. Jenes erzählt von einem Ereignis, dieses vom Aussehen
des Mädchens. Wieder scheint ein mechanisch wirkendes Stichwortprinzip die Aneinanderreihung am besten zu erklären: עַמִּי־נָדִיב (6 12)
und בַּת־נָדִיב (7 2).

Vereinzelte Redeformen deuten darauf hin, daß wir uns im Bereich
der „Königs"-Travestie befinden. Das Mädchen wird als בַּת־נָדִיב, „Edel-
tochter", „Fürstin" angeredet. Eine Wunschsituation wird herauf-
beschworen, eine Verkleidung nach oben hinauf wird vorgenommen, die
in die Liebesbeziehung einen speziellen Reiz einführt. Zum Vorstellungsgut der „Königs"-Travestie darf man wohl auch den letzten Vergleich
rechnen, wo das Haar des Mädchens mit „Königspurpur" verglichen
wird; s. unter „Wort". Vielleicht könnte man auch den Zug zu einer
Heroisierung, der besonders in den geographischen Vergleichen zutage
tritt, mit der erhöhenden Tendenz der „Königs"-Travestie in Verbindung
setzen.

Die Beschreibung des Mädchens besteht, wie es im *waṣf* üblich ist,
aus einer Reihe lose aneinandergereihter Vergleiche. Die Reihe folgt im
wesentlichen dem Bau des Menschenkörpers. Aber mit diesem anatomischen Prinzip konkurriert ein anderes, nach dem die Vergleichsgegenstände den Aufbau der Beschreibung bestimmen; s.o.S. 67.

Eins haben alle die verschiedenen Vergleiche gemeinsam. Sie sind
durchweg optisch, beziehen sich auf das Aussehen. An andere Sinnes-
eindrücke, etwa Hören, Riechen oder Schmecken, wird nicht appelliert.

Die Textgliederung, die das Gedicht mit 7 1 anfangen läßt, hat für Ort
die literarische Interpretation sehr fragwürdige Konsequenzen. Das Beschreibungslied wäre nämlich dann nicht dem Liebespartner in den Mund

gelegt, wie es sonst immer der Fall ist, sondern würde von den Herumstehenden gesungen worden sein, und zwar wenn die Braut am Abend ihres Hochzeitstages einen Tanz aufführt. Man spricht von einem „Schwerttanz" (Budde), einem „Paradiertanz" (Horst) oder einfach einem „Hochzeitstanz" (Rudolph). Die Vorstellung, daß es sich um einen Tanz handle, gründet sich auf Notizen über Hochzeitsbräuche aus moderner Zeit, vor allem auf den Wetzsteinschen Bericht über die sogenannte „Königswoche"; s.o.S. 49. Wetzstein spricht allerdings von einem Tanz bei dieser Gelegenheit, der jedoch nicht von der Braut, sondern zu Ehren des jungen Paares aufgeführt wurde. Die Auffassung des Beschreibungsliedes als eines Tanzliedes, dessen eigentlicher Sitz im Leben im Bereich des Hochzeitsfeierns zu suchen wäre, läßt sich nicht aufrechthalten. Es geht aus der ägyptischen Liebeslyrik klar hervor, daß die Beschreibungslieder an Hochzeit oder andere Feste keineswegs gebunden sind. Sie stellen eine Stilform der Liebeslyrik dar, die an sich bei verschiedenen Gelegenheiten denkbar ist, deren eigentlicher Zweck es jedoch ist, das Liebesgefühl literarisch zu gestalten.

Wort 7 2   Das Beschreibungslied fängt von unten mit den Füßen an. פַּעַם bedeutet gewöhnlich „Schritt", hier aber wie an einigen anderen Stellen „Fuß", z.B. Ps 58 11 2 Kö 19 24, wo weder sachlich noch stilistisch ein klarer Unterschied zwischen פַּעַם und רֶגֶל zu spüren ist. 𝔊 hat richtig „Füße", während 𝔊 an die Bewegung denkt, διαβήματα (gewöhnlich für אָשׁוּר oder צַעַד), was im Zusammenhang, besonders wegen des folgenden „in den Sandalen", unnatürlich wirkt.

Die Sandale, נַעַל, bestand aus einer Sohle mit Lederriemen, die den oberen Teil des Fußes frei ließen; s. WHönig, Die Bekleidung des Hebräers (1957) 82ff. נָדִיב bezeichnet teils die edle Gesinnung, z.B. Jes 32 5 Prv 17 7.26, teils die äußere Erscheinung, z.B. 1 S 2 8 Jes 13 2 Ps 83 12 107 40 113 8 Prv 8 16 Hi 34 18. Hier hat das Wort den letzteren Sinn. Das Mädchen wird vom Jüngling als eine „Edelfrau" angeredet. Der Ausdruck erklärt sich am besten als Vorstellungsgut der „Königs"-Travestie.

Das Hapaxlegomenon חַמּוּקֵי ist vom Verb חמק „abbiegen" (5 6) herzuleiten und könnte demnach eine drehende Bewegung meinen. So 𝔊 (ῥυθμοί) und die meisten Ausleger, die das Gedicht als Beschreibung einer tanzenden Braut lesen. Die andere und in einem Beschreibungslied ohne Zweifel näherliegende Möglichkeit ist, daß das Wort nicht eine Bewegung, sondern einen Gegenstand bezeichnet. Die Vergleiche halten sich durchgehend im Bereich einer plastischen, gestalthaften Gegenstandbeschreibung. Daß es sich hier um die Form der Hüften, nicht um ihre Bewegungen handelt, geht aus dem Vergleich klar hervor. חֲלִי findet sich außer hier nur Prv 25 12, wo es ebenso wie das ähnlich lautende

חֶלְיָה Hos 2 15 zusammen mit נֶזֶם erwähnt wird. ACohen hat zur Beleuchtung des Wortes auf das rabbinische חוּלְיָה hingewiesen (AJSL 40, 1923/24, 172), das als anatomischer Terminus in der Bedeutung „Wirbel" erscheint, daneben aber auch „Schnitt eines Pfeilers" bezeichnen kann. חֲלִי könnte demnach ein in Ausschnitten oder Reihen geformtes Halsschmuckstück sein, etwa der gleichen Art wie das 4 4 erwähnte Kollier aus Gold oder Fayence. So auch 𝕲 ὁρμίσκος. An einen Halsschmuck haben auch 𝕍 monilia und 𝕾 ḥerqē gedacht. Die Beschreibung haftet sehr stark am Materiell-Stofflichen. Besonders der ausdrückliche Hinweis auf ein Kunstwerk, „von den Händen eines Künstlers gemacht", verstärkt den Eindruck, daß die Sehweise des Dichters von der bildenden Kunst bestimmt wurde.

שֹׁר steht sowohl für die Nabelschnur wie für die rundliche Vertiefung 7 3 am Leibe, den Nabel. Den gleichen Doppelsinn hat im Griechischen ὀμφαλός.

אַגָּן kommt außer hier nur Ex 24 6 und Jes 22 24 vor. Das Wort findet sich auch im Akk. agan(n)u, „Becken". Gegen die auf Grund des arab. ǧaunatun erratene Bedeutung „Scheibe" (der Sonne) wendet sich LKopf, VT 6 (1956) 293f.

Das Hapaxlegomenon סַהַר ist von fast allen alten Übersetzern als etwas „abgerundetes" verstanden worden. Eine wesentlich abweichende Deutung gibt auch nicht 𝕲 mit τορευτός, dem im späteren Griechisch ein sehr allgemeiner Sinn beigelegt wurde. Für die traditionelle Übersetzung spricht das späthebräische סהר „runde Einfriedigung" (für Tiere); man hat aber auch auf das aramäische סַהְרָא „Mond" verwiesen, das in die gleiche Richtung führt.

Viele Ausleger finden den Vergleich des Nabels mit einer Schale unmöglich oder unwahrscheinlich. Um das Bild begreiflich zu machen, betrachtet man שֹׁר als Ersatz oder Euphemismus für „Schoß" im Sinn von vulva und verweist auf arab. sirr, „Geheimnis" = pudendum muliebre. Der befremdliche Vergleich wird aber sinnvoll und zutreffend, wenn man mit einer Abhängigkeit der Nabelbeschreibung von der bildenden Kunst rechnet. Zu den künstlerischen Konventionen des ägyptischen Bildhauers gehörte es, den Nabel mit auffallender Deutlichkeit darzustellen. Man hat ihn in etwas verschiedener Gestalt abgebildet, als ein kleines rundes Loch, als eine breite Grube oder als eine dreieckige Einsenkung, aber immer mit fast demonstrativer Deutlichkeit. Betrachtet man eine ägyptische Skulptur, kann man die „runde Schale" nur als eine sehr passende Beschreibung des Nabels auffassen; Weiteres oben S. 70.

Das aramäisierende Hapaxlegomenon מֶזֶג bezeichnet eine Mischung von Wein und Wasser. אַל־יֶחְסַר הַמָּזֶג ist ein negierter Wunschsatz, in dem הַמָּזֶג Subjekt oder Objekt sein kann. Vereinzelt kann אַל freilich statt לֹא stehen, d.h. als objektive Negation (BrSynt § 52a). Hier paßt aber der subjektive Gefühlssatz im Zusammenhang mindestens ebensogut wie eine indikativische Aussage. Die Worte sind nicht als ein Beitrag zur Beschreibung des Mädchens, auch nicht zur Erklärung des Vergleichs gemeint. Es handelt sich um einen witzigen Einfall, der die Beschreibung für einen Augenblick abbricht.

Bei dem Vergleich zwischen dem Leib des Mädchens und einem Weizenkörnerhaufen ist das eigentliche tertium comparationis sehr wahrscheinlich die gelbe Farbe, obwohl auch der Gedanke an die rundliche Form hat mitspielen können. Rätselhafter ist die Erweiterung „umhegt von Lilien", die sich offensichtlich auf den Weizenhaufen bezieht. Von einer Sitte, die Getreidehaufen auf der Tenne mit Blumen zu umstecken, gibt es keine sicheren Belege. Der Versuch, in dem Ausdruck einen erotischen Hintersinn zu finden und die Lilien als ein Bild für die Schamhaare zu erklären, verkennt den Stil des Hohenliedes, der sich mit einer naturalistischen Interpretation selten vereinbaren läßt. „Die Lilien" scheinen in der Liebessprache einen stark abgegriffenen Sinn zu haben. Aus einer Stelle wie 2 16 – „Weiden unter den Lilien" – (s. oben) geht hervor, daß auf dem Vorstellungsgehalt ein sehr geringes Gewicht liegt, ja daß eine logische Zergliederung zu Unmöglichkeiten führt. Die zu reinen Ornamenten erstarrten Lilien haben ausschließlich stilistischen Zweck. Auch hier wird bei dem Gebrauch des Wortes kein optisch erfaßbares Bild erstrebt. Nur auf den Affekt kommt es an, eine lyrische Überhöhung im Rahmen des Dekorativ-Gefälligen.

7 4   Bei dem Vergleich der Brüste mit zwei Junggazellen ist wahrscheinlich an das jugendliche, frische Aussehen als tertium comparationis zu denken. Auch „Gazelle" gehört jedoch ebenso wie „Lilie" zu den „Gefühlswörtern", bei denen eine konkrete Sinnesvorstellung kaum mehr ins Bewußtsein tritt.

5   Der Halsvergleich erinnert an 4 4 („Turm Davids"). Daß es sich auch beim „Elfenbeinturm" um eine Örtlichkeit handelt, wird aus dem Zusammenhang wahrscheinlich. Die folgenden Vergleiche sind durchweg der palästinensischen Landschaft entlehnt. Ein Elfenbeinturm ist uns im Alten Testament jedoch nicht bekannt, obwohl wir aus mehreren Stellen schließen können, daß Elfenbein in der Architektur bei Luxusbauten verwendet wurde; s. 1 Kö 22 39 Am 3 15 Ps 45 9. Der Vergleich bezieht sich auf die Farbe. Daß der Teint der menschlichen Haut an den blendend weißen Ton des Elfenbeins erinnert, ist eine naheliegende Beobachtung, die wir auch bei Homer finden; s. oben S. 84.

Hesbon ist die alte Stadt des „Amoriterkönigs" Sihon (Nu 21 27ff.), später als Moabiterstadt bekannt (Jes 15 4 16 8f. Jer 48 2.34.45 49 3), heute ḥesbān, gut 20 km südwestlich von Amman. Wir müssen uns damit begnügen, daß wir von den genannten Örtlichkeiten nichts wissen, weder von den Teichen noch vom Tor. Die erstgenannten waren vielleicht gerade zwei nahe nebeneinander vor dem Haupttor liegende Teiche. Den Tornamen soll man wahrscheinlich so verstehen, daß Batrabbim ein Ort ist, zu dem der durch das Tor hinausgehende Weg führte.

Auch der Libanonturm ist unbekannt. Vielleicht darf man von dem Ausdruck צוֹפֶה פְּנֵי דַמֶּשֶׂק auf einen Späherturm schließen, der auf dem Gebirge gegen Damaskus, d.h. dem Antilibanon, hin lag.

In dem letzten geographischen Vergleich erscheint der Karmel: 7 6 „Dein Haupt auf dir ist wie der Karmel." Der ca 20 km lange, bis 552 m hohe Bergrücken zwischen dem Mittelmeer und der Jezreelebene wird wegen seiner mächtigen Schönheit oft erwähnt (Jes 35 2 Jer 46 18f. Am 1 2). Auf Grund seiner freien Lage zwischen Meer und Ebene trat der majestätische Karmel schon von weiter Ferne scharf profiliert ins Gesichtsfeld. Wie die früheren landschaftlichen Vergleiche ist auch dieser von einer ins Kolossal-Heroische gehenden Hyperbolik geprägt, die von allem Realismus weit entfernt steht.

Zuallerletzt wird das Haar erwähnt. Der Vergleichsgegenstand ist hier nicht mehr eine landschaftliche Erscheinung, sondern eine Einrichtung im Bereich des praktischen Berufslebens. דַלָּה kommt außer hier nur Jes 38 12 vor, und zwar als Bezeichnung für die Webekette, d.h. für die zwischen dem Vorder- und dem Hinterbaum des Webstuhls laufenden Fäden. Hier wird dieses Wort auf das lange Haupthaar des Mädchens bezogen. Das ist ohne Zweifel eine semasiologisch sekundäre Verwendung des Wortes. Vielleicht darf man auch vermuten, daß es sich um eine okkasionelle Metaphorik handelt, die ad hoc gemacht wurde. Es geht nämlich aus dem Vergleich hervor, daß die Vorstellung von דַלָּה als einem webetechnischen Terminus dem Dichter aktuell und lebendig ist. Nur haben die Massoreten den Text sinnwidrig gegliedert, was zur Folge hatte, daß die drei letzten Worte unverständlich geworden sind. „Ein König ist an die Rinnen (= Locken) gefesselt" wird als ein freistehender Ausruf betrachtet: der als König gefeierte Hochzeiter ist vom Reiz des Haares seiner Geliebten ganz gefangen. Gegen diese Deutung spricht vor allem, daß die Übersetzung von רְהָטִים mit „Locken" nichts anderes ist als eine freie Erfindung ohne jede Spur von Wahrscheinlichkeit. Das Wort bedeutet sonst (Gn 30 38. 41 Ex 2 16) „Tränkrinnen", „Wassertröge" für die Tiere. Von den alten Übersetzern hat zu unserer Stelle nur 𝔙 an diesem Sinn festgehalten (canalibus). 𝔊 hat mit Hilfe des aram. רהט „laufen" eine originelle, aber unverständliche Übersetzung gegeben ἐν παραδρομαῖς, „in Läufen". Σ hat εἰλήμασι, was hier offensichtlich „Windungen", „Schlingen" meint. 𝔖 'A lassen das Wort durch Transkription unübersetzt stehen. Was einer sinnvollen Übersetzung des רְהָטִים im Weg steht, ist vor allem die massoretische Textgliederung. Die richtige syntaktische Interpretation haben schon einige der alten Versionen (𝔖'A Σ 𝔙), die מלך als Genetiv zu ארגמן auffassen: „Königspurpur".

199

Nicht ein „König" ist an die רְהָטִים gebunden, sondern der Königspurpur, d.h. die Webekette. Dann müßte aber auch רהטים ein webetechnischer Terminus sein, und zwar für die Bäume des Webstuhls. Die richtige Deutung des Wortes hat IZolli (Bibl 21, 1940, 276ff.) gegeben, der auf die Qere-Variante רָהִיטֵנוּ in 117 verweist: „Dachsparren", „Balken". Der Einwand, daß diese Textgliederung den Versrhytmus verderbe, ist nicht stichhaltig. Die beiden st.-cstr.-Verbindungen דַּלַּת רֹאשֵׁךְ und אַרְגָּמָן מֶלֶךְ lassen sich je als Zweitakter sehr gut lesen.

Der Vergleich des langen Haares mit der an den Bäumen festgemachten Webekette ist ohne weiteres verständlich und sinnvoll. Weniger durchsichtig ist die Farbenangabe. ארגמן ist der rote Purpur. Wie kann das Haar, das ja normalerweise schwarz war, Purpurfarbe haben? Es ist in der Einleitung (oben S. 71) auf eine besondere Technik der ägyptischen Bronzegießer verwiesen worden, das Einlegen von Golddraht in die Strähnenlinien der Kopfskulpturen. Es wäre dann bei diesem Vergleich mit der plastischen Kunst als Medium zu rechnen. Vielleicht hat aber „Purpur" ebenso wie „Gold", Gazelle und „Lilie" im Hohenlied den Charakter eines Gefühlsworts, dessen eigentlicher Vorstellungsgehalt nicht mehr ganz wörtlich zu nehmen ist.

DER LIEBLICHE GARTENBAUM
(7 7–11)

7„Wie schön bist du und wie lieblich, Geliebte[a],
  [b]Mädchen voller Wonne[b]!
8Dein Wuchs[c] ist dergestalt[d],
  daß er einer Palme gleicht
  und deine Brüste Trauben[e].

9Ich sagte: Ich will die Palme[f] ersteigen,
  nach ihren Rispen greifen.
  Und es seien deine Brüste wie Trauben des Weinstocks
  und der Duft deiner Nase wie Äpfel
10und dein Gaumen wie edler Wein[g].

  „(Ein Wein,) der meinem Geliebten leicht hinuntergleitet[h],
  der über die Lippen der Schlafenden schleicht,
11bin ich für meinen Geliebten,
  und nach mir ist sein Verlangen.“

a Wahrscheinlich ist hier אַהֲבָה zu lesen; vgl. ⑤ ℬ. Das im Griechischen 7 7
und Lateinischen häufige abstractum pro concreto (mit dem die Objektivie-
rung von Abstrakta nichts zu tun hat) ist im Alten Testament kaum zu bele-
gen. – b–b Lies mit ⑤ 'A בַּת־תַּעֲנוּגִים, eig. „Tochter der Genüsse“. ℳ ist durch
Haplographie entstanden. – c ⑤ μέγεϑος (statt des zu erwartenden ὕψος). –
d Zum Demonstrativum als adjektivischem Attribut s. Joüon, Gr. 143i. Denkbar wäre aber auch, daß זאת als Subjekt eines Nominalsatzes zu verstehen ist,
in dem קוֹמָתֵךְ Prädikat ist, also „dies ist dein Wuchs: er gleicht „usw“. Vgl.
Nyberg, Hebreisk grammatik 84 m. – e Gemeint sind die Palmenfrüchte. –
f Lies mit ⑤ בְּתָמָר. – g Zum Ausdruck יֵין הַטּוֹב (Substantiv in stat. cstr. vor 9. 10
einem adjektivischen Attribut) s. BrSynt § 76e. – h דבב im Späthebr. und
Aram „tropfen“, arab. *dbb* = „schleichen, gleiten“.

Die Verse 7–11 heben sich vom vorhergehenden Beschreibungslied Form
mit genügender Schärfe ab. Das Stück fängt mit einer allgemeinen Bewunderungsaussage an, die als eine rhetorische Frage gestaltet ist: „Wie
schön bist du und wie lieblich!“ (7). Daran schließt sich sehr eng eine
kurze Beschreibung des Mädchens, die im Vergleich mit der detaillierten
Aufzählung des Beschreibungsliedes stark abgekürzt ist. Nur Wuchs und
Brüste des Mädchens werden erwähnt und mit Hilfe von zwei Vergleichen
veranschaulicht (8). Das Hauptstück des Gedichts drückt die Sehnsucht
des Jünglings nach seiner Geliebten aus. Nicht das Aussehen des Mädchens steht hier im Vordergrund, sondern die subjektiven Wirkungen

201

ihrer Schönheit (9–10a). Im Gedichtschluß, der sehr verschieden interpretiert worden ist, antwortet das Mädchen (10b–11).

Das Gedicht gehört zu den Bewunderungsliedern, die den Beschreibungsliedern formell und thematisch sehr nahe stehen. Der eigentliche Unterschied liegt in der größeren Subjektivität des Bewunderungsliedes, die eine detaillierte Beschreibung des Aussehens nicht erlaubt, sondern bemüht ist, die Wirkung der Schönheit darzustellen. Die affektische Zuwendung an die Geliebte macht es natürlich, daß sie antwortet, wodurch das Gedicht die Form eines Zwiegesprächs annimmt.

Das Gedicht ist von dem Sammler unmittelbar hinter das formell und inhaltlich verwandte Beschreibungslied gestellt worden.

Die Rhytmisierung ist sehr frei und unregelmäßig.

Wort 7 7 Das Lied fängt mit der Anrede an die Geliebte an. Die einleitende Bewunderungsaussage ist als eine rhetorische Frage gestaltet (admirativer Stil wie im Beschreibungslied 7 2). Statt des haplographischen בתענוגים des 𝔐 ist sehr wahrscheinlich בת תענוגים zu lesen, mit dem בני תענוגים (Mi 1 16) und בית תענוגים (Mi 2 9) zu vergleichen sind. Verwandte Ausdrücke in der ägyptischen Liebeslyrik sind „Herrin der Süße" und „Herrin des Liebreizes, süß an Liebe" (Schott 100f.).

8 Im Unterschied von den langen Vergleichsreihen in den Beschreibungsliedern sind die beiden Vergleiche weder als Identitätssätze noch mit Hilfe der Vergleichspartikel כְּ formuliert, sondern mit dem Verb דמה; vgl. 1 9 2 9. – אֶשְׁכֹּל steht gewöhnlich für „Weintraube", und die meisten Ausleger wollen unter Verweis auf 9b das Wort auch hier so verstehen. אֶשְׁכֹּל hat aber einen weiteren Sinnbereich, wie aus 1 14 klar wird, wo es die Rispe der Cypernblumen bezeichnet. Hier läßt der Kontext vermuten, daß die Datteltrauben gemeint sind. Die Erwähnung der Palme im folgenden Vers macht es wahrscheinlich, daß die gleiche Vorstellung die beiden Vergleiche beherrscht. Erst wo der Dichter mit der optisch orientierten Beschreibung fertig ist und sich seinem subjektiven Erlebnis zuwendet, verläßt er den Palmenvergleich und wählt Objekte, die ihm besser geeignet scheinen, seine Sinnesempfindungen zu verdeutlichen: Weintrauben, Äpfel, Wein. Der Brüstevergleich wird ohne Zweifel anschaulicher, wenn es sich um die Früchte der Dattelpalme handelt. Nach antiken Schriftstellern gibt es von den Datteln sehr viele Sorten von verschiedener Farbe, Form und Größe. Die Farbtöne wechseln vom hellsten Weißgelb bis zum dunkelsten Braunschwarz und Braunrot, die Datteln konnten fast kugelig wie Äpfel sein und so groß, daß vier Stück εἰς τὸν πῆχυν kommen (Theophrast); vgl. Pauly-Wissowa 20, 398ff.

9 Das „Ersteigen der Palme" hat an sich keinen erotischen Hintersinn, sondern wird nur deswegen erwähnt, weil das noch heute übliche Erklettern das einzige Mittel war, um die Datteln zu ernten; vgl. Plin., N.H. 13,29, wo auch beschrieben wird, wie man das Erklettern des hohen,

bis an den Wipfel kahlen Palmstamms bewältigte. – Das Hapaxlegomenon סַנְסִנָּיו ist von den alten Übersetzern recht verschieden verstanden worden. 𝔊 τῶν ὕψεων αὐτοῦ, 𝔙 fructus eius scheinen erraten zu sein; 𝔊 sankau denkt an die Zweige, Σ τῶν βαΐων an die Blätter. Das Richtige scheint 'A mit τῶν ἐλάτων getroffen zu haben, „die Rispen", an denen die Datteln wachsen, also etwa synonym mit אשכלות; vgl. Löw, Flora 2, 336f.

In 9b handelt es sich nicht mehr um eine optische Veranschaulichung der weiblichen Schönheit. Die Weintrauben und Äpfel sollen die subjektive Empfindung des Liebhabers verdeutlichen, wie er solche Schönheit als Geschmack und Duft erlebt. Zum „Duft deiner Nase" vgl. ein ägyptisches Liebesgedicht, wo der Jüngling zu seiner Geliebten sagt: „Allein der Hauch deiner Nase ist's, was mein Herz am Leben erhält" (Hermann, Altägyptische Liebesdichtung 94). Das Motiv des Atemhauchs erklärt Hermann durch den Verweis auf den bei den Ägyptern üblichen Nasenkuß, „der zunächst weniger den Tast- als den Geruchsinn angesprochen haben dürfte".

Die massoretische Textgliederung ist insofern seltsam, als die drei 7 10f ersten Worte offenbar zum vorhergehenden, d.h. zur Rede des Jünglings gehören, während die Fortsetzung durch לְדוֹדִי als Antwort des Mädchens kenntlich wird. Fast alle Ausleger streichen לְדוֹדִי oder lesen ein Wort, das dem Jüngling seine Rolle als des Redenden beläßt: לִי, לְפִי, לְחִכִּי usw. Für 𝔐 treten indessen die alten Versionen mit überwältigender Einstimmigkeit ein und haben offensichtlich mit einem Wechsel der Redenden gerade hier gerechnet. Den Redewechsel hat man im allgemeinen nur so verstehen können, daß das Mädchen dem Jüngling ins Wort falle, also „möge dein Gaumen wie edler Wein sein" – „der meinem Geliebten leicht hinuntergleitet" usw. Freilich, ein derartiges Ins-Wort-Fallen wäre beispiellos und muß als sehr unwahrscheinlich angesehen werden. Die Zwiegespräche zwischen den Liebenden pflegen im Hohenlied als Rede und Gegenrede gestaltet zu sein, die einander sachlich und formell einigermaßen entsprechen; s. z.B. 115–17 21–3. Das ist denn auch hier der Fall, wenn man die beiden ersten Worte des folgenden Verses אֲנִי לְדוֹדִי nicht als einen selbständigen Satz betrachtet, sondern syntaktisch auf das vorhergehende bezieht, und zwar als Subjekt eines Nominalsatzes, dessen Prädikate die Partizipien הֹלֵךְ und דוֹבֵב sind. Die maskuline Form kommt daher, daß das hinzuzudenkende Hauptwort יַיִן הַטּוֹב ist. Die Gesamtkomposition des Gedichts wird im Licht dieser Interpretation von 10 besser verständlich. Das Lied fängt also mit einer Lobrede auf das Mädchen an, die in einen dreifachen Wunsch des Jünglings ausmündet: „Es seien deine Brüste wie Weintrauben, der Duft deiner Nase wie Äpfel und dein Gaumen wie edler Wein." In seiner Antwort, die, wie sonst üblich ist, als eine wirkliche Gegenrede gestaltet ist, nimmt das Mädchen das letzte Moment auf, es gleichzeitig bestätigend und über-

bietend: „Ja, ein Wein, der..., bin ich für meinen Geliebten." Inhaltlich und formell verwandt ist 113 („ein Myrrhenbeutelchen ist mein
Geliebter für mich") und 114 („eine Cypernblumenrispe ist mein Geliebter für mich"). Hier wie dort ist die Wortstellung der Nominalsätze P–S
und sind Erweiterungen den Prädikaten beigelegt.

FEIERE EINEN SCHÖNEN TAG

(7 12–13)

Text

¹²Komm, mein Liebſter, laß uns aufs Land gehen ᵃ,
in den Dörfern über Nacht bleiben ᵇ.

¹³Laß uns früh in die Weinberge gehen,
ſehen, ob ᶜ der Weinſtock ſchon treibt,
ob die Knoſpen ᵈ ſich geöffnet haben ᵉ,
ob die Granatbäume blühen ᶠ.
Dort will ich dir meine Liebe ᵍ ſchenken.

a Eine besondere Kohortativendung fehlt oft bei Verba tertiae א; vgl. 7 12
Joüon Gr § 114 N. – b לין kann auch einen allgemeineren Sinn haben, „ruhen,
weilen", wie 1 13 und öfter. So hat hier 𝔙 das Wort verstanden (commore-
mur) und vielleicht 𝔊 (αὐλισθῶμεν). Da es sich um eine Liebesbegegnung handelt, scheint aber hier der prägnantere Sinn beabsichtigt zu sein. – c Indirekte 13
Fragesätze können wie hier mit אם oder, wie in dem fast gleichen Vers 6 11,
mit ה eingeleitet werden; s. Joüon, Gr § 161f., BrSynt § 171. – d Zu סְמָדַר s.
2 13. – e Die meisten ändern in נִפְתַּח (Haplographie) oder verstehen das Piel
intransitiv. Wahrscheinlich ist פִּתַּח ein prägnanter Fachausdruck der Gärtner-
sprache, der durch Auslassen des Objekts intransitiv geworden ist. „Die
Knospen öffnen", will sagen, ihre Kronblätter. – f s. zu 6 11. – g 𝔊 𝔖 𝔏 𝔙 lesen
דֹּדַי; vgl. 1 2–4 4 10.

Daß 12 als ein neuer Ansatz zu verstehen ist, steht außer Zweifel. Form
Das Mädchen lädt den Jüngling zu einem Ausflug ins Freie ein. Schwieriger ist die Frage, wo das Gedicht endet. Gehört 14 zu ihm oder nicht?
Inhaltlich läßt sich dieser Vers nicht mühelos mit dem vorhergehenden
in Einklang bringen. In 13 ist die Szene ein frühjährlicher Garten, 14
spricht von reifen Früchten. Wie sind „unsere Türen" in diesen Zusammenhang unterzubringen? Es kommt hinzu, daß der Vers nach 13c den
Eindruck einer Antiklimax macht. Auch wenn man ihn durch eine ganz
willkürliche Textumstellung vor 13c versetzt (Budde), bleibt er ein
Fremdkörper. Wie wir unten sehen werden, wird 14 nur als Einleitung
des folgenden Gedichts sinnvoll.

Thematisch erinnert das Gedicht an 2 8ff. Dort handelte es sich um Ort
eine Begegnung der beiden Liebenden oder richtiger um den Versuch
des Jünglings, seine Geliebte zu sich herauszulocken. Hier spricht das
Mädchen zu dem Jüngling und fordert ihn auf, einen Ausflug ins Freie
mitzumachen. In beiden Gedichten spielt die Schilderung der frühjährlichen Natur, des Wachsens und Blühens eine wichtige Rolle als Umrah-

mung der Liebeszenen, die in beiden Fällen nur als gedacht und erwünscht dargestellt werden.

Das Gedicht berührt sich auch mit 6 11. Die Gartenwanderung des Mädchens, die allerdings einen unerwarteten Verlauf nimmt, fängt mit einer Naturschilderung an, die zum Teil mit 7 13 wörtlich übereinstimmt.

Auffallende Parallelen hat das Gedicht auch in der ägyptischen Liebeslyrik, wo die gleiche ländliche Welt mit Ausflügen und Spaziergängen als Umrahmung der Liebesszenen häufig dargestellt wird. Die Liebenden begegnen sich im Garten, an der Wasserstelle, in der Flur, um „einen schönen Tag zu feiern", wie die fast kehrversartige Formel lautet. In einem Gedichtzyklus, der die Bäume als Mithelfer des Liebespaars auftreten läßt, arrangiert die Sykomore ein Rendezvous in ihrem Schatten:

> Die Flur feiert ihren Tag.
> Unter mir stehen Laube und Zelt.
> Meine Gutsleute freuen sich
> wie Knaben, wenn sie dich sehen.
>
> .....
>
> Ach verbringe den Tag in schöner Weise,
> morgen und (über)morgen bis zu drei Tagen,
> während du in meinem Schatten sitzst.
> Ihr Freund ist zu ihrer Rechten (Schott 60).

Oder das Mädchen wird als eine Gärtnerin oder Vogelfängerin dargestellt und lädt den Jüngling zum Mithelfen ein:

> Ich bin zum Vogelstellen gekommen,
> meine Falle in meiner einen Hand,
> in meiner anderen Hand mein Fangnetz
> und mein Wurfholz.
>
> Vielerlei Vögel von Punt lassen sich nieder
> auf Ägypten, mit Myrrhen gesalbt.
> Der als erster kam,
> packt meinen Köder.
>
> Sein Duft ist aus Punt gebracht,
> seine Krallen sind voller Balsam.
> Dir zuliebe wollen wir zusammen ihn lösen,
> auf daß ich mit dir allein bin.
>
> . ...
>
> Zum Felde zu gehen ist das Schönste für den,
> der geliebt wird (Schott 50).

Im Licht der ägyptischen Texte ist es kaum möglich, das Hoheliedgedicht als ein Lied vom Feiern der „heiligen Hochzeit" zu interpretieren. Die ägyptischen Gedichte lassen vielgestaltige konkrete Situationen aus einem durchaus weltlichen Alltagsleben hervortreten, die auch für die Hoheliedlyrik als Sitz im Leben gelten können. Hier wie dort tritt in einer nicht zu überhörenden Weise das Persönliche und Einmalige zutage, kurz, eine Welt, die mit Kult und Mythos sehr wenig zu schaffen hat.

Das merkwürdig modern anmutende Thema – Einladung zu einem Ausflug ins Freie – kann im Licht der ägyptischen Liebesdichtung nicht beanstandet werden. Die Liebesleute wollen „aufs Land" wandern und „in den Dörfern" über Nacht bleiben. Für die vorgeschlagene Textänderung in בַּכְּרָמִים statt 𝔐 בַּכְּפָרִים fehlt jede Stütze. Ebenso klar ist, daß כְּפָרִים hier zum Unterschied von 1 14 4 13 nicht „Hennasträucher" meint, sondern Ortschaften bezeichnet. So haben die alten Versionen das Wort verstanden; 𝔊 ἐν κώμαις, 𝔙 in villis. 𝔖 hat den gleichen Stamm wie 𝔐; vgl. auch 1 S 6 18, wo die sing.-Form כֹּפֶר erscheint. Das Nebeneinander von שָׂדֶה und כְּפָרִים findet sich auch 1 Ch 27 25; vgl. auch die Zusammenstellung von κῶμαι und ἀγροί in den Evangelien, Mk 6 36 Lk 9 12.

Die wenigen Belegstellen sind für die Frage, wie man sich כְּפָרִים näher vorstellen darf, nicht besonders aufschlußreich. Die Kontexte und besonders die Zusammenstellung mit שָׂדֶה lassen vermuten, daß כפר in sehr ähnlichem Sinn wie חָצֵר gebraucht wurde, sich also strenggenommen nur auf „einzelstehende Gehöfte oder Weiler im Bereich einer Gemeinde abseits von deren Hauptort" bezieht; s. Alt, KlSchr II 437.

נַשְׁכִּימָה bezieht sich nicht auf נָלִינָה in 12, als handle es sich um eine zweite Stufe der Wanderung (erst in den Dörfern übernachten, dann am frühen Morgen in die Weinberge gehen). 13 Wiederholt die Einladung und variiert sie durch Ausmalung mit neuen Zügen.

Weil in 13c „die Braut dem Geliebten mit dürren Worten die volle Hingabe ihrer Person" verspricht, können diese Worte nach Budde sich nur auf ein Hochzeitsfest beziehen; Komm. z.St. Da indessen nichts auf ein besonderes Fest hindeutet, sieht Budde keinen anderen Ausweg, als den Halbvers als einen späteren Zusatz zu betrachten. Man fragt sich, wem die Worte dann zuzutrauen wären und ob sie als späterer Zusatz weniger anstößig werden. Die Forderung, daß es sich bei jeder Erwähnung sinnlich erotischer Szenen um Hochzeit und Ehe handeln müßte, läßt sich nur als das Hineinlesen einer kirchlichen Eheethik in das Hohelied verstehen und führt wieder aufs neue zu willkürlichen Textinterpretationen.

O WÄREST DU MIR WIE EIN BRUDER!
(7 14–8 4)

Text   7¹⁴Es geben die Liebesäpfel ihren Duft,
und an unſerer Tür ᵃ ſind allerlei köſtliche Früchte ᵇ,
neue und alte,
dir, mein Liebſter, habe ich ſie aufbewahrt.
8¹O wäreſt du mir wie ein Bruder ᶜ,
an meiner Mutter Bruſt genährt!
Träfe ich dich auf der Straße, würde ich dich küſſen
– und ᵈ niemand würde mir's verargen –,
²würde dich ins Haus meiner Mutter bringen ᵉ.
Wollteſt du mich „belehren" ᶠ,
würde ich dir zu trinken geben vom Würzwein ᵍ,
von meinem Granatmoſt ʰ.
³Seine Linke iſt unter meinem Kopf,
und ſeine Rechte umfängt mich.
⁴Ich beſchwöre euch, ihr Töchter Jeruſalems ᶦ,
warum ʲ wollt ihr wecken und warum ſtören die Liebe ᵏ,
ehe ihr's gefällt?

7 14   a Generaliſierender Plural; s. Joüon, Gr § 136j. – b Die Änderung in
8 1   כָּל־פְּרִי ähnlich wie 4 13.16 iſt unnötige Pedanterie. – c Die meiſten wollen
mit 𝔊 𝔏 𝔙 אָח ſtatt 𝔐 כְּאָח leſen. Es iſt natürlich durchaus möglich, daß כ auf
Dittographie beruht. Sicher iſt das aber keineswegs; die Vergleichspartikel kann
die Funktion haben, dem Wunſch einen modeſteren Ton zu geben. – d Zum
2   konzeſſiven גַּם s. BrSynt § 167. – e Verba, die einen einheitlichen Vorgang ſchil-
dern, werden gern aſyndetiſch aneinander gereiht; vgl. BrSynt § 133b. –
f 𝔊 𝔏 𝔖 𝔖ʰ haben ſtatt תְּלַמְּדֵנִי die Schlußworte von 3 4, offenbar weil ſie 𝔐
als ſinnlos betrachteten. Zum Sinn des לָמַד s.u.S. 212. – g Lieſt man wie die
Maſſoreten יַיִן, ſo iſt הרקח als Appoſition aufzufaſſen; vgl. BrSynt § 62. Die
einfachere Leſung יין findet ſich in einigen MSS. – h Das Suffix gehört zum
4   ganzen Ausdruck; s. Joüon, Gr § 140b. – i Einige MSS ſowie 𝔊 𝔏 𝔄 'A haben
die längere Faſſung der Schwurformel von 2 7 3 5. Der vollere Text geht vermutlich auf eine harmoniſierende Vorlage zurück; s.o.S. 77f. – j Einige MSS
𝔊 𝔙 𝔄 leſen אם...וְאִם; vgl. 2 7 3 5. –k 𝔊 𝔙 leſen הָאַהֲבָה wie 2 7.

Form   Nach den meiſten Auslegern fängt das Gedicht erſt mit 8 1 an, und
7 14 wird als Schlußvers des vorigen Abſchnittes betrachtet. Dieſe Textgliederung bereitet indeſſen der Interpretation große Schwierigkeiten.
In einem derartigen Kontext wäre 14 kaum anders als eine verhüllte
Frauenſchilderung zu verſtehen, wobei „die aufbewahrten Früchte"
als ein Deckwort für die weiblichen Reize ſtehen müßten. Gegen dieſe
Auslegung ſträubt ſich der Text ſehr entſchieden. Daß die Sprache

208

erotisch gefärbt ist, steht natürlich außer jedem Zweifel. Aber daß die Früchte „an unserer Tür" wachsen, daß sie „jung und alt", d.h. vielerlei Sorten, seien (s.u.S. 211) und daß das Mädchen sie für den Geliebten aufbewahrt habe – all das sind doch konkrete Züge, die sich als Bilder mit einem prägnant erotischen Sinn schwerlich begreifen lassen. Der natürlichste und nächstliegende Sinn des Verses ist ein viel einfacherer: es wird ohne sprachliche Verhüllung eine bestimmte und höchst konkrete Örtlichkeit beschrieben, in einer Weise allerdings, die nicht ohne Nebentöne ist: das Haus des Mädchens oder – richtiger – das ihrer Mutter (פְּתָחֵינוּ mit Pluralsuffix wie כָּתְלֵנוּ in 29!) wird als einladender Ort des Stelldicheins geschildert und als eine natürliche Einleitung der folgenden fiktiven Rendezvous-Schilderung gestellt.

Als Gedichtschluß (3f.) finden wir die gleichen Formeln wieder wie in einer anderen Rendezvous-Schilderung, 24–7. Die abschließende Beschwörung an die „Töchter Jerusalems" erscheint auch in 35, gerade wie hier, als Endstrophe einer Rendezvous-Schilderung. An das letztgenannte Gedicht erinnern auch andere Einzelheiten. Das Mädchen „findet" den Jüngling auf der Straße und „führt" ihn in das Haus ihrer Mutter. Offenbar handelt es sich um Züge, die in den Rendezvous-Schilderungen einen eingebürgerten Platz hatten.

Noch auffallender ist die Ähnlichkeit mit einem ägyptischen Liebesgedicht, das wegen der vielen Einzelheiten, die an unseren Text erinnern, verdient, im ganzen zitiert zu werden.

> „Ich ging vorüber nahe an seinem Hause
> und fand dessen Tür offen.
> Der Geliebte stand da zur Seite seiner Mutter.
> Alle seine Geschwister waren bei ihm.
>
> Das Herz aller, die auf dem Wege gingen,
> ergriff Liebe zu ihm,
> dem trefflichen Jüngling ohne seinesgleichen,
> einem Geliebten von erlesener Art.
>
> Er blickte auf mich, als ich vorüberging,
> und ich habe gejubelt,
> frohen Herzens, in Freude,
> Geliebter, weil ich (es) sah.
>
> Ach daß die Mutter mein Herz kennte
> und es ihr bald einfiele!
> Goldene, ach! gib es in ihr Herz,
> dann eile ich zu meinem Geliebten.

Ich küsse ihn vor den Seinen
und schäme mich nicht vor den Menschen,
sondern freue mich über ihren Neid,
weil Du mich erkennst.

Ich mache meiner Göttin ein Fest
– Mein Herz springt und will herausgehen –,
um mich den Geliebten schauen zu lassen in der Nacht,
die sehr schön ist, wenn sie vorübergeht" (Schott 42f.).

In beiden Gedichten spricht das Mädchen, und zwar von ihrer heimlichen Liebschaft. Beidemal handelt es sich um eine Liebesbegegnung, die nur in der Phantasie des Mädchens existiert. Sie malt es vor sich aus, wie sie den Geliebten in aller Öffentlichkeit treffen und küssen könnte, ohne sich vor den Menschen schämen zu müssen. Die Mutter spielt in beiden Gedichten eine gewisse Rolle.

Wort 7 14 דּוּדָאִים, „Liebesäpfel", werden außer hier nur Gn 30 14–16 erwähnt. Ruben findet sie zur Zeit der Weizenernte auf dem Feld. Die weitere Erzählung zeigt, daß den דּוּדָאִים aphrodisische Eigenschaften zugeschrieben wurden. Schon in den alten Übersetzungen und bei den Kirchenvätern werden die דּוּדָאִים mit der Mandragora gleichgesetzt, die in der Medizin und im Volksglauben des Altertums eine wichtige Rolle spielte. Der Alraun, *mandragora officinalis* – es gibt noch zwei Arten, die gleichfalls in die Mittelmeergebiete gehören –, ist ein stengelloses Kraut mit großen Blättern und duftenden, goldgelben Früchten. Näheres bei Steier, Art. Mandragoras: Pauly-Wissowa 14, 1028–1037; vgl. auch LKeimer, Die Gartenpflanzen im Alten Ägypten I, 20–23; KSchneider, Art. Alraun: Reallex. für Antike und Christentum 1, 307–310; Löw, Flora III, 363–368. Die Identifizierung von דּוּדָאִים und Mandragora kann aber nicht als bewiesen gelten und ist angezweifelt worden; s. BRandolph, The Mandragora of the Ancients in Folklore and Medicine: Proc. of the Am. Academy of Arts and Sciences 40, 12 (1905) 487–537, ebenso Steier a.a.O. 1030 . Das hebräische Wort kann ein Sammelname sein für Pflanzen, die narkotische oder aphrodisische Eigenschaften haben. Aus der Übersetzung der ⅏ geht eigentlich nur so viel hervor, daß die Mandragora zur Zeit der Entstehung der Septuaginta als Pflanze bekannt war und daß man ihr die gleiche Wirkung wie den דּוּדָאִים beilegte. מְגָדִים bezeichnet wie פְּרִי מ' 4 13.16 auserlesene Früchte, ohne nähere Spezifizierung. Wie in der Gartenbeschreibung in Kap. 4 hat das Wort hier einen erotischen Nebensinn, ohne daß es sich deshalb um eine verhüllte Frauenschilderung handelt. Die Früchte wachsen „vor unserer Tür". Der Ausdruck erinnert an 2 9, wo der Jüngling „vor unserer Wand" steht. Hier wie dort handelt es sich um das Elternhaus des Mädchens.

Wie können aber die Früchte „junge und alte" genannt werden? Eine auffallende Parallele ist der ägyptischen Liebesdichtung zu entnehmen. In dem o.S. 206 erwähnten Baumgartenlied will die Sykomore ein Fest in ihrem Schatten für die Liebenden arrangieren. Diener bringen die dazu nötigen Sachen herbei:

> „Das Gesinde ist gekommen mit seinem Haushalt
> und brachte Bier jeder Art, allerlei Sorten Brot,
> viele Blumen von gestern und heute,
> allerlei Früchte zur Erfrischung" (Schott 60).

Daß es sich bei den „Blumen von gestern und heute" nicht um eine prägnante Formulierung handelt, ist ohne weiteres klar. Der Sinn des Ausdrucks geht aus dem Kontext mit genügender Klarheit hervor. Offenbar steht „von gestern und heute" gleichbedeutend mit den vielen Totalitätsbezeichnungen, die hier erscheinen: „jeder Art", „allerlei Sorten", „allerlei". Auch an der Hoheliedstelle ist, im Bestreben nach Deutlichkeit, das Ganze in gegensätzliche Teile zerlegt. Andere Beispiele sind עָצוּר וְעָזוּב, „gehemmter und losgelassener" (Dt 32 36 1 Kö 14 10 21 21 2 Kö 9 8 14 26) הָרָוָה אֶת־הַצְּמֵאָה „das Getränkte und das Durstende" (Dt 29 18 als Umschreibung des ganzen Landes, aber 1 Q S II, 14 von רוּחַ gebraucht). Diese sogenannte „polare Ausdrucksweise" (s. EStruck, Die Bedeutungslehre als Hilfsmittel bei der altsprachlichen Lektüre: Deutsche Akad. der Wiss. zu Berlin. Sektion für Altertumswissenschaft. Schriften 19, 1959, 61), d.h., das Bezeichnen der Totalität mit Hilfe koordinierter, konträrer Begriffe ist im Arabischen sehr beliebt. Eine Fülle von Beispielen ist von Reckendorf verzeichnet worden: jung und alt, neuere und frühere, Bekannte und Freunde, Abwesende und Anwesende, lebendig und tot, Rote und Schwarze, süß und bitter, Fettes und Mageres u.s.w.; s. HReckendorf, Arabische Syntax (1921) 328f. Aus griechischem Sprachgebiet verdient besondere Erwähnung Mt 13 52 vom Hausherrn, „der aus seinem Schatz Neues und Altes hervorholt". Bemerkenswert ist, daß die beiden konträren Begriffe in der gleichen Ordnung erscheinen wie an der Hoheliedstelle.

Ein erotischer Hintersinn ist auch in den Schlußworten des Verses nicht zu überhören: „Dir, mein Liebster, habe ich sie aufbewahrt." Nur sollte man nicht vergessen, daß der Garten mit seinen Früchten gerade als konkret-wirkliche Erscheinung ein erotisch geladener Bereich ist. Die erotische Sprache des Hohenliedes verharrt meistens in einer schwebenden Hintersinnigkeit, der man bei einer schroffen Transponierung in Bilder nicht gerecht wird. Buddes Kommentar zur Stelle – die Braut hätte „alle ihre Reize, alle ihre Liebesbezeugungen keusch nur für den Geliebten behütet" – ist eine Hyperverdeutlichung, die mit der Stimmungslage des hebräischen Ausdrucks nicht viel gemeinsam hat.

8 1 Wie wenig es sich im Hohenlied um ein Brautpaar handelt, geht aus dieser Stelle genügend hervor. Das Mädchen wünscht, den Geliebten gleich einem Bruder zu haben, damit sie immer in seiner Nähe sein dürfte und nicht auf heimliche Liebesbegegnungen angewiesen wäre. לֹא־יָבוּזוּ לִי eigentlich „sie – die Leute – würden mich nicht verachten". Nur eine gemeine Dirne küßt fremde Männer auf offener Straße (Prv 7 12f.).

2 Der Wunsch des verliebten Mädchens wird durch die Schilderung eines gedachten Ereignisses weiter entfaltet. Sie möchte den Jüngling ins Haus ihrer Mutter führen, das schon in den Einleitungszeilen als verlockender Ort des Stelldicheins erwähnt wurde. Die schwierige Frage ist, was תְּלַמְּדֵנִי bedeuten soll. Ist es 2. oder 3. Person? Da alle Verba vorher und nachher in der 2. Person stehen, scheint das auch hier der Fall zu sein. Subjekt wäre demnach der ins Haus des Mädchens gebrachte Jüngling. Der Zusammenhang läßt ahnen, daß „lehren" hier einen erotischen Hintersinn hat. In einem der früher zitierten Baumgartenlieder aus Ägypten erscheint ein sehr ähnlicher Ausdruck, ohne daß der Zusammenhang uns erlaubt, den Sinn klar zu erfassen. Der Granatbaum spricht von den beiden Liebenden, die unter seinen Zweigen verweilen:

> „Dann wird die Liebende belehrt,
> und sie [schont den Geliebten] nicht mit ihrem Stock
> aus weißem und blauem Lotus,
> aus [Blüten] und Knospen" (Schott 58).

Soviel geht unzweifelhaft hervor, daß es sich um eine Liebesszene handelt, die in verhüllender Sprache geschildert wird. Das Mädchen „wird belehrt" und beantwortet diese „Belehrung" mit einem Gestus, dessen Sinn nicht ganz durchsichtig ist, der aber sehr wahrscheinlich ein Ausdruck der Zärtlichkeit sein soll; vgl. Hermann, Altägyptische Liebesdichtung 147. Auch das „Belehren" dürfte den Sinn eines Zärtlichkeitsbeweises haben, etwa „liebkosen". Es scheint, als wäre „lehren" auch im Hebräischen als besondere sprachliche Verhüllung einer Zärtlichkeit angewendet. Außerhalb unserer Hoheliedstelle ist auf Jer 13 21 zu verweisen, wo das als Frau gedachte Jerusalem gerügt wird, weil es seine Heimsucher als traute Freunde „belehrt" habe. Auch an der Hoheliedstelle wird ein erotischer Sinn des לָמַד durch den Zusammenhang geradezu gefordert.

Es kommt noch hinzu, daß die syntaktische Stellung des תְּלַמְּדֵנִי unklar ist. Durch die massoretische Textgliederung wird es auf das Vorhergehende bezogen, oder vielleicht richtiger, steht es syntaktisch beziehungslos nachhinkend: „Ich werde dich ins Haus meiner Mutter führen – du wirst mich lehren." Eine syntaktisch befriedigende Textgliederung ergibt sich erst dann, wenn תְּלַמְּדֵנִי auf das folgende bezogen wird, und zwar als Vordersatz eines Bedingungssatzes: wenn du mich „lehrst", werde ich

dir zu trinken geben u.s.w. Nur bei dieser Textgliederung kann das paro-
nomastische Wortspiel von אַשְׁקְךָ־אֶשָּׁקְךָ völlig gewürdigt werden, dessen
eigentliche Pointe gerade darin liegt, daß die beiden Wörter die gleiche
syntaktische Stellung haben. Sie leiten je einen Nachsatz ein. Daß das
„Trinken" und „zu trinken Geben" einen erotischen Hintersinn hat,
steht natürlich außer jedem Zweifel; vgl. z.B. Prv 5 15ff.

רֶקַח als Bezeichnung eines Zusatzes zum Wein findet sich nur hier.
Der Verbstamm wird von der Bereitung verschiedener Salben gebraucht.
Von der Sitte, dem Wein aromatische Gewürze und Parfüme beizumi-
schen, um den Geschmack zu erhöhen, erzählt u.a. Theophrast; siehe
Art. Salben, Pauly-Wissowa II 1, 1856ff.

עָסִיס (von עסס „pressen") bezeichnet gewöhnlich den süßen, frisch-
gepreßten Traubensaft (Jes 49 26 Am 9 13 Jl 1 5 4 18). Auch aus den Granatäpfeln wurde eine Art von Fruchtsaft gewonnen; vgl. LKeimer, Die
Gartenpflanzen im Alten Ägypten I (1924) 51.

Zu 3 f s.o. zu 2 6 f und 3 5.

FRAGMENT

(8 5)

Text   Wer ift fie, die da heraufkommt aus der Wüfte[a],
an ihren Geliebten gelehnt?
Unter dem Apfelbaum weckte ich dich[b],
dort empfing[c] dich deine Mutter,
dort empfing dich fie, die dich gebar[d].

8 5   a ℭ hat für „aus der Wüste" λελευκανθισμένη (𝔏 candida), was auf eine abweichende Vorlage zurückgehen dürfte, vielleicht מַבְהִירָה (Rudolph). – b ℭ hat in dieser Zeile durchgehend Fem.-Suffixe. – c Das Subst. חֲבָלִים „Wehen" könnte für das Verb auf „gebären" führen. Der Zusammenhang läßt aber eher den Sinn „empfangen" vermuten; vgl. Ps 7 15). – d ℭ ἡ τεκοῦσα σου scheint יְלָדַתֶךְ gelesen zu haben.

Form   Daß der Vers auf das Vorhergehende keinen Bezug nimmt, scheint sicher; handelt es sich in 3f. doch um eine literarisch verfestigte Schluß-formel der Rendezvous-Schilderung (vgl. 2 6f. und 3 5). Die Frage macht eher den Eindruck eines Gedichtanfangs; vgl. 3 6–8, das in der gleichen Weise beginnt: „Wer ist sie, die da heraufkommt aus der Wüste?" Wie öfter scheint ein äußerliches Stichwortprinzip den Sammler veranlaßt zu haben, das Gedicht an das Vorhergehende anzuhängen: תָּעִירוּ – עוֹרַרְתִּיךָ und תְּעֹרְרוּ. Ein kurioser Tatbestand ist weiter, daß sowohl hier wie bei 3 6–8 der jeweils vorangehende Vers den gleichen Wortlaut hat.
    Schwierig ist die Frage, wie das Stück nach vorn abzugrenzen ist. Rudolph, der 5 mit den beiden folgenden Versen in Verbindung setzt, ver-mutet, der Dichter habe 5a nur deshalb an den Anfang gesetzt, um deut-lich zu machen, daß es sich bei den Redenden um Eheleute handelt. Daß die Frau, an den Geliebten gelehnt, daherkommt, sei eine Intimität, die allein bei Verheirateten möglich sei. Abgesehen davon, daß diese Verstehenshilfe sehr dunkel scheint, wäre zu fragen, wozu eine eheliche Legalisierung gerade bei diesem Gedicht nötig wäre, da es sich ja hier keinesfalls um eine erotisch sinnliche Szene handelt. Der Hauptgrund gegen eine Verknüpfung des Verses mit dem folgenden ist, daß inhalt-liche und thematische Berührungspunkte fehlen.
    Für die Auslegung fatal ist es, daß auch innerhalb des Verses kein klarer Zusammenhang zwischen den beiden Zeilen besteht. 5a sieht wie die Einleitung eines Beschwörungsliedes aus, offensichtlich vom Mädchen handelnd. In 5b wird der männliche Partner in einer Du-Anrede ange-sprochen. Die Änderung der maskulinen Suffixe ins Fem. nach ℭ kann den

fehlenden Zusammenhang nicht herstellen. Das läßt sich doch wohl nur so erklären, daß der Vers fragmentarisch ist. Ob die beiden Verszeilen jemals Bestandteile eines einzigen Gedichts gewesen oder verschiedenen Ursprungs sind, läßt sich nicht entscheiden.

Daß ⅏ הַמִּדְבָּר hier anders als in 3 6 hätte übersetzen sollen, ist sehr un- Wort 8 5 wahrscheinlich. Die Abweichung dürfte also auf die Vorlage zurück-gehen. – מְתרַפֶּקֶת ist ein Hapaxlegomenon, dessen Sinn aber durch arabi-sche und äthiopische Parallelen feststeht.

In 2 3 vergleicht das Mädchen den Jüngling mit einem Apfelbaum, in dessen Schatten sie zu sitzen liebt und dessen Frucht für sie süß ist. „Liebe unter den Bäumen" läßt sich in den ägyptischen Gedichten als ein spezielles Motiv der Liebesdichtung feststellen; vgl. Hermann, Alt-ägyptische Liebesdichtung 142. Ob das auch hier eine Rolle spielt, ist bei dem fragmentarischen Zustand des Textes nicht zu entscheiden.

חבל pi. „kreißen, in Wehen liegen"; vgl. חֲבָלִים. Wie aus Ps 7 15 her-vorgeht, kann das Verb auch „empfangen" meinen, was hier wohl we-gen des Zusammenhangs näher liegt. 𝔙 hat חבל als „verderben" ver-standen (wie 2 15 und öfter): ibi corrupta est mater tua, ibi violata est genitrix tua. Ähnlich 'A διεφθάρη. Die von vielen Auslegern geäußerte Ver-mutung, diese Übersetzung wäre als eine Anspielung auf den Sündenfall Evas unter dem „Apfelbaum" des Paradieses zu verstehen, wobei die Gleichsetzung von *malum* „Apfel" und *malum* „das Böse" eine Rolle ge-spielt habe, ist sehr fraglich. Diese Apfelsymbolik dürfte kaum so früh be-legbar sein. In der altchristlichen Symbolik wird der am Baum hän-gende Apfel gewöhnlich als ein Bild für Christus am Kreuz verwendet und dementsprechend *cibus suavis, cibus salutis* genannt; weiter siehe Art. „Apfel": Reallexikon für Antike und Christentum 1 (1950), 495.

DIE MACHT DER LIEBE

(8 6–7)

Text   ⁶Lege mich wie einen Siegelring an dein Herz,
wie einen Siegelring ᵃ an deinen Arm,
denn ſtark wie der Tod iſt die Liebe,
mächtig wie die Unterwelt die Leidenſchaft;
ihre Gluten ſind Feuersgluten,
eine gewaltige Flamme ᵇ.

⁷Große Waſſer können nicht
die Liebe löſchen,
und Ströme ſchwemmen ſie nicht weg.
Gäbe ᶜ jemand alle Habe ſeines Hauſes um Liebe,
nur verachten würde man ihn.

8 6   a Die Vermutung, das zweite כַּחוֹתָם sei eine Verschreibung für ein ursprüngliches כַּצָּמִיד oder ein anderes Wort für Armband, findet in den alten
Versionen keine Stütze. Der Siegelring wurde wohl gewöhnlich an der Hand
getragen (Jer 22 24), was aber nicht hindert, daß auch der Armring als Siegel-
stempel verwendet werden konnte. – b Zum Sinn des שַׁלְהֶבְתְיָה s.u.S. 217. –
7   c Über אָם als Einleitung einer irreal gedachten Bedingung statt des häufigeren
לוּ s. BrSynt § 165 ab.

Form   Die erste Zeile ist eine Du-Anrede, und zwar, wie aus dem Suffix
hervorgeht, an den Jüngling gerichtet und also vom Mädchen gesprochen.
Statt eines zu erwartenden Zwiegesprächs zwischen den Liebenden folgt
eine feierliche Lobrede über die Liebe. Ob auch hier das Mädchen als
die Sprecherin gedacht ist, läßt sich kaum beantworten. Die Aussagen
werden nicht auf irgendeine konkrete Situation bezogen, sondern haben
den Charakter allgemeingültiger Wahrheiten.

    Das ganze Gedicht hindurch wird als bewußtes und wirksames Stil-
mittel die Steigerung verwendet; Näheres s.u.S. 217f. Bei aller Steigerung
der emotionalen Ausdruckskraft, sogar bis zum Hyperbolischen, fehlt den
Aussagen jede Neigung zur Personifikation oder Mythologisierung der
Liebe. Höchstens könnte man von einer Verdinglichung sprechen, die
jedoch sehr unbestimmt bleibt. Die Liebe wird mit jeweils wechselnden
Bildern beschrieben: als ein höchstpersönliches Eigentum, als etwas
Starkes und Mächtiges, als Glut und Flammen und endlich als etwas
überaus Wertvolles. Alles bleibt in der Schwebe, fern von jeder mytho-
logisierenden Färbung und Motivverfestigung.

Wort 8 6   Die Ausgrabungen in Palästina haben eine große Menge von Siegeln
aus verschiedenen Zeiten an den Tag gebracht. Man konnte das Siegel

an einer Schnur um den Hals tragen, so daß es auf der Brust lag (Gn 38 18), oder als Fingerring (Jes 22 24). Die Hoheliedstelle scheint zu zeigen, daß auch der Armring als Stempelwerkzeug verwendet wurde; vgl. SMoscati, I sigilli nell' Antico Testamento: Bibl 30 (1949) 314–338, bes. 319. Da das Siegel u.a. als Unterschrift auf Urkunden diente (1 Kö 21 8 Jer 32 10), war es seinem Besitzer ein wertvolles und höchst persönliches Eigentum (Hag 2 23). Ein fragmentarisches Liebesgedicht aus Ägypten legt den gleichen Wunsch in den Mund des Jünglings:

> „Ach wäre ich ihr Siegelring,
> der an [ihrem Finger sitzt].
> [Da würde sie mich hüten]
> wie etwas, was ihr eine schöne Lebenszeit macht"
>
> (Schott 67; vgl. auch oben S. 61).

Als paralleler Begriff zu אַהֲבָה steht קִנְאָה, die eifersüchtige Leidenschaft; Näheres zum Sinn von קִנְאָה bei HABrongers, Der Eifer des Herrn Zebaoth: VT 13 (1963) 269–284. קִנְאָה dürfte wohl im Vergleich mit אַהֲבָה als eine Steigerung angesehen werden, ebenso wie קָשֶׁה den Begriff עַז steigert; vgl. Gn 49 7, wo die beiden Adjektive wie hier nebeneinanderstehen, um den Zorn des Simeon und Levi zu beschreiben. Die gleiche Steigerung findet sich auch bei den Vergleichsgegenständen מָוֶת – שְׁאוֹל. Auch in 6c ist das bestimmende Gestaltungsprinzip die Steigerung gewesen. Das Hapaxlegomenon שַׁלְהֶבֶתְיָה wird von den meisten Auslegern als ein Kompositum mit der Kurzform des Jahwenamens als Endglied aufgefaßt, also „Jahweflamme". So ist das Wort wahrscheinlich auch von den Massoreten verstanden worden. In vielen MSS und Edd findet sich eine getrennte Schreibung שלהבת־יה. Die „Flamme Jahwes" wäre dann der Blitz; vgl. אֵשׁ יְהוָה (Nu 11 1 1 Kö 18 38) אֵשׁ הָאֱלֹהִים (2 Kö 1 12 Hi 1 16). Es ist aber fraglich, ob diese Deutung den ursprünglichen Sinn des Wortes trifft. Die Endung – jā findet sich auch in anderen Nomina, wo sie als Gottesname kaum in Frage kommen könnte, sondern sehr wahrscheinlich ein Intensivsuffix ist. מַאְפֵּלְיָה „tiefes Dunkel" (Intensivform von מַאֲפֵל), מֶרְחַבְיָה „gewaltige Weite" (Intensivform von מֶרְחָב). In ähnlicher Weise scheint שַׁלְהֶבֶתְיָה eine Intensivform von שַׁלְהֶבֶת zu sein, also „eine mächtige Flamme"; vgl. Nyberg, Hebreisk grammatik § 75 p. Bei dieser Wortdeutung scheint der Vorschlag, ein שַׁלְהַבְתֶיהָ einzusetzen (weggefallen durch Haplographie), kaum in Betracht zu kommen. „Ihre Flammen sind gewaltige Flammen" macht einen matten, fast tautologischen Eindruck. Auch findet die Textänderung keine Stütze in den alten Versionen. 𝔊 φλόγες αὐτῆς hat die Endung als ein Possesivsuffix verstanden. 𝔖 nimmt auf die Endung überhaupt keine Rücksicht und bindet das Wort durch eine Kopula mit dem Vorhergehenden zusammen, „und eine Flamme".

217

87   Der Wunsch nach Steigerung des Ausdruckswertes hat auch beim letzten Bildpaar die Wortwahl beeinflußt: נְהָרוֹת–מַיִם רַבִּים und שֶׁטֶף–כבה. שֶׁטֶף heißt überfließen, überfluten (Jes 8 8 66 12), vgl. ⅏ συν-κλύσουσιν oder, was hier besser paßt, „wegschwimmen" (Jes 28 17 Ez 16 9 Hi 14 19); so ⅏ gārᵉfīn.

Daß die Schlußzeile eine aphoristische Randbemerkung eines Weisheitslehrers sein sollte (Robert-Tournay-Feuillet), läßt sich nicht erhärten. Noch unmöglicher ist der Versuch, in 7b eine Anspielung auf den Ischtarkult zu finden (Wittekindt). Nach den verschiedenen Aussagen wendet das Gedicht hier zum anfänglichen Motiv zurück, der Kostbarkeit der Liebe. Sie ist kostbarer, als daß jemand sie um Geld kaufen könnte. כָּל־הוֹן בֵּיתוֹ faßt alles Besitztum zusammen. ⅏ τὸν πάντα βίον αὐτοῦ setzt keine abweichende Vorlage voraus (etwa חיים). βίος hat hier wie häufig den Sinn „Lebensunterhalt" und ist somit eine sachlich richtige Übersetzung des הוֹן.

DAS SCHWESTERLEIN
(8 8–10)

Text

⁸Wir haben eine Schwester ᵃ, eine kleine,
die noch keine Brüste hat.
Was sollen wir tun mit unsrer Schwester
am Tage, wo man um sie werben wird ᵇ?
⁹Wird sie eine Mauer,
so bauen wir auf sie einen silbernen Mauerkranz ᶜ,
wird sie aber eine Tür,
so verrammeln ᵈ wir sie mit einem Zedernbrett.
¹⁰Ich bin eine Mauer,
und meine Brüste sind wie ᵉ Türme –
bei alledem bin ich vor ihm
wie eine Kapitulierende ᶠ geworden.

a אָחוֹת לָנוּ קְטַנָּה ist von einigen 𝔊ᴹˢˢ als ein Relativsatz verstanden worden, 8 8
ἀδελφὴ ἡμῶν (statt ἡμῖν) „die Schwester, die wir haben". – b Der Ausdruck
דִּבֶּר בְּאִשָּׁה, „um eine Frau werben" (1 S 25 39), hat 𝔊 mit dem sinnlos wortgetreuen λαληθῇ ἐν αὐτῇ übersetzt. – c 𝔊𝔖𝔙 haben Plural. – d 𝔊 διαγράψωμεν 9
setzt keinen abweichenden Text voraus. Der Übersetzer hat das Wort als ein
Synonym von צר „zeichnen" verstanden; vgl. Ez 43 11. – e Die Vergleichspar- 10
tikel fehlt in 𝔊ᴮ 𝔏𝔖. – f eigentlich „wie eine, die Frieden(sangebot) ausgehen
läßt"; s.u.S. 221.

Das Stück hebt sich als ein selbständiges Gedicht sehr deutlich ab. Form
Nach den allgemeinen Aussagen über die Liebe folgt ein Zwiegespräch
zwischen den Brüdern und ihrer Schwester oder, wohl richtiger, die
Schwester erinnert sich an den besorgten Kummer, den die Brüder ihret-
willen hegten, damals als sie noch klein war. Nun ist alles nach den Hoff-
nungen der Brüder gegangen. Die kleine Schwester ist zu einer jungen
Frau herangewachsen und eine feste Mauer geworden. Aber – o – weh!
vor ihm, dem Geliebten, gibt sie freiwillig alles auf. Wie im vorigen Gedicht ist also auch hier das eigentliche Thema die Macht der Liebe.

Daß „Schwester" hier nicht eine Zärtlichkeitsanrede von seiten eines Wort 8 8
Liebhabers ist (wie אֲחֹתִי כַלָּה 4 9. 10. 12 5 1 und אֲחֹתִי רַעְיָתִי 5 2), steht außer
Zweifel. Wie wäre sonst das Pluralsuffix zu verstehen, „unsere Schwester"?
Die Sprecher sind also die Brüder des Mädchens. Der Ton autoritäts-
bewußter Vormundschaft scheint im Mund der Brüder sehr passend zu
sein; vgl. 1 6, wo „die Söhne meiner Mutter" eine ähnliche Haltung ihrer
Schwester gegenüber einnehmen. Zur Beleuchtung der Rolle und Befug-
nisse der Brüder bei Eheschließung sind Gn 24 50. 55 34 11 aufschlußreich.

89 Die beiden Bedingungssätze sind genau parallel gestaltet, formal und gedanklich. Die Affinität ist bis in Einzelheiten durchgeführt: die Vergleichsgegenstände (Mauer und Tür), die geplanten Maßnahmen (bauen und verrammeln) und die Objekte (silberner Mauerkranz und Zedernbrett). Eine besondere Pointe liegt aber darin, daß die scheinbar fast synonymen Gegenstände und Handlungen im Dienst einer Metaphorik stehen, durch die sie bei aller äußerlichen Ähnlichkeit gegensätzliche Erscheinungen bezeichnen. חוֹמָה, die Mauer, meistens einer Stadt, aber auch eines Gebäudes, soll den tugendhaften Charakter des Mädchens veranschaulichen. Die Mauer als Bezeichnung eines standhaften Mannes siehe Jer 1 18 15 20 Ez 22 30. דֶּלֶת dagegen, die Tür eines Hauses oder (Plur!) einer Stadt, versinnbildlicht den Leichtsinn. Während die Mauer den Eintritt verwehrt, ermöglicht ihn die Tür. Sollte die Schwester eine Tür werden, d.h. sich leichtsinnig benehmen, sind die Brüder entschlossen, ihrem Treiben ein jähes Ende zu machen. צור על heißt gewöhnlich „belagern", eigentlich „einwickeln, einschnüren". Mit „Tür" als Objekt ist der Ausdruck gut begreiflich, und die vorgeschlagene Lesung נָצוּר (von צרר) erübrigt sich. 𝔊 hat aus dem Verb „zeichnen" herausgelesen, διαγράψωμεν, was im Kontext keinen befriedigenden Sinn gibt.

Aber wie soll man für den günstigeren Fall, d.h., wenn die Schwester eine Mauer wird, das geplante Tun der Brüder verstehen, das Bauen einer טִירַת כֶּסֶף? In der halbnomadischen Gesellschaftsordnung war das Zeltlager der durch einen Steinwall umhegte Bereich, wo Menschen und Kleinvieh vor Feinden und Räubern geschützt waren; vgl. Barrois, Manuel I 85f. In Ez 46 23 scheint טירה etwa synonym mit חומה zu stehen. An unserer Stelle dient das Wort offensichtlich zur Bezeichnung eines Überbaues der Mauer. 𝔊 hat es mit ἔπαλξις gleichgesetzt, d.h. der auf der Mauer befindlichen, oft nur aus Holz gemachten, mit Scharten versehenen Brustwehr; vgl. Kromayer-Veith, Heerwesen und Kriegführung der Griechen und Römer: Handbuch der Altertumswissenschaft IV 3.2 (1928) 222. 241. Es ist aber sehr fraglich, ob 𝔊 damit das Richtige getroffen hat. Die Näherbestimmung „aus Silber" läßt eher an eine architektonische Ausschmückung der Mauer denken als an eine Einrichtung zur Abwehr und Verteidigung. Die tugendhafte Schwester wird von ihren Brüdern gerühmt und belohnt werden.

10 Zwischen der Beratung der Brüder und der Selbstaussprache des Mädchens sind – so soll man offenbar das „Zwiegespräch" verstehen – einige Jahre verflossen. Das Schwesterlein ist inzwischen herangewachsen. Die Besorgnisse der Brüder haben sich als unnötig herausgestellt. Die Schwester ist eine „Mauer" geworden, sogar eine turmversehene, d.h. stark befestigte. Der Vergleich der Brüste mit Türmen erinnert an ein ägyptisches Liebesgedicht, wo der Vergleichsgegenstand einen ziemlich bizarren Eindruck macht:

„Ich fand den Geliebten an der Wasserstelle,
seine Füße über den Fluß gestellt.
Er baute einen Altar, den Tag zu feiern,
das Bier aufzustellen.
Dessen Form ist meiner Brust abgeschaut.
Er ist höher als breit (Schott 63,5).

Die letzte Zeile soll als eine Liebeserklärung verstanden werden, und in ihr liegt die eigentliche und überraschende Pointe des Gedichts. Die alten Versionen haben מוֹצֵאת als pt.ḳ. von מצא verstanden. Es kann auch als pt.hi. von יצא expliziert werden. Die Deutung des Partizips hängt eng mit der Frage zusammen, welchen Sinn שָׁלוֹם hier hat. Wegen des Zusammenhangs liegt die Vermutung nahe, es könnte sich auch bei diesem Wort um einen militärischen Terminus handeln; so u.a. Haupt, Zapletal, Miller. Es gibt einige Stellen, wo שלום einen prägnanten Sinn hat und als gedrängter Ausdruck für „Friedensantrag" steht. So scheint es beim Ausdruck קרא שלום Dt 20 10 Ri 21 13 der Fall zu sein; vgl. auch ענה שלום Dt 20 11. Wenn wir auch hier dem Wort שלום diesen speziellen Sinn beilegen dürfen, erscheint für das Partizip die Bedeutung „ausgehen lassen" als die allein richtige, also „wie eine, die Frieden herausbringt", d.h. die Festung aufgibt und zur Kapitulation bereit ist. Zu אָז, mit konzessiver Färbung, „bei alledem", *rebus sic stantibus*; vgl. Jes 33 23. בעיניו meint hier nicht „nach seinem Urteil", sondern „vor ihm", wie Jos 3 7 Prv 11 7 Esr 3 12 u.ö.

ZWEIERLEI WEINBERGE
(8 11–12)

¹¹Einen Weinberg hatte Salomo in Baal-Hamon ᵃ.
Er übergab den Weinberg den Wächtern;
für seine Frucht würde jedermann ᵇ
tausend Silberlinge ᶜ einbringen.
¹²Meinen ᵈ Weinberg habe ich vor mir.
Die tausend gönne ich dir, Salomo,
und zweihundert denen,
die seine Frucht hüten.

8 11   a In 𝔖 ist der dunkle Ortsname in eine Aussage über den Weinberg verwandelt worden, *uēbeh sagī*, „seine Frucht ist reichlich". Ἀ ἐν ἔχοντι πλῆθος;
Σ ἐν κατοχῇ λαοῦ. – b אִישׁ steht hier als allgemeines Subjekt, nimmt also auf die
Wächter nicht Bezug; vgl. BrSynt § 36b; Joüon, Gr § 155g. – c כֶּסֶף steht hier
12 wie öfter für שֶׁקֶל־כֶּסֶף; vgl. Gn 20 16 23 15. – d s. zu 1 6.

Form   Die Abgrenzung des Gedichts bereitet wegen des klar profilierten
Themas keine Schwierigkeiten. Der auffallende Ausdruck כַּרְמִי שֶׁלִּי findet
sich auch in 1 6, und zwar als eine Selbstbezeichnung im Mund des
Mädchens. Viele Ausleger wollen auch dieses Gedicht als eine Selbst-
aussage des Mädchens erklären. Schwerwiegender als die einzelne Phrase
כרמי שלי ist indessen die gedankliche Verwandtschaft mit 6 8f. Hier wie
dort preist der Jüngling die Einzigartigkeit seiner Geliebten und stellt sie
dem königlichen Harem entgegen. Im Unterschied zu 6 8f. bedient sich
der Dichter hier einer Metaphorik, die im Hohenlied wohlbekannt ist.
Das Mädchen wird ebenso wie der Harem Salomos unter dem Bild
eines Gartens oder Weinbergs dargestellt; vgl. 1 6 2 15 4 12ff.

8 11   Die vielen Versuche, den Ortsnamen Baal-Hamon zu identifizieren,
sind erfolglos geblieben. Die meisten denken an das βαλαμών bei Dothain
von Judith 8 3. Obwohl das eine bloße Vermutung ist, braucht der Name
jedoch keine Phantasieschöpfung zu sein. Salomos Weinberg ist sehr
wahrscheinlich zunächst im eigentlichen Sinn gemeint. Vielleicht soll
Baal-Hamon eine verhüllende Bezeichnung Jerusalems sein; so Rudolph,
Komm.z.St. Daß bei der Erwähnung des Weinbergs Salomos gleichzeitig
auf seinen Harem angespielt wird, kann nicht überhört werden.

In der Weinbergschilderung muß nicht jeder Einzelzug unbedingt
auf konkrete Einzelheiten in der Haremsinstitution übertragbar sein. Daß
die Verpachtung des Weinbergs an „Wächter" auf die Haremsaufseher
Bezug nimmt, ist wohl sehr wahrscheinlich. Bei der Erwähnung des
reichlichen Ertrages ist ein metaphorischer Sinn nicht mehr ersichtlich.
12 Zu לְפָנַי „vor mir", d.h. unter meiner Obhut, vgl. Prv 4 3. – הָאֶלֶף steht
mit Artikel, weil das Zahlwort schon genannt worden ist (BrSynt § 21bα).

DIE GARTENBEWOHNERIN
(8 13–14)

¹³Die du in den Gärten weilſt ª,
die anderen ᵇ lauſchen auf deine Stimme –
laß mich hören:
¹⁴„Eile fort ᶜ, mein Geliebter,
und gleiche einer Gazelle oder einem jungen Hirſch
auf den Balſambergen" ᵈ.

a 𝔊 Θ ὁ καθήμενος, 𝔖 'ajlēn dᵉjātᵉbin, „die, welche sitzen". – b eigentlich ⁸¹³
„Mitgesellen"; 𝔊ᴬ ἕτεροι. Das Wort fehlt in 𝔖. – c 𝔖 hat wie in 2 17 סב gele- ¹⁴
sen. – d 𝔊ᴺᴬ (κοιλωμάτων) setzt בֶּתֶר voraus wie 2 17.

Das Gedicht wird gewöhnlich als ein Zwiegespräch zwischen den **Form**
beiden Liebenden verstanden. 13 ist zweifellos eine Anrede an das Mädchen (הַיּוֹשֶׁבֶת ist Vokativ), und der Redende ist also der Jüngling. Ebenso
klar ist 14 als Antwort des Mädchens an den Jüngling zu verstehen
(דּוֹדִי). Sie fordert ihn auf, „einer Gazelle oder einem jungen Hirsch auf
den Balsambergen zu gleichen". Wir haben diese Formel schon in 2 17
gefunden, und zwar als eine verhüllte Liebeseinladung. Von einem Zwiegespräch kann man hier nicht reden. In 14 spricht das Mädchen tatsächlich nicht, sondern der Jüngling bittet, sie möchte ihn ebendiese
Worte hören lassen.

גַּנִּים ist generalisierender Plural (Joüon, Gr § 136 j), d.h., das Mäd- **Wort 8 13**
chen wird als „Gartenbewohnerin" angeredet. Eine konkret-anschauli-
che Gartenszene, die wir uns beliebig ausmalen könnten, ist dem Ausdruck nicht zu entnehmen. Die „Gartenbewohnerin" soll zunächst als
Ausdruck der erotischen Metaphorik bewertet werden und wird fast
als ein Kosename verwendet (zur Bedeutung des Gartenmotivs siehe
oben S. 61). חֲבֵרִים sind die, die miteinander an etwas teilhaben, Mitgesellen, Kameraden; vgl. Jes 1 23 Ps 119 63 Prv 28 24 Qoh 4 10. Hier sind
die חברים wohl die Rivalen um die Gunst des Mädchens, die mit dem
Jüngling auf ihre Stimme lauschen.

Viele Ausleger wollen ein Objekt zu הַשְׁמִיעִינִי ergänzen, etwa קוֹלֵךְ, d.h., ¹⁴
das Mädchen wäre aufgefordert, als Sängerin aufzutreten. Aber wie ist
dann 14 zu verstehen? Als Antwort auf die Aufforderung zum Singen
paßt der Vers keinesfalls. Nur als Objekt zu השמיעיני wird er sinnvoll.
Das ist es, was der Jüngling hören will: eine Einladung zur Liebschaft.
Diesen Sinn nämlich hat die Aufforderung, wie sich aus dem fast gleichlautenden 2 17 ergibt. ברח bedeutet hier nicht „fliehen", sondern „eilig
fortgehen"; vgl. Nu 24 11 Am 7 12 Jes 48 20. – Zum Sinn der „Balsamberge" s.o. zu 2 17.

DIE LYRIK DES HOHENLIEDES

Die Dichtung des Hohenliedes wird gewöhnlich nach einem seit langem eingebürgerten Sprachgebrauch als Lyrik bezeichnet. Dieser Terminologie scheint die geläufige literarhistorische Einteilung der Dichtung in die drei Hauptgattungen Lyrik, Epos und Drama zugrunde zu liegen. Danach wären alle literarischen Erzeugnisse in je einem dieser Fächer unterzubringen. Es ist klar, daß ein Gattungsbegriff, der die vielfältigen Arten „lyrischer" Gedichte – Ballade, Lieder, Hymnen, Oden, Sonette, Epigramme u.s.w. – mit einbeziehen soll, sehr geräumig sein müßte und zur näheren Charakteristik der Struktur eines Dichtwerks wenig dienlich wäre. Wollte man andererseits dem Begriff des Lyrischen engere Grenzen ziehen und die Lyrik mit größerer Profiliertheit definieren, wäre die Frage nicht zu vermeiden, ob und inwieweit die Gattungsbestimmung in den einzelnen Fällen zutreffend ist.

Einen Versuch, das Wesen der Lyrik näher zu bestimmen, hat Emil Staiger in seinen „Grundbegriffen der Poetik" (1951) gemacht. Er gründet seine Auffassung der Lyrik auf feinfühlige Analysen der goethischen und nachgoethischen „Erlebnisdichtung". Das Wesen des Lyrischen liest er an romantischen Liedern von Goethe, Eichendorff und anderen ab (249). Es handelt sich beim Lyrischen vor allem um gefühlvolle Stimmung und subjektivistische Seelenaussprache. Bedeutsam ist es, daß in lyrischer Dichtung kein Abstand besteht, weder zwischen Dichtung und Hörer noch zwischen dem Dichter und dem, wovon er spricht. „Am leichtesten läßt sich einsehen, daß der Leser keinen Abstand nimmt. Es ist nicht möglich, sich mit dem Lyrischen eines Gedichts 'auseinanderzusetzen'. Es spricht uns an oder läßt uns kühl. Wir werden davon bewegt, sofern wir uns in der gleichen Stimmung befinden. Dann klingen die Verse in uns auf, als kämen sie aus der eigenen Brust" (53). Auch zwischen dem Dichter und seinem Objekt fehlt der Abstand, ja man kann in der lyrischen Dichtung überhaupt nicht von einem Gegenüber sprechen. „Der lyrische Dichter vergegenwärtigt das Vergangene so wenig wie das, was jetzt geschieht. Beides vielmehr ist ihm gleich nah und näher als alle Gegenwart" (63).

Das Fehlen des Abstandes, des Gegenübers, hängt damit zusammen, daß es in der Lyrik keine Gegenstände gibt. „Es gibt für den Lyriker keine Substanz, nur Akzidenzien, nichts Dauerndes, nur Vergängliches. Eine Frau hat keinen 'Körper' für ihn, nichts Widerständiges, keine Konturen. Sie hat vielleicht eine Glut der Augen und einen Busen, der ihn verwirrt, aber keine Brust im Sinne einer plastischen Form und keine fest geprägte

Physiognomie. Eine Landschaft hat Farben und Lichter und Düfte, aber keinen Boden, keine Erde als Fundament. Wenn wir deshalb in der lyrischen Dichtung von Bildern sprechen, so dürfen wir niemals an Gemälde, sondern höchstens an Traumbilder denken, die auftauchen und wieder zerrinnen, unbekümmert um die Zusammenhänge des Raumes und der Zeit. Und wo die Bilder fester stehen, wie in vielen Gedichten Gottfried Kellers, fühlen wir uns schon weit vom innersten Kreis des Lyrischen abgerückt" (44f.).

Wie ist im Licht dieser Ausführungen die Hoheliedlyrik zu bewerten? Läßt sie sich in diesen Rahmen lyrischer Dichtung hineinversetzen? Niemand hat sich eingehender und beredter zum Wesen der alttestamentlichen Dichtung geäußert als Johann Gottfried Herder. In seinem großen Werk „Vom Geist der Ebräischen Poesie" wird der alttestamentlichen Literatur eine künstlerisch-ästhetische Würdigung zuteil, die mit der Beschreibung des Lyrischen, die Staiger gibt, in innerem Einklang steht. Für eine eingehende Erörterung von Herders Auffassung sei auf HJKraus, Geschichte der historisch-kritischen Erforschung des Alten Testaments von der Reformation bis zur Gegenwart (1956) S. 103–119 verwiesen. Herders Hermeneutik ist durch eine romantisch-intuitive Auffassung des Textes bestimmt. Der Leser wird zum kongenialen Miterleben und seelischen Mitschwingen aufgefordert. Es gibt keinen Abstand zwischen Dichtung und Hörer, und es darf keinen geben. Auch zwischen dem Dichter und seinem Gegenstand besteht keine Distanz. Das intuitive Erleben des Lesers wird auch für den alten Erzähler vorausgesetzt. Die Gegenstände und Vorgänge verlieren sich in einem romantischen Nebel, der alle klaren Konturen verwischt.

Es ist zu fragen, ob Herders Charakteristik der alttestamentlichen Dichtung zu Recht besteht, und besonders, ob sie die Struktur der Hohelieddichtung richtig bewertet. Handelt es sich im Hohenlied um „Erlebnislyrik", um gefühlvolle Stimmung und Seelenaussprache? Es wurde bereits in der Einleitung auf bestimmte künstlerische Stilzüge aufmerksam gemacht, die auf eine hochentwickelte literarische Kunst schließen lassen (o.S. 52ff.). Es ist nicht schwer zu sehen, daß diese dichterische Kunst mit Hilfe eines hingebungsfreudigen Miterlebens keineswegs zu bewältigen ist. Was wir finden, sind nicht flüchtig aufklingende Stimmungen, sondern fest umrissene und mit konkreten Einzelheiten gefüllte Zeichnungen. Menschen und Gegenstände werden mit scharfen Konturen dargestellt, und zwar in einer Weise, die zeigt, daß die künstlerische Gestaltung sich aus einer deutlichen Distanz heraus vollzieht. Bilder und Szenen, die von dem subjektiven Ich des Dichters losgelöst sind, bilden die gehaltvolle Substanz dieser Gedichte. Die Liebesvorgänge objektivieren sich in anschauliche und scharf umrissene Bilder, die mit subjektiver Seelenaussprache sehr wenig zu tun haben. Alles ist auf ein Objekt bezogen, auf Gegenstände und Ereignisse, die in einem räumlichen und zeitlichen Abstand dem Dichter gegenüberstehen. Das wird weniger in den Naturschilderungen, aber desto mehr in den Beschreibungsliedern greifbar. In diesen Gedichten, die mit Hilfe gewählter Vergleiche die einzelnen Körperteile zur Schau stellen, ist der Abstand zwischen dem Dichter und seinem Objekt überall zu spüren. Nur ein Dichter, der bewußt in der Distanz bleibt, kann das Haar der Geliebten mit einer vom Gilead strömenden Ziegenherde vergleichen oder ihre Augen mit den Teichen zu Hesbon. Die Vergleiche sind perspektivisch. Es entsteht ein Gegenüber wie beim Bild, das uns vorgestellt und in seinem räumlichen Abstand aufgefaßt wird. Der Abstand zwischen dem dichtenden Ich und seinem Gegenstand tritt auch in den häufigen Anreden klar zutage. Das Hohelied ist fast durchgehend als eine Reihe von Zwiegesprächen gestaltet, als Anreden, die aus einer deutlichen Distanz an ein Gegenüber gerichtet werden.

Gegenstandsbezogenheit und Abstand sind hervorstechende und für die innere Struktur der Hohelieddichtung kennzeichnende literarische Merkmale. Ein drittes hängt damit eng zusammen, der Zeigecharakter. Staiger hat die romantische Lyrik als „Dichtung der Einsamkeit" bezeichnet, die nur in der Stille einsamen Lesens aufblüht. Ein lyrischer Vers sei „das Privateste, Allerbesonderste, was sich auf Erden finden läßt" (52). Hier ist wieder ein Punkt, wo die Hoheliedlyrik ganz anders anmutet. Vor kurzem ist als Kennzeichen der klassisch-römischen Dichtung die Freude am Zeigen und Benennen hervorgehoben worden (s. KOConrady, Lateinische Dichtungstradition und deutsche Lyrik des 17. Jahrhunderts: Bonner Arbeiten zur deutschen Literatur, hrsg. von BvonWiese, Bd 4 (1962) 66ff., 77). Ähnliches läßt sich auch von der Hohelieddichtung sagen. Sie ist deiktisch, will etwas zeigen. So sieht die Geliebte aus! Stück um Stück sollen wir ihren Körper betrachten, ihr Haar, ihre Augen, Zähne usw. Durchgehend handelt es sich um ein Verdeutlichen, ein Zeigen. Nicht selten wird der deiktische Charakter mit Hilfe einer Interjektion oder eines Ausrufesatzes äußerlich hervorgehoben: Horch! Siehe!

In dem Unterschied zwischen der Hohelieddichtung und moderner Erlebnislyrik kommen zwei grundverschiedene künstlerische Gestaltungsweisen zum Vorschein. Die Kunstwissenschaft unterscheidet zwischen Daseinsform und Wirkungsform. Während die subjektivistische, ichbezogene Kunst des Abendlandes das Erlebnis des Betrachters zu gestalten sucht, handelt es sich im alten Orient sowie in der antiken und der mittelalterlichen Welt vor allem um die gegenständliche Wirklichkeit, um die Dinge „wie sie sind", ohne Einbeziehung eines Betrachters, dessen Augenpunkt maßgebend wäre; s. WWolf, Über die Gegenstandsbezogenheit des ägyptischen Denkens: Ägyptologische Studien, hrsg. von

OFirchow (1955): Deutsche Akad. der Wissenschaften zu Berlin. Inst. für Orientforschung. Veröffentlichung Nr. 29, S. 403–411. Das Musterbeispiel einer objektivistischen Formgestaltung einer Daseinsform stellt nach Wolf die altägyptische Kunst dar. „Die Form, die sich um Wiedergabe der gegenständlichen Wirklichkeit bemüht, ist durch den Gegenstand selbst gegeben. Als Rundbild des menschlichen Körpers muß sie daher die Summe aller Glieder und Teile sein, muß sie diese vollständig enthalten. Das einzelne Glied muß von ihr als solches in seinem Dasein erfaßt, nicht in seiner Wirkungsbedingtheit durch das Ganze begriffen sein, eine Forderung, die in idealer Weise durch die vierseitige Form erfüllt wird... Wo es um 'das Ding an sich' geht, bietet sich die Fläche als dasjenige Element dar, das es gestattet, einen Körper auf ihr auszubreiten und ihn mit charakteristischen Linien zu umreißen. Auf diese Weise wird erreicht, daß alle Teile, von denen man 'weiß', daß sie integrierende Bestandteile des Gegenstandes sind, in ihrer größten Ausdehnung 'da sind'. Ein Bild, wie ein Betrachter es 'sieht', wird dabei natürlich niemals herauskommen" (Wolf 404). Die gleiche künstlerische Gesamthaltung ist in den Beschreibungsliedern des Hohenliedes als literarisches Gestaltungsprinzip tätig gewesen. Man hat beim Lesen dieser Gedichte den gleichen Eindruck wie beim Betrachten einer ägyptischen Skulptur. Der Körper zerfällt in eine Folge einzelner Stillbilder, von denen jedes für sich besteht und in statischer Ruhe verharrt. Eine Totalität, der die einzelnen Glieder untergeordnet wären, entsteht nicht.

Ob man die Hohelieddichtung als Lyrik bezeichnen soll oder nicht, ist eine Frage ohne eigentliche Bedeutung. Wichtig ist allein, daß man sich der Eigenart dieser „Lyrik" bewußt ist und vor allem ihre Verschiedenheit der modernen Erlebnislyrik gegenüber klar sieht.

REGISTER DER BIBELSTELLEN

GENESIS

2 5f	159
11 7	26
27ff	36
28	26
12	10
12 1ff	26
10	13
12 11. 14	13
16f	10
20 5	36
20 16	222
23 10	10
23 15	222
24 7	26
16	73
18	116
27	28
67	73
25 21	10
26	10
26 1	13
8f	73
29	23
27 28. 39	165
29 17	74
20	73
31	10
30 3-13	38
13	186
14-16	210
38. 41	199
31 13	26
21ff	147
27	93
32 18	26
37 22	19
38	19 37
11	18
38 14	104 177
18	217
39 6	74
42 35	111
48	38
49 7	217
12	174
22	191
50 2. 26	125

EXODUS

2 16	199
3 2	192
3 8. 17	174
18 26	23
19 18	134
24 6	197
26	100
27 35ff	177
28 17	177
30 23	160f
34-38	138

31 5	177
35 33	177
36	100
39 10	177

LEVITICUS

15 9	139
16 13	138
19 9f	25
22 13	18
23 22	25f
25 25ff	28

NUMERI

1 11	217
21 27ff	198
24 6	161 188
11	223
30 17	18
31 28	154
32 1	147

DEUTERONOMIUM

3 9	153
11 10	159
24	152
12 9	19
20 10f	221
21 7	191
11	74
22 21	18
23 1	32
4	26
24 19	25
25 5f	28
5-10	19
7f	36
9	37
27 20	32
28 35	173
29 18	211
32 2	165
32 36	211
33 13	165
13-16	157. 160
28	165

JOSUA

1	13
1 4	152
2 8	159
3 3	138
3 7	221
4 18	167
7 5	138
9 1	152
20 7	176
21 33	176
22 9ff	147

RICHTER

1	13
5 3	163
7	75 100
12	93
8 14	36
8 18	105
9 46ff 51ff	148
10 17	147
11 7. 9	163
11 24	20
13 8	192
14 11	138
15 1	98
17 7	13
19 1	13
22	163
23	18
20 40	138
21 13	221

1. SAMUEL

1	13
1 18	27
2 8	196
4 5	17
4 15	191
6 18	207
9 1	25
9 2	178
11	130
14 11	166
16 12	74
17 12	14
17 42	74
18 10	142
20 28	73
20 17	120
21	130
25 3	74
25	97
39	219

2. SAMUEL

1 16	17
1 26	73
2 18	124
6 19	119
8 7	149
13 1	74
2	73
10	98
15	73
14 25	74. 173
27	74
16 4	27
22 41	80
24 13	191

1. KÖNIGE

1 3	74 192

REGISTER DER NAMEN UND SACHEN